10676544

L'AQUARELLISTE

Beatrice Masini est traductrice (notamment de la série *Harry Potter* en italien), éditrice chez Bompiani et écrivaine. Elle a signé plus de quarante livres pour enfants et adolescents, traduits dans vingt langues, et fut la lauréate du Premio Andersen, prestigieux prix récompensant un livre pour la jeunesse. Avec *L'Aquarelliste*, elle signe son premier roman destiné aux adultes, qui a reçu le prix de la sélection Campiello et le prix Manzoni du meilleur roman historique. Elle vit à Milan, sa ville natale, avec son fils et sa fille.

BEATRICE MASINI

L'Aquarelliste

ROMAN TRADUIT DE L'ITALIEN PAR FRANÇOIS ROSSO

ÉDITIONS DES DEUX TERRES

Titre original :

TENTATIVI DI BOTANICA DEGLI AFFETTI
Publié par Bompiani, RCS Libri, Milan, Italie

Prologue

Elle ne sait. Ne sait si c'est cela, l'amour : ce frottement d'étoffes, cette friction chaude et âpre, et ces doigts, des doigts partout, des mains qu'elle n'a pas apprises et qui s'aventurent où jamais une main étrangère ne s'est posée, une force, un effarement, vouloir et ne pas vouloir, ah, ici, et cela, où, quoi, pourquoi, et puis cette douleur, aiguë, déchirante, qui lui coupe le souffle et ne cesse pas, qui au contraire augmente, plus intense, plus insistante, une douleur sans pitié, une fouille de chair dans la chair, ah, non, pas comme ça, non, non, mais dire non est inutile et ne change rien, cependant qu'un autre elle-même, tranquille et posé, la regarde de très loin, les yeux pareils à deux lacs de compassion. Mais de la compassion pour quoi ? Et si c'était vraiment cela ? S'il *fallait* que ce fût cela ? Elle ne sait pas, ne sait plus, et écoute encore la douleur qui s'imprime en elle, la cloue au mur, arrache de sa gorge un son dont elle ne veut pas, parce qu'il ne lui appartient pas : ce n'est pas une voix, ce n'est pas un rire et pas même un pleur, c'est un son horrible, de souffrance animale, animale et rien d'autre, et puis combien de temps cela va-t-il durer ? Cela ne finira donc jamais ? Et ensuite, quand enfin c'est fini, que les plis de sa robe retombent pour cacher sa blessure, cette question qui revient : c'est donc cela, l'amour ? Cela, est-ce de l'amour ?

Six ans plus tard

On fait la queue ce soir devant Santa Caterina. Elle est arrivée presque à la course, haletante, d'un pas incontrôlé, regardant de temps à autre derrière elle. D'un coup, elle s'immobilise et se glisse à l'abri d'une colonne. Elle n'est pas seule.

Devant elle, un homme trapu tire de sous son manteau un fardeau qui se tait et ne bouge pas et le dépose dans le bassin en bois, sans hésiter, d'un geste fluide et précis, expert, croirait-on. Ensuite, il n'hésite pas non plus : il fait volte-face et s'en va, et les plis de son manteau volant au vent dans son dos laissent comme une trace de fumée qui se perd dans l'obscurité.

Puis vient le tour de la femme sans coiffe ; la lumière tremblante du réverbère suffit à éclairer son visage tandis qu'elle pose dans le tour son paquet vibrant d'une petite colère de bête. Ce ne sont pas des pleurs : c'est un cri, un bêlement. La femme s'attarde, se penche en avant, à moitié engloutie par la roue ; ses épaules s'agitent, et on comprend qu'elle arrange des plis, ajuste des pans de tissu. Puis elle se redresse, se retourne et s'en va aussi, tête nue comme les pauvresses, sans cacher ses larmes. Elle est très jeune, presque une enfant encore. Une enfant, non : les femmes de cette condition n'ont jamais été des enfants. Ce doit être la première fois, mais ce ne sera peut-être pas la dernière.

Elle, pour sa part, n'a rien à confier aux bons soins de la ville, rien dont elle doive se délivrer avec colère, soulagement ou chagrin. Mais son tour est venu, et elle frappe des articulations de ses doigts contre le bois. Elle attend. La porte s'ouvre. Apparaît une grosse femme molle qui s'essuie les mains à son tablier et s'appuie au chambranle.

« Tu as l'argent ? », demande-t-elle sans préambule.

Elle fait oui de la tête. Elle a dans sa main, tout prêt, un sachet de tissu qu'elle lui tend en cherchant en vain à croiser son regard.

« Elle va bien ?

— Oui, bien, bien. » La femme, les yeux baissés, glisse le sachet dans son corsage ouvert et un peu humide sur le devant, gonflé par ses gros seins qui pendent comme des oreilles de chien. Elle mastique, puis crache par terre, comme un homme. « Elle est en bonne santé. Elle va très bien. L'inspecteur est passé le mois dernier. La seule chose, c'est que la femme est morte.

— Oh… » Elle retient son souffle. « Et maintenant ?

— Maintenant, rien. On l'a changée de famille. Mais elle se porte bien, sois tranquille.

— Elle est grande ? Intelligente ? »

Elle sait que sa question est vaine. Cette femme qui crache, aux seins ruisselants de lait, ne sait rien. Elle ne lui dira pas si sa fillette a la peau grêlée de variole ou si elle a échappé aux épidémies, si elle a commencé à former ses premières lettres ou n'a personne pour le lui enseigner. C'est déjà un miracle qu'elle puisse lui confirmer qu'elle est encore de ce monde. Et même cela, elle le sait bien, pourrait parfaitement être un mensonge.

La grosse femme est impatiente :

« Je te laisse. Sept nouveaux, hier soir. Plus ceux d'aujourd'hui. Trois sont morts tout de suite. Tant mieux, je n'ai presque plus de lait et il fallait leur donner du lait de vache, mais ils mouraient quand même. Le lait de vache, ce n'est pas bon pour les bébés. »

Elle fait semblant de n'avoir pas suivi cette triste comptabilité, et murmure :

« Je reviendrai dès que je pourrai. » Avant d'ajouter, poussée par une politesse automatique : « Et le vôtre ?

— Je l'ai envoyé à la campagne. Comme la tienne. »

La grosse femme rit, d'un rire laid, puis se retourne, repousse la porte entrouverte et disparaît.

Restée seule, elle lève les yeux et regarde la lune sans la voir ; puis baisse le regard, soupire, s'en va. Elle n'est pas nu-tête, et ne pleure pas. Ne pleure plus. Mais la douleur et le doute sont une obsession que ce bref échange ne suffit pas à dissiper.

PREMIÈRE PARTIE

Avril 18**

L'odeur – de vinaigre doux, de tête d'enfant en sueur, de possibilité – la prend à la gorge tandis qu'au-delà de la vitre empoussiérée défile l'arrière-plan de Bergame, arbres, remparts et tours, rouge dans le vert, vert dans le rouge ; et elle ne quitte plus ses narines. Elle ne l'a jamais sentie jusqu'ici et ne la reconnaît pas : c'est une odeur végétale, qu'elle attribue, par conjecture, à ces plantes basses, à tige mince, au feuillage dru et aux épines souples qui griffent le flanc de la voiture sans trop l'endommager. Le printemps. La meilleure saison pour voyager, hormis quand la pluie transforme les routes en bourbiers. Mais elle a eu de la chance, et, à vrai dire, ce n'est pas un bien long voyage que le sien : une seule nuit passée dans une auberge ne suffit pas à parler d'aventure, et la desti-nation est connue, en sorte que le mystère fait défaut. Tout ce vert lumineux semble vouloir entrer de force par les fenêtres. La vieille Bresciane qui voyage avec elle, entourée d'un halo de camphre, marmonne :

« Mais qu'est-ce qu'il y a donc à regarder ? Ce n'est que de la campagne. Moi, je n'aime pas la campagne. Je préfère la ville. »

L'arôme, mêlé aux relents corporels que ses vêtements noirs trop épais pour la saison réveillent et multiplient, devient plus aigu à chacun de ses gestes ; il étouffe celui de la verdure au-dehors, le corrompt. En quête d'air frais, Bianca ouvre la fenêtre et respire de la poussière. Elle tousse. La vieille rajuste le ruban qui attache son chapeau sous son menton : une boîte de chocolats en équilibre sur une tête de bouclettes artificielles. Elle parle souvent toute seule, et Bianca a appris à ne pas lui prêter attention. Elle voudrait se délivrer d'elle, la pousser par la portière et la laisser assise par terre dans sa mauvaise odeur, au milieu des champs qu'elle déteste tant et qui l'engloutiront allègrement, pour pouvoir continuer seule, profiter du silence qui n'est pas un silence, du rythme des sabots, des grincements de la voiture et, dehors, des cris des paysans, d'un chant de femme saisi au vol, d'un concert d'oiseaux, de tout ce qui vient. En voyageant, elle est une autre : non celle qu'elle a toujours été, non celle qu'on attend et à qui l'on s'attend à l'arrivée. En suspens. Et elle a toujours eu cette sensation précise, même avec son père à son côté, quand ils étaient loin de chez eux, libres ensemble, définis seulement par le lien qui les unissait. Mais à présent, tout a changé. Elle baisse les yeux, prend un petit feuillet dans la manche de sa robe couleur gorge-de-pigeon. À présent, sa voie est tracée, et un puissant aimant attire la voiture vers son but. Qu'on l'appelle destin, ou devoir. Et si une robe de voyage doit être sombre, pour dissimuler la saleté et les taches, elle a tout exprès choisi la sienne claire, pour qu'elle portât bien les empreintes du changement. Son dernier petit défi. Ensuite, une fois parvenue à destination, elle sera ce qu'on veut qu'elle soit, et ce qu'on attend d'elle.

Peut-être.

Le soir où elle est arrivée à Brusuglio, il n'était pas là. Pas trace de sa présence au salon avec tous les autres : les trois fillettes l'une près de l'autre sur le divan, vêtues de blanc, jupes retroussées, petits pieds chaussés de noir pendant dans le vide ; la vieille dame, tout en noir, gros insecte cuirassé de soie brillante, les yeux comme des billes enfoncées dans le visage, d'une beauté inexpugnable, tenacement accrochée à l'ossature de ses joues ; la jeune dame, tout en blanc, au sourire mince, bienveillant mais un peu vague, comme arboré en hâte pour le bénéfice de la visiteuse ; et enfin, deux garçonnets impossibles à distinguer, affairés à entrer, sortir et entrer de nouveau au pas de course, sans s'arrêter un instant. Vert tendre, ce salon, inondé de la clarté du crépuscule. Il lui a paru très frais après ces deux longs jours de moiteur. À la fin, la vraie demoiselle qui est en elle a eu le dessus, et, au lieu d'exhiber sa malpropreté comme une bannière d'indépendance, Bianca a rendu les armes : elle s'est sentie sale, poussiéreuse et déplacée, et s'est donc bornée à une rapide révérence qui aurait presque pu sembler mal élevée. Mais la jeune dame a compris.

« Je vous envoie tout de suite Armida, montez donc, vous devez être très fatiguée. Nous nous verrons plus au calme demain matin », a-t-elle dit, une légère touche d'accent français dans la voix.

Bianca s'est retrouvée en haut des marches, puis dans un couloir dallé de pierre et sur un chemin d'escalier rouge passé, et enfin dans une chambre pas très grande, mais gracieuse, avec un lit bateau blanc et doré. Et, luxe inattendu, une salle de bains rien que pour elle. Cette Armida, Dieu la bénisse, grande femme hommasse au visage aimable, avait déjà préparé l'eau. Bianca y a plongé les doigts ; sans avoir encore ôté son bonnet, elle se voyait déjà dans la vasque.

« Trop froide ? Je vous apporte une marmite bouillante. »

La femme était déjà au milieu du couloir quand Bianca l'a rappelée.

« Non, merci, ça ira très bien. »

Armida est revenue, du petit pas pressé des servantes.

« Alors, je vais vous aider. »

Bianca a battu en retraite, gênée.

« Je me débrouillerai toute seule. »

Armida lui a adressé un dernier sourire et est sortie de la pièce à reculons, tordue comme une crevette, avant de se retourner et de descendre en hâte l'escalier.

Ainsi Bianca est-elle restée seule, et seule s'est-elle libérée de sa tenue de voyage, seule elle a enlevé ses jupons gris de poussière, seule elle a retiré un million d'épingles à cheveux et, finalement, s'est immergée dans la baignoire. Elle a remonté ses genoux contre sa poitrine, jouissant de la douceur de ses seins contre ses os, puis a laissé tomber sa tête en arrière. L'eau lui a rempli les oreilles, noyant tout autre son, et elle n'a plus entendu qu'une rumeur profonde et grave comme celle des conques marines quand on les écoute. Bianca n'a vu la mer que de nuit, par deux fois, à l'aller et au retour : un néant hurlant, féroce, noir, enveloppé de brume, à faire frissonner de peur. Mais elle aime l'eau plus que tout.

Elle a refait surface et s'est penchée, mouillée, pour prendre sur la tablette un vase de sels de bains rose pêche. Tandis qu'elle respirait la senteur forte de fleurs artificielles, elle a entendu, très fort, les cris des enfants (les garçons) dont la course faisait voler le gravier et qui se disputaient quelque chose de précieux. Leur accent était étrange, mou, ou plutôt mou et dur à la fois. Il ne lui a pas plu.

Elle est sortie de la baignoire en prenant plaisir aux frissons qui couraient sur son corps propre, a saisi une grande toile de lin bien sèche qui a aussitôt absorbé toutes les gouttes, l'a nouée autour d'elle et est retournée dans la chambre voisine. Sur la petite table aux pieds courbés, un plateau : du lait, deux petits pains blancs, une aile de poulet froid, trois prunes. Elle s'est assise sur la chaise tendue de velours et a dîné, fraîche et demi-nue telle une déesse, avec le vent qui gonflait les rideaux comme les voiles d'un navire.

C'est un après-midi qu'elle l'a rencontré pour la première fois, deux jours après son arrivée. Ne sachant encore que faire de son temps (« Il faudra en parler avec lui, c'est lui qui vous a fait venir, pas vrai ? », lui a dit donna Clara, sèche, lui donnant l'impression de désapprouver toute cette affaire), elle se promenait dans le parc, décidée à prendre la mesure de sa sauvagerie et à comprendre où finissaient les terrains cultivés et où commençaient les halliers, qui pouvaient d'ailleurs se révéler dangereux. « Il y a des chiens-loups », lui avait dit la servante en lui coiffant les cheveux, ou plutôt en les lui tirant ; et Bianca, s'efforçant de résister à son envie de crier, s'était représenté des créatures fantastiques, poilues comme des ours et féroces comme eux. En réalité, les seuls animaux dont elle ne peut ignorer la présence sont les oiseaux : grives, alouettes, fauvettes à tête noire et mille autres petits êtres sans nom qui emplissent l'air d'un chant baroque. Elle s'est penchée pour examiner un buisson fleuri d'espèce inconnue, et, concentrée qu'elle était sur ses pétales blancs nervurés de vert pâle, ne s'est pas aperçue que quelqu'un s'approchait. Elle s'est retournée brusquement en entendant des craquements de brindilles écrasées et est restée immobile, sans savoir que faire.

Rencontré, le mot est trop fort : disons qu'elle l'a vu. Lui n'a même pas fait attention à elle. Il marchait d'un pas rapide et lui a fait l'effet d'un géant. Grand, très grand et maigre, presque osseux, d'une maigreur maladive. Tête nue, sans redingote, plus paysan que seigneur, le pan de sa chemise s'échappant de son pantalon, l'étoffe collée à son corps par la sueur, qui mouillait aussi ses cheveux, les rendant peut-être plus sombres qu'ils ne sont en réalité. Il marchait avec hâte, presque au pas de course, les bras un peu ouverts et les doigts écartés, en murmurant quelque chose. Un poème, a aussitôt pensé Bianca. C'est peut-être ainsi qu'il les compose. En vaguant par les bois et en se laissant transpercer par le dieu. Un poème en latin ?

Le lendemain, Armida, en la coiffant (et en tirant un peu moins, cette fois), lui a dit avec la cruauté de la domesticité, qui voit et sait toujours tout :

« Vous l'avez vu, pas vrai ? Il va et vient comme un vagabond et il parle tout seul, tout le temps. Il dit les noms des plantes. Et bla bla bla, et bla bla bla, et bla bla bla. Il rôdaille pendant des heures, oui, oui. Les maîtres sont bizarres. »

À table, il n'était toujours pas là.

« Mon fils est allé à Milan pour une affaire de la plus haute importance, a expliqué donna Clara, avant de pencher la tête sur son consommé. Sentez-vous libre tant que vous n'aurez pas discuté avec lui. »

Bianca aurait aimé échanger quelques mots avec donna Julie, mais, après deux cuillerées, la jeune dame a reculé sa chaise et s'est levée de table.

« Il faut que je monte voir Enrichetto. Vous savez, il a de nouveau la fièvre », a-t-elle dit d'un ton d'excuse.

Et elle a disparu par l'escalier de droite, suivie d'une domestique chargée d'un plateau de mets délicats pour le petit malade. Les fillettes sont arrivées de la nursery, l'une derrière l'autre, à la recherche de leur mère pour le rite de l'après-dîner (un bonbon et un baiser), et, ne la trouvant pas, sont restées déconcertées comme un trio d'oisons. Leur nounou les a entraînées sans prêter attention aux plaintes suraiguës de la plus petite. Bianca ne parvient pas encore à se rappeler leurs prénoms : bien qu'elles ne soient que trois, elle les confond, tant elles lui semblent exactement pareilles. Pietro, lui, était assis à table avec les grands. Ses paupières sont lentes sur ses grands yeux un peu protubérants, d'un brun presque noir, opaque et indéchiffrable. Bianca a tenté d'engager la conversation avec lui, elle lui a demandé : « Il est à toi, le petit cheval roux ? Comment s'appelle-t-il ? » Mais il a baissé le regard sur son assiette, en silence. Elle a passé le reste de la journée à mettre ses vêtements en ordre, accomplissant de nombreux va-et-vient entre sa chambre et la buanderie pour faire rafraîchir ceux qui en avaient besoin, c'est-à-dire à peu près tous. Le soir, quand elle est descendue, elle n'a trouvé à table que donna Clara, qui ne lui a pas expliqué les absences inexplicables et s'est bornée à lui jeter un coup d'œil impatient, vite, vite, tout va refroidir. La cuisinière avait préparé des cailles à la casserole, et donna Clara s'est jetée sur ces petits corps d'oiseaux avec une avidité de prédatrice. A suivi un concert de suçotements d'os grêles et de claquements de langue contre les parties tendres de la viande brune. Bianca déteste le gibier – la chair naguère si vivante réduite à faisander, suspendue dans l'arrière-cuisine, avant de passer sur le fourneau – et n'a mangé que deux petites tranches de pain blanc et les pêches au citron du dessert.

« Vous aussi, vous êtes un petit oiseau », a commenté la vieille dame en se pourléchant les lèvres.

Le lendemain, elle l'a vu arriver de loin et elle est parvenue à lui adresser une révérence déférente. Elle était un peu soucieuse, il lui semblait qu'elle perdait son temps et le faisait perdre aux autres. Cette fois, il n'a pu l'éviter ; au moins a-t-il dû poser le regard sur cette tache pâle qui lui barrait le passage. Mais ensuite, il a filé tout droit. Il n'avait pas l'air moins égaré que la veille et continuait de balbutier son rosaire botanique. Tandis qu'elle le regardait s'éloigner, il a tendu la main droite en avant et attrapé, très vite (un geste, un éclair), un gros insecte bourdonnant qu'il a écrasé entre son pouce et son index. Sans rien entendre, car il était déjà trop loin et le murmure de sa voix et le crissement de ses pas couvraient tout autre bruit aux alentours, Bianca a imaginé avec une absolue clarté le craquement des cartilages écrasés, puis la giclée poisseuse de matière corporelle sur les doigts, comme si elle collait à sa propre peau.

Enrichetto – ou plutôt Enrico – est guéri et a aussitôt recommencé à se disputer avec Pietro. Les deux garçons se ressemblent beaucoup, mais Enrico est plus frondeur, plus boudeur aussi dans l'ennui de la défaite anticipée, et, d'instinct, c'est celui que Bianca préfère. Cet après-midi-là, il poursuivait son frère qui s'était emparé du petit cheval attelé à la charrette et le fouettait sans pitié ; le petit cheval courait, courait, comme si en filant il pouvait échapper à la douleur, entre deux ailes de cailloux soulevées sur l'allée. Quand il a compris qu'il ne rattraperait jamais ni Pietro ni le cheval, Enrico s'est jeté dans l'herbe, vexé. Bianca, qui, encore dissimulée, avait tout vu, est sortie dans le soleil et l'a rejoint en faisant semblant de rien.

« Comment s'appelle-t-il, le petit cheval ? a-t-elle commencé.

— Mon frère dit que tu es étrangère, et nous, les étrangers, on ne les aime pas, a-t-il dit pour toute réponse, d'un air de défi.

— Voyons, écoute donc comment je parle. Tu entends ? Ce n'est pas vrai que je suis étrangère.

— Je ne veux pas t'écouter, parce que tu es une espionne. Tu m'espionnes, et ensuite tu vas tout raconter à maman, même si ce n'est pas vrai.

— Que veux-tu que je lui raconte ? Que j'ai vu un garçon mâchonner un brin d'herbe ?

— Mon frère est méchant. C'est toujours lui qui gagne parce qu'il est plus grand, a continué Enrico. Mais quand moi aussi je serai grand… Tu crois que je pourrai devenir plus grand que lui ? »

Enfin, il a levé la tête et l'a regardée dans les yeux. En plein soleil, les siens étaient à la fois verts et gris.

« À mon avis, oui, a répondu Bianca, se plaçant en face de lui. Pour le moment, c'est toi le plus petit, mais si tu manges bien et que tu fais de l'exercice, tu pourras devenir le plus grand. »

Et c'est peut-être vrai : Pietro a déjà une ossature solide, et ses jambes dans ses chaussettes blanches sont robustes, rugueuses, fortes aux chevilles, mais Enrico a le squelette long et fin d'un jeune poulain.

« Alors, c'est moi qui gagnerai et qui prendrai le cheval. Parce qu'il est à nous deux, papa l'a dit, mais c'est toujours lui qui le prend.

— Tu veux bien me dire son nom, maintenant ?

— Furbo. C'est moi qui l'ai appelé comme ça. Ça te plaît ?

— Joli nom. Il lui va bien.

— Bon, maintenant je m'en vais », a dit le garçon. Il s'est levé, frottant son pantalon, et s'est éloigné sans dire au revoir ; mais au bout de quelques pas, il s'est retourné et a lancé : « C'est possible, après tout, que tu ne sois pas une espionne. »

Ne sachant vraiment plus que faire, car cinq jours après son arrivée elle n'a pas encore réussi à obtenir une entrevue – au dire de sa mère, il est toujours occupé à Milan, sauf quand il surgit par surprise des halliers, comme un faune, et disparaît au bout d'un instant parmi les branches –, Bianca a commencé à travailler de sa propre initiative.

Les fillettes faisaient la ronde dans le grand pré, toutes pareilles comme toujours dans leurs robes blanches légères, leurs petites têtes brunes brillantes sous le soleil. Elle s'est arrêtée sous un peuplier, a écarté les pieds de son chevalet, placé sa feuille de papier et ouvert la boîte en acajou dans laquelle elle range ses craies à sanguine d'un côté et ses fusains de l'autre. En un éclair lui est revenu à l'esprit le Romney qu'elle a vu en Angleterre, lors d'une étape de son Grand Tour à l'envers. Trois fillettes et un garçonnet dansant comme de petites divinités, chaussés de sandales légères et vêtus de tuniques, tandis que leur sœur joue du tambour d'un air vaguement contrarié, car elle est la fille d'un premier lit et que ces quatre enfants à la tête ronde sont des frères et sœurs indirects, d'obligation, et l'ennuient profondément.

« On dirait que Lady Anne préférerait être ailleurs, avait commenté Bianca, tournée vers son père, seule avec lui devant le grand tableau accroché dans un des salons de la résidence, en un coin de la campagne anglaise tellement idyllique que lui aussi semblait une œuvre d'art.

— Tu as raison, avait-il reconnu, sans détacher son regard de la toile. Tout ce qu'on peut espérer, c'est qu'ensuite on l'a bien mariée. »

Elle avait bondi.

« Mais qu'est-ce que vous dites ?

— Je plaisantais, avait répondu son père, très sérieux. Mais crois-tu qu'elle ait eu une autre possibilité ? »

Le souvenir se dissout. À présent, elle est ici, et les couleurs de la réalité sont différentes, plus farouches que dans un tableau : tout ce blanc qui fait presque mal aux yeux contre la verte plénitude du bois et de la prairie. Donna Clara s'annonce derrière elle en se raclant la gorge. Bianca ne l'a jamais vue debout et s'étonne de sa petite taille, qui autrefois devait être une vertu (le charme vif-argent de la femme menue) mais semble aujourd'hui presque ridicule. Elle esquisse une brève révérence, sans s'interrompre. « Si tu crées, lui disait son père, ne t'arrête jamais sous prétexte qu'on te dit que le thé est servi. »

Un souvenir de quelques instants. Bref et lancinant. Quand elle en émerge, étourdie comme si elle était restée en apnée, elle est prête à accueillir un commentaire de circonstance avec un sourire de circonstance. Au lieu de quoi, donna Clara se borne à toussoter et à dire :

« Vous êtes douée, vraiment. Mon fils a fait le bon choix. Lui et ses extravagances… »

Bianca s'essuie les mains à un chiffon, contente malgré elle de ce compliment inattendu.

Entre-temps, les fillettes ont fini de jouer et se sont réunies en silence autour du chevalet, leurs menottes derrière le dos, le visage levé, curieuses, perplexes. La nounou s'empresse de s'excuser :

« Vous comprenez, elles voulaient voir leur portrait. Mais… »

C'est certain. De toute évidence, elles ont été déçues si elles espéraient voir leur reflet sur le papier. Leur regard est passé de Bianca au feuillet, puis du feuillet à Bianca, déconcerté, dans l'attente d'une explication, ou peut-être d'un miracle. Mais à présent, celle-ci prend un pinceau, le trempe dans la couleur et arrange la situation. Nous y voilà. Une fois de plus, donna Clara la surprend :

« Vous voyez ? explique-t-elle aux enfants, patiente, un peu penchée en avant. Ce sont les lignes de vos corps. La miss a saisi le mouvement, elle a capturé l'instant. Ça, c'est Giulietta qui lève le pied. Ça, c'est toi, Matilde, en train de donner la main à nounou. Et ça, c'est Franceschina qui trébuche. Les visages viendront plus tard. De toute façon, vous ne vous échapperez pas ; mais l'instant, si. N'est-ce pas ? »

Et elle se tourne vers Bianca, attendant une confirmation. Celle-ci fait oui de la tête et ajoute :

« Tous les tableaux commencent de cette façon, par quelques lignes, une espèce de gribouillage. Certains restent un gribouillage, d'autres se transforment. Vous ne dessinez pas ?

— Je sais bien faire les marguerites, dit Giulietta, la plus grande.

— Un jour, si vous voulez, nous essaierons ensemble », laisse échapper Bianca.

Puis donna Clara disperse la petite troupe comme on fait pour une couvée de poussins :

« Pscht ! Pscht ! Maintenant, laissez la miss tranquille et retournez jouer. Elles sont très obéissantes, ajoute-t-elle à l'adresse de Bianca en les regardant s'égailler. Des anges descendus du ciel pour bénir nos vies. »

Et Bianca s'étonne d'entendre dans sa bouche cette expression de femme du peuple, alors qu'un moment plus tôt, en parlant aux fillettes, elle a employé un ton, des accents, un vocabulaire tout différents. À présent, c'est avec un respect teinté de curiosité qu'elle observe la silhouette noire qui s'éloigne en dodelinant de la tête.

Le soir, à table, le voilà enfin qui apparaît. Long et élégant dans sa redingote gris clair, montrant un visage qui, à la lumière des bougies, n'est plus spectral comme celui qu'elle lui connaît, mais au contraire a la teinte saine de ceux qui passent beaucoup de temps en plein air. Il lui tend la main avec une ébauche de courbette, dans un geste moderne. Les enfants sont très silencieux, ils profitent de l'occasion pour jeter à leur père des regards déférents. Les yeux fébriles de donna Clara ne le quittent pas un instant, comme s'il pouvait disparaître si elle cessait de le fixer, et elle n'est distraite que par l'arrivée des plats. La jeune dame semble plus sereine qu'à l'accoutumée, et, pour une fois, reste à sa place du début à la fin du repas, sans s'échapper pour s'occuper de quelqu'un d'autre : ses charges sont toutes autour d'elle. Elle est très pâle, et sa tête brune semble lourde sur son long cou gracile, chargée qu'elle est de tresses réunies en nœuds compliqués ; parfois, sa petite main blanche se lève pour la soutenir et son coude s'appuie sur la nappe en un geste enfantin qui n'est pas dénué de grâce, presque une mimique, avant qu'elle reprenne sa contenance. Velouté tiède de pommes de terre et de poireaux avec des croûtons, poulet froid en gélatine et un mélange de carottes et de courgettes coupées en julienne, très agréable à l'œil, et enfin blanc-manger au coulis de fraises : de la nourriture pour un convalescent, ou pour un roi, ou pour un roi convalescent.

« Les fraises, ce sont les enfants qui les ont ramassées. Si vous saviez dans quel état de saleté ils se sont mis ! Mais c'est un vrai bonheur », raconte la jeune dame à son mari, avec ses *r* français très doux qui font clapoter ses mots.

Lui n'a pas encore parlé, mais en compensation, il a mangé avec appétit dans le silence plus intime que solennel, rapide, les yeux dans le vide, suivant des pensées.

« J'ai en tête de leur offrir un petit potager, dit-il enfin. Derrière les remises, près du fossé, pour qu'ils puissent facilement se baigner. C'est important d'avoir un jardin à cultiver, pour des enfants.

— Oui, mais la saison est avancée, que veux-tu qu'ils y plantent ? Et puis, Titta, près du fossé ! C'est dangereux. » Donna Clara parle avec fermeté ; elle presse sa serviette sur ses lèvres et ajoute : « En tout cas, je prendrai volontiers une autre part de dessert. »

Aussitôt, son assiette maculée de crème disparaît et une nouvelle portion de blanc-manger arrive devant elle.

« Votre mère a raison, dit la jeune dame. Les petites ne savent même pas nager. Et puis, elles sont si délicates !

— Vous n'avez pas peur qu'elles aient les joues trop colorées, j'espère ? Au moins, elles auront l'air en meilleure santé. Elles sont toujours blanches comme des linceuls. Et vous, miss, vous aussi, vous avez peur des taches de rousseur ? Je suppose que vous avez été élevée à l'anglaise ? »

Bianca, interpellée pour la première fois, passe sa serviette sur ses lèvres pour gagner du temps.

« À l'anglaise ? Je ne sais pas. Plutôt à la spartiate. Mon père a toujours eu des idées bien à lui, sur l'éducation des enfants comme sur le reste. J'ai appris à nager à trois ans. Mais sur le lac de Garde, tout le monde sait nager. Nous étions toujours dehors, mes frères et moi, en toute saison. Et l'hiver, on m'habillait en garçon, avec un pantalon et des houseaux. Pour que je sois plus à l'aise et que j'aie plus chaud. » Donna Clara arque un sourcil, engloutissant une dernière bouchée blanche et rose et se léchant les lèvres comme une chatte. « Maman n'était pas très d'accord, poursuit Bianca, regardant la vieille dame dans les yeux. Mais elle a fini par se résigner.

— Votre mère aussi est anglaise ? demande donna

Clara, ses mains grassouillettes de part et d'autre de son assiette comme des couverts au repos.

— Non, italienne. Elle l'était, répond Bianca.

— Oh. Je suis désolée, dit donna Clara.

— Nous avons eu un précepteur anglais », reprend Bianca, pour combler le silence.

Approbation de donna Clara, tout illuminée :

« Comme notre Innes ! En ce moment, il prend les eaux en Vénétie. Il s'est accordé quelques vacances.

— Il s'y connaissait en plantes, votre précepteur ? Ou vous avez appris à botaniser toute seule ? », demande-t-il, intrigué.

Regard animé, qui veille ; ton léger, mondain. Le spectre sylvestre de ses apparitions passées pourrait être son frère jumeau fou furieux, pense Bianca. La ressemblance physique est la seule chose que les deux aient en commun. Elle attend un instant avant de répondre, soupesant ce mot inventé, « botaniser », qui lui plaît beaucoup.

« Au début, je me suis débrouillée toute seule, comme je pouvais, explique-t-elle. Je demandais les noms des fleurs et des arbres, puis j'allais comparer les feuilles que je cueillais avec celles des livres et j'apprenais les noms scientifiques. J'avais un herbier, comme la plupart des enfants. Ensuite, un ami de la famille m'a aidée. Beaucoup aidée. »

Elle se perd un instant dans le souvenir des après-midi passés chez le comte Rizzardi, immergée dans cette odeur de poussière, de papier ancien et de cuir que, depuis ce temps-là, elle associe au plaisir de l'étude ; et dehors, le parc, avec ses merveilles domestiquées. La théorie et la pratique séparées par une fenêtre. Tous ces livres. Les journaux intimes des fleurs, les appelait-elle enfant, prompts à offrir leur savoir défini par des mots compliqués. « Ils ne les montrent pas comme elles sont vraiment, lui expliquait le comte, mais comme on peut les représenter. Il y a toujours une distance entre l'œil qui voit et la main qui exécute. » La patience du vieil homme, qui la prenait par la main (lui n'avait pas d'enfant dans la maison) et l'accompagnait dehors, dans les jardins, pour chercher les originaux.

C'est sa voix qui la secoue de sa rêverie :

« Si vous passez demain matin dans mon bureau à partir de dix heures, nous parlerons de la mission que j'ai l'intention de vous confier. » Puis il repousse sa chaise et se lève. « Si vous voulez bien m'excuser… », dit-il, et il s'en va. Les deux garçons attendent qu'il disparaisse dans le couloir pour l'imiter et s'échapper, mais de l'autre côté, vers la porte-fenêtre ouverte sur l'obscurité.

Les fillettes et les dames restent à table. La plus jeune est étrangement animée, les joues teintées de rose, ce qui n'échappe pas à sa belle-mère, qui dit :

« Giulìn, vous avez bonne mine ce soir. Vous avez commencé la petite cure de vin que je vous ai conseillée ? Une bonne rasade de marsala après les repas aiguise l'appétit, je vous assure. Vous devriez essayer aussi, miss. Ça ne vous ferait pas de mal », ajoute-t-elle, tournée vers Bianca. « Attendez, je vais appeler. »

Mais elle n'a pas le temps, car la servante apparaît déjà derrière elle, porteuse d'un plateau chargé d'un décanteur et de trois petits verres. Dans le cristal, le liquide semble vieil or. Au contact des lèvres de Bianca, il libère son arôme de soleil et d'amande, plein et lourd.

Donna Julie soulève son verre pour le regarder à contre-jour.

« Quelle belle couleur, on dirait une pièce de monnaie ancienne », dit-elle. Puis elle le pose. « Excusez-moi, belle-maman, mais pas ce soir. Je n'en ai pas besoin. Je suis tellement contente qu'il aille mieux que, du coup, je me sens bien moi aussi. »

Donna Clara lui jette un regard fulminant, comme pour la faire taire. Puis elle baisse les yeux et se ressert un peu de marsala sans attendre la servante.

La maîtresse de maison a décrété que la domestique personnelle de miss Bianca serait Minna, « parce qu'elle est trop fragile pour les gros travaux et qu'elle doit quand même apprendre un métier », dit-elle, la tenant par le bras et la forçant à une gauche révérence, un rapide ploiement des jambes devant la nouvelle venue, laissant entendre que le métier en question, elle peut bien l'apprendre aux frais de Bianca, attendu qu'elle est trop jeune pour avoir encore appris grand-chose. Puis elle s'en va, laissant Bianca dans sa chambre face à cette jouvencelle menue, presque une enfant, aux cheveux très noirs cachés par un bonnet aux rubans dénoués qui pendent le long de ses joues en feu, la bouche scellée par la timidité. Bianca tente de croiser son regard, mais il semble qu'une force obscure tire son visage vers sa poitrine ; aussi décide-t-elle de faire semblant de rien pour le moment et de s'occuper à mettre de l'ordre parmi ses vêtements, une tâche qu'elle déteste, parce que chaque fois elle s'aperçoit de leur médiocrité. Minna s'avance, timide, consciente de ses devoirs, et, en silence, l'aide à ranger les jupons remontés tout frais de la buanderie. Puis quelqu'un frappe et Minna, précédant Bianca, court ouvrir.

« C'est toi ! dit-elle, le visage s'éclairant soudain.

— Je peux entrer ? »

La nouvelle arrivante est une autre toute jeune fille que Bianca avait déjà remarquée à côté de la nounou, mais moins enfantine, grande et élancée ; elle a douze ou treize ans peut-être, des yeux gris-vert très vifs et deux essaims d'éphélides sur les joues.

« Je m'appelle Pia, miss, pour vous servir. »

Mais elle ne peut servir à rien, et Bianca comprend qu'elle n'est montée que par curiosité. D'ailleurs, elle regarde autour d'elle, lorgnant l'armoire entrouverte comme si Bianca pouvait y cacher Dieu sait quels trésors. Puis elle fixe la petite Minna qui a reculé dans un coin et dit, avec une envie non dissimulée :

« Tu as de la chance, pas vrai ? » Elle s'agenouille à ses pieds et lui étreint les genoux. Minna se laisse faire, sans bouger ses bras tendus le long de ses flancs ni changer d'expression. « Tu as besoin de baisers, voilà ce que tu as ! », lui dit Pia. Et elle lui en fait claquer un sur la joue, sans résultat apparent. « Allons ! Pourquoi les a-t-on inventés, les baisers, si on n'en donne pas ? » La petite continue de regarder le dallage, sans parvenir à réprimer un minuscule sourire. Pia, satisfaite, ébauche une révérence. « Mes respects, miss. » Et elle s'en va.

Étrange maison, se dit Bianca, où les petites servantes jouissent de tant d'indépendance. Cette constatation la met de bonne humeur. Entre-temps, Minna
semble ragaillardie, comme s'il avait suffi de ce baiser
sonore sur sa joue pour l'animer. Elle redresse les
épaules et la tête, et, à retardement, gratifie Bianca
d'une vraie révérence profonde, en tenant les ourlets
de sa jupe comme elle a dû le voir faire aux dames
en visite ou aux fillettes instruites par la nounou, et
se présente comme il se doit, faisant écho à son amie :

« Je m'appelle Minna, mademoiselle, pour vous
servir. Que voulez-vous que je fasse ? Que je brosse
vos cheveux ? Que je range vos culottes ? (Elle prononce le mot à la française.) Ou vos pinceaux ? »

Bianca sourit.

« Pour le moment, rien. Tu es libre. Je dois mettre
mes affaires en ordre, et je m'en charge toujours seule.
Je t'attends demain matin à sept heures, à la porte
du jardin. »

Minna la regarde de bas en haut, déçue.

« Mais…

— Va, descends. Je suis sûre qu'à la cuisine on te
trouvera quelque chose à faire. »

Minna marmonne quelques mots que Bianca ne
comprend pas, puis se retourne et s'en va, sans révérence ni même au revoir, lui offrant son dos très droit
et vexé.

La rencontre n'aurait pu mieux se passer. Il l'a fait
entrer dans son bureau, une pièce pas très grande,
bourrée de livres, sans tapisserie ni capitonnage vert

pâle, vieux rose ou bleu paon comme dans le reste de la maison, avec des chaises à haut dossier de cuir rouge sombre, un décor sévère de losanges bruns aux murs et un grand crucifix noir au-dessus de la cheminée éteinte. Elle a pris place d'un côté de la table de travail, large et nue, lui de l'autre, et ils ont parlé. De botanique, de classifications, de couleurs et de chimie. Bianca a compris tout de suite qu'il est compétent, passionné, précis ; qu'il ne dit que ce qu'il sait, ou ce dont il est convaincu ; et qu'il est plutôt progressiste, à en juger par certaines idées qu'il dévoile et à son avis sur la façon de les mettre en pratique.

« Vous savez, lui a-t-il dit en haussant les épaules, par ici on me considère comme un fou, la caricature du monsieur de la ville avec ses manières cosmopolites et une fixation sur la nature domestiquée. Mais il ne faut pas s'arrêter en chemin, ni se contenter des choses telles qu'elles sont. La nature est la même depuis des siècles, mais le progrès la concerne comme il nous concerne tous. Voilà pourquoi j'estime qu'il est de mon devoir de tenter des expériences. » Puis, comme s'il craignait de s'être exprimé en termes trop solennels, il a ajouté, avec un sourire fugace : « C'est aussi très amusant. Cela m'aide à garder la tête sur les épaules. Autrement, quand trop de pensées s'agitent là-dedans… » Et il a frôlé sa tempe avec ses doigts, poursuivant son geste pour repousser en arrière une mèche de cheveux tombée sur son front. Il a de belles mains, de longs doigts, des poignets fins, des ongles soignés. Interprétant le regard de Bianca, il a dit : « Je ne suis pas un théoricien, ne vous y trompez pas.

C'est seulement que je connais l'usage de l'eau et du savon... » Et ils ont ri ensemble, brièvement.

Puis, plus sérieux, ils sont passés aux aspects concrets. Quantités, consignes, rétribution : toutes choses déjà stipulées par lettre, noir sur blanc, c'est entendu, mais plusieurs éléments restent à préciser. Il a abordé chaque clause du contrat avec précaution, comme s'il craignait de la vexer. Le regardant à la dérobée, elle s'est dit qu'il jugeait peut-être inconvenant pour une femme de discuter de tels sujets ; mais elle a tout passé en revue, tranquillement, clarifiant un accord qui, au moins dans ses prémices, apparaît très satisfaisant pour l'un comme pour l'autre. Hormis un détail, qui, à bien y regarder, n'est pas sans importance :

« Monsieur, nous sommes déjà presque en été et qui plus est, cette année, la saison est exceptionnellement chaude et avancée. C'est maintenant que vous m'avez fait venir et que vous m'engagez pour un travail dont l'essentiel devra être effectué au printemps, j'entends au printemps *prochain*. Par conséquent, je devrai rester ici une année entière, peut-être davantage. Du moins, c'est ce que je crois comprendre. Je me trompe ? »

Il lui a adressé un rapide sourire.

« Tout est prévu. L'hiver vous servira à réfléchir, à dessiner, et quand nous retournerons à Milan vous pourrez aussi profiter un peu de notre ville, si cela vous fait plaisir ainsi que je l'espère. En attendant la belle saison. Par-dessus tout, je voudrais qu'avant de vous mettre au travail vous connaissiez à fond tous nos sujets sous toutes leurs apparences : vivants, moribonds, morts, puis renaissants. C'est important de connaître ce dont on va reproduire l'image, et le temps qu'il faut doit passer au second plan. Vous en convenez ?

— Tout à fait », a-t-elle répondu, laconique.

Elle n'est jamais restée si longtemps loin de chez elle. Mais désormais, ce qu'elle appelait « chez elle » ne lui appartient plus. À la fin, il lui a écrit un chiffre sur un papier, le lui a tendu, et la somme était si élevée qu'il n'était plus question de refuser ni de tergiverser. Une année ce doit être, et une année ce sera.

Elle a pris congé, se levant et lui tendant la main. Juste au bon moment, avant que les mots leur manquent et que tombe ce silence qui, entre deux inconnus, peut être aussi profond qu'un puits. Bianca ne recherche pas la complication, mais bien plutôt la tranquillité. Et si elle le rencontre de nouveau, avec sa longue barbe et sa chemise souillée, elle fera semblant de ne pas le voir, ou se persuadera que c'est son double tourmenté, un lycanthrope inoffensif, un fou du village. Au fond, ces alentours sont un village, non ? Elle apprendra à l'ignorer (comme tout le monde, semble-t-il), par respect ou seulement parce qu'il est le maître, et que, de surcroît, c'est un poète ; or, les poètes ont d'autres façons de vivre et d'autres droits que le commun des mortels, parce que c'est ainsi.

« La mission est simple. Tu es douée, tu réussiras très bien. Naturellement, il y a le risque que tu te lasses, que tu finisses par trouver l'environnement ennuyeux, et les gens. Ce sera une épreuve de patience, pour toi. Une forme de discipline. Cela te fera du bien. Accepte. »

Bianca se rappelle la conversation décisive avec son père, après l'arrivée de la proposition, des mois plus tôt, avant tout le reste. Une lettre longue et précise, d'une graphie pointue et oblique sur un lourd papier vergé, une gravure au dos de l'enveloppe, une torche de feu en relief sur lequel elle a plusieurs fois passé le bout de ses doigts.

« Père, mais pourquoi moi ? avait-elle demandé.

— Parce qu'il n'y a personne d'autre que toi. Pas ici. Parce que tu es unique, *darling*.

— Mais rester éloignée si longtemps…

— Il faut bien que cela arrive tôt ou tard. C'est ce que tu as choisi. Tu n'as pas l'intention de rester confinée ici toute ta vie ? Ce n'est pas pour cela que je t'ai élevée. À l'heure qu'il est, tu es parfaitement capable de te débrouiller seule. Le monde, tu en as vu un peu, et tu le connais. Si quelque chose m'inquiète, c'est que tu t'enterres à la campagne. J'aurais préféré que tu partes pour la ville. Mais d'un autre côté, c'est bien ainsi : tu dois habiter où se trouvent les sujets de ton art. Les suivre. Et c'est une commande importante, qui pourrait être le début d'une carrière… »

Elle ne l'avait pas contredit : enterrée à la campagne, elle l'était déjà, à y bien réfléchir. Mais selon lui, la différence venait du fait qu'ils se tenaient compagnie, et en cela il avait raison. Bianca ne s'était jamais sentie confinée de toute sa vie, qu'ils voyageassent ou non. Récemment, ils n'avaient pas bougé des bords du lac, mais c'était une phase, et, comme toutes les phases, destinée à finir. Mais était-ce si sûr ?

La lettre contenait une proposition et des demandes, sur un ton que Bianca n'avait su définir : sérieux, mais assez vague aussi. Ou peut-être n'était-ce que la nature insolite de l'idée qui l'avait plongée dans la confusion ; et plus encore, tout ce qu'elle impliquait. On avait vu et apprécié certaines de ses aquarelles de paysages et surtout de botanique – les premières qu'elle avait vendues, à un invité illustre, sur l'insistance de leur voisin et ami de toujours, le cher Rizzardi –, et la missive la priait de venir représenter toutes les fleurs et toutes les plantes d'un certain jardin de la campagne lombarde. En ces termes : « Il me plairait de confier à la sotte immortalité du papier non seulement des compositions en vers et en prose, comme le veut mon métier, mais aussi mes plantes et mes fleurs, qui pour moi ne comptent pas moins, car je suis enclin à leur consacrer beaucoup de mon temps, et mon désir est de saisir l'instant de leur perfection accomplie pour les avoir toujours avec moi, même en hiver, et même si elles devaient ne plus jamais bourgeonner et fleurir, comme cela peut survenir en ces terres ; car je suis paysan pour le plaisir, et si ce plaisir est grand, le risque l'est tout autant, attendu que beaucoup de mes cultures relèvent de l'expérience, de la tentative, du hasard. » Un joueur, avait pensé Bianca. Un homme qui nargue le sort. L'idée lui avait plu, et elle avait répondu. Seule. Peut-être l'expéditeur s'attendait-il à une lettre de son père, car elle avait tout juste dix-huit ans. Mais c'était à elle qu'il avait écrit, n'est-ce pas ? En homme aux idées libérales, aux opinions modernes. En homme du monde, aussi. Pour ce qu'elle en savait, et pour ce que tout le monde en savait, c'était assurément ce qu'il avait été ; mais il était bien connu qu'il avait choisi une existence sobre et retirée. De fait, il précisait dans sa lettre : « Nous mènerons une vie de famille, la vie simple, éloignée des distractions mondaines que j'ai voulue pour nous tous. »

« Un homme intéressant, avait commenté son père. On dirait qu'il sait très bien de quoi il a besoin, et qu'il est libre des sirènes de la renommée, par choix. C'est assez admirable, il me semble. Ce sera une belle aventure, Bianca. Et tu peux compter sur moi pour t'attendre, du moment qu'entre-temps tu ne prends pas une autre route, ce qui, du reste, me rendrait aussi heureux. »

Elle avait protesté :

« Quelle autre route ? La seule possible est celle qui me ramènera ici.

— Tout peut arriver », avait-il dit, sérieux.

Et, ensemble, ils avaient décidé.

Tout peut arriver. La maladie, foudroyante, annoncée au cours d'une de leurs promenades préférées, à la citadelle perchée. De là-haut, le lac avait comme toujours un aspect différent, vu de la perspective d'un géant. Et, comme toujours, elle avait eu envie de redescendre tout de suite, en volant, cherchant et reconnaissant du regard le cube couleur ivoire de leur maison, les minutes de fourmilière de leur jardin, le parcours tortueux de l'allée de gravier qui s'égarait sous les ombres du parc.

« Regardez le lac, papa, avait-elle dit. On dirait qu'il est en turquoise ! »

Et c'était faute de l'entendre répondre qu'elle s'était retournée et l'avait découvert plié en deux, ahuri par la douleur, le visage blême. Bianca s'était agenouillée à son côté, envahie par l'effroi mais capable de le contenir et stupéfaite de se sentir cette ressource. Ils avaient attendu ensemble que la douleur passât, puis rebroussé chemin, précautionneusement, lui appuyé sur elle comme sur une canne vivante, s'arrêtant souvent pour reprendre son souffle.

« Ce n'est rien, avait-il dit le soir à table, encore pâle mais revigoré. Un signal d'alarme, c'est tout. Je me fais vieux, Bianca. La route de la citadelle, ce n'est plus pour moi.

— Alors, nous irons nous promener à la Cavalla », avait-elle répondu, soulagée, après l'avoir observé discrètement pendant tout le dîner. Si ce n'était que cela… « Il y a un nid de cygnes juste avant la villa Canossa. Demain, je vous emmènerai le voir, l'éclosion ne devrait pas tarder. »

Mais elle y était allée seule : il avait préféré rester à la maison pour se reposer. Les petits cygnes étaient à peine nés, gris et humides, affreusement laids. La mère avait le bec rouge comme une blessure, prêt à couper ; Bianca s'était tenue à distance et les avait dessinés en hâte sur le cahier qu'elle emportait toujours avec elle. Au retour, elle avait aperçu de loin la calèche du médecin. Son père était mort deux jours plus tard, frappé par une autre attaque, fatale cette fois.

Tout avait été réglé longtemps à l'avance : la propriété à Bartolomeo, un peu d'argent à Zeno, pour financer sa carrière militaire dans le régiment dont il préférerait les couleurs, et un peu aussi à elle, avec le droit d'occuper à vie une petite partie rien qu'à elle de la demeure paternelle. Grâce au ciel, Bianca avait désormais un lieu où s'échapper, car Bartolomeo – qu'un bon mariage avait rendu gras et hâbleur – et sa femme mesuraient déjà la maison et le jardin avec les yeux cyniques des nouveaux propriétaires, et les voir arpenter les pièces bien-aimées en parlant de tapisseries et de décorations lui avait fait terriblement mal. Elle avait obtenu que celles qui lui revenaient resteraient fermées et intactes dans l'attente de son retour ; mais ç'avait pourtant été un supplice de se séparer de la collection de dessins en silhouette, des miniatures, du gracieux secrétaire en bois de rose et de son petit balcon personnel, qui donnait sur le lac. Un supplice, et en même temps un soulagement, car il était clair que l'âme de la maison s'en était allée quelque part, elle ne savait où, bras dessus bras dessous avec celle de son père. Le départ, somme toute, était venu à point nommé. Le comte Rizzardi s'était montré très gentil : « Chez moi, rappelez-vous, il y aura toujours une place pour vous. » Mais, soudain, il lui avait paru très vieux, comme si la mort de son père l'avait poussé lui aussi plus près de la frontière. En revanche, Zeno avait trouvé à redire à sa décision de travailler :

« Tu es une fille, bon Dieu !

— Et alors ?

— Alors, ce n'est pas bien que tu t'en ailles courir le monde toute seule en agitant ta lettre d'engagement, avait-il dit. C'est un passeport pour les ennuis, crois-moi.

— Et qu'est-ce que je devais faire d'autre, à ton avis ?

— Tu pourrais te marier. C'est ce que font les filles, en général.

— Pas toutes.

— Mais tu es jolie.

— Et sans dot. Tout mon patrimoine est là », avait-elle dit en agitant la main devant son visage.

Il l'avait saisie par le poignet, feignant de la mordre, puis l'avait serrée contre lui avec une rude tendresse.

« Tu vas t'attirer des problèmes, Bianca. Tu pourrais rester avec moi. Me servir d'ordonnance.

— Bien sûr ! avait-elle ri. Me couper les cheveux, me déguiser en homme et dormir en travers sur le seuil de ta chambre.

— Ma foi… Petite, tu pouvais très bien passer pour un garçon. Et tu nous commandais à tous les deux. »

Ils avaient souri à ce souvenir.

Bartolo, pour sa part, avait paru soulagé qu'elle partît. Jusqu'alors, il avait vécu non sans malaise dans la maison de sa femme, attendant son héritage, et il était clair qu'il voulait jouir pleinement de celui-ci, sans entrave. « Reviens quand tu voudras », lui avait-il dit, parce qu'il le devait, parce qu'on doit dire ces choses-là. Elle avait crispé les lèvres pour faire semblant de sourire, tentant de se rappeler l'enfant aux étoiles dans les yeux qu'il avait été avant de se muer en ce petit monsieur fat et trop gros dans sa redingote jaune.

« Il y a quelque chose que je voudrais vous montrer. Vous me suivez ? »

Bianca s'essuie les mains à un chiffon. Tressautant sur ses pieds minuscules, donna Clara la précède en s'appuyant sur une canne de laque noire, rapide en diable pour une femme de sa corpulence. Elle traverse le pré et gravit les marches en soufflant, jusqu'à une galerie que Bianca n'a pas encore trouvé l'occasion d'explorer toute seule. L'étoffe craquante crisse, gémissant presque, et Bianca se demande si donna Clara porte encore un de ces corsets à baleines qui étaient à la mode dans sa jeunesse, et, si oui, qui se charge de le lui serrer le matin en supportant ses plaintes. Après une enfilade de nymphes de pierre, d'anges chanteurs et de croûtes si sombres qu'elles en sont indéchiffrables, elle se retrouve devant un petit tableau, le portrait d'une mère avec son enfant, placé en face d'une fenêtre pour tirer profit de la lumière. Bianca étudie la toile d'un œil de professionnelle : le fond obscur, qui fait flotter hors du temps et de l'espace les deux têtes côte à côte, l'une brune et bouclée, l'autre blonde et lisse ; l'air frivole et inquiet de la femme, qu'il vienne des volutes de ses cheveux ou de cet éclair frais de vitalité dans ses yeux ; et, dans un second temps seulement, en remarquant la ressemblance de l'enfant avec les fillettes qui jouent dehors – cette courbe des joues, ces mêmes yeux ronds, ce même teint –, elle comprend.

« J'étais jolie, n'est-ce pas ? commente donna Clara, soufflant entre un mot et le suivant, le poids de tout son corps appuyé sur le pommeau en grenadier de sa canne. Mon petit garçon… Il avait cinq ans. Ensuite, je l'ai mis au collège, je suis partie pour Paris avec mon Carlo et nous ne nous sommes pas vus pendant une éternité. Mais quand il a grandi, mon Titta, nous nous sommes retrouvés. Il est venu me rejoindre à Paris quand il avait vingt ans, et depuis nous ne nous quittons plus. »

Puis, comme si elle craignait d'en avoir trop dit, elle se recroqueville dans sa carapace de soie en rentrant la tête dans les épaules, se retourne sans ajouter un mot et parcourt le même chemin en sens inverse, laissant Bianca sur place. Celle-ci observe seule le tableau, remarquant d'autres détails : le regard suspendu de l'enfant, qui semble retenu de force mais distrait, comme si un chien hors champ l'appelait pour jouer en aboyant ; et celui de la mère, brillant, presque rusé, soutenu par un petit sourire volontaire. Deux êtres semblables, enfermés un instant dans le même cadre, tous deux anxieux d'être ailleurs.

Bianca a commencé à travailler. Obéissant aux généreuses instructions de son employeur – elle sourit de penser en ces termes, mais c'est pourtant la réalité –, elle prend tout le temps dont elle a besoin : elle emporte avec elle sa boîte de couleurs et son chevalet, sans oublier le grand chapeau de paille rêche un peu effrangé aux bords, mais presque neuf, que lui a offert Minna, et elle explore le parc. Au bout d'un moment, encombrée par ses fardeaux, elle les pose à terre pour continuer son chemin, plus légère et téméraire, jusqu'où finit la nature domestiquée et commencent les halliers. Qui, au vrai, ne sont pas si déserts qu'on pourrait croire, car dans ces breuils touffus, Minna – qui la suit comme une ombre – et elle ne sont jamais seules : il y a toujours quelqu'un qui coupe, qui élague, qui ramasse et emporte des feuilles sèches et du bois mort, pour la commodité des explorateurs du dimanche. Les hommes ne lèvent même pas le regard de leur besogne, et s'ils sont deux ils ne se parlent pas, trop absorbés par leurs occupations. Bianca a la sensation d'être toujours observée ; mais, quand elle se retourne brusquement, le paysan au travail derrière elle a l'échine courbée et ne semble s'intéresser qu'à sa serpe, sa hachette ou la touffe de mauvaise herbe qu'il tient dans son poing et soulève pour examiner les racines nues qu'il a arrachées. C'est comme avancer dans une forêt remplie d'Indiens : il y a des yeux et des lames partout. Mais c'est le seul frisson qu'on puisse s'accorder. Non, pas tout à fait : Minna (et c'est curieux pour une gamine de la campagne) est taraudée par la terreur des insectes, et Bianca la voit toujours sur le point de fuir un bourdon trop agité, un lucane ou une mante religieuse qui la fixe avec sa mystique froideur d'une feuille bien moins verte qu'elle. « Elle ne te fera pas de mal », dit Bianca en posant l'insecte dans la paume de sa main pour observer ses yeux immenses avant de le remettre sur la feuille à laquelle il s'agrippe avec l'anxiété d'un naufragé. Mais la petite reste à deux pas et regarde, médusée, la miss qui n'a peur de rien, peut-être parce qu'elle est anglaise et que les Anglais, comme chacun sait, sont différents. Des gens étranges.

Des insectes, des enfants, des fleurs : comme son monde est limité, et en même temps plein d'hypothèses à formuler ! Les insectes et les enfants : Pietro a l'insistance maligne d'un frelon, Enrico la douceur molle d'une chenille qui ne connaît d'elle-même que sa bouche, et leurs trois sœurs sont comme de minuscules sauterelles, vert, lilas et bleu, tout en yeux, qui ne tiennent pas en place. Et Minna, parce qu'au fond c'est une enfant elle aussi, ressemble à un jeune coléoptère, une de ces bestioles toujours changeantes qu'elle déteste tant, jamais décidées à se poser ici ou ailleurs, seulement capables de vols brefs et inconscients. Bianca trace des esquisses, saisit des instants, des sensations, des gestes, des mouvements, elle écoute des noms. Parmi les plantes et les fleurs, celles qui l'attirent sont surtout celles qu'elle ne connaît pas ; et au vrai, le parc-jardin de Brusuglio lui offre une inestimable variété de nouveautés : le *Liquidambar* tendu hors de terre comme une flèche pointée vers le ciel, la brume verte du *Sophora*, le *Sassafras albidum* avec ses feuilles de trois sortes qui imitent des mains gantées, des dards indigènes ou simplement d'autres feuilles, le *Catalpa* qu'on appelle l'hippopotame tant il a grandi, et cet autre, dont le tronc court à l'horizontale et sur lequel on peut s'asseoir à califourchon en balançant les jambes ; et aussi les buissons, le *Mahonia* qui sent le miel, les genêts, la *Coronille*, l'*Hamamelis* aux fleurs décoiffées et déjà éteintes ; et les plantes aux noms nouveaux, la *Benthamia*, le *Phlomis*, des noms souvent presque trop sonores pour l'humble apparence de ces touffes débonnaires.

Dans cet univers végétal, ce qui lui incombe ne lui semble guère un travail, car sa mission ne différerait presque en rien de l'oisiveté fervente dans laquelle

elle a passé son enfance et sa prime jeunesse, n'était l'absence toujours présente de celui qui lui était cher et à qui elle était chère, remplacé au gré de la force des choses et de la nécessité par l'insuffisance courtoise de ce cercle d'inconnus, qui, parce qu'ils forment une famille, lui font sentir avec plus d'acuité l'absence de la sienne.

À la villa, tout le monde est très pieux. La petite église en bordure du parc a été construite grâce à la générosité du maître de maison, et l'odeur âcre des édifices achevés depuis peu se mêle à l'abondance de l'encens que le prêtre de la paroisse, un gros homme âgé à l'air bienveillant, confie à l'impétuosité d'un enfant de chœur haut comme trois pommes. Bianca se distrait en regardant les tournoiements de l'encensoir, ses volutes de fumée bleutée ; puis elle contemple le Bon Pasteur qui, de la voûte de l'abside, fixe tous les présents, un par un, flottant sur un lac de brebis beiges au museau têtu, toutes pareilles, celle-ci tournée d'un côté, celle-là d'un autre. Les enfants occupent le deuxième banc, réduits à grand-peine au silence par la nounou ; mais Pietro a tiré de sa poche quelque chose qu'il ne montre qu'à Enrico, en le protégeant avec sa main des regards de ses sœurs, et celles-ci tendent le cou, sautant les répons. Au premier rang se dresse, implacable, la tête de leur grand-mère, bouche pincée, sourcils froncés et comminatoires ; de mauvais gré, les petites reprennent leur place et l'objet disparaît dans la poche de Pietro, tandis qu'Enrico s'ébroue. Leur père et leur mère sont deux dos imperturbables. Le regard de Bianca se remet à errer : de l'autre côté de l'allée centrale ne sont assises que quelques vieilles, car rares sont les paysans qui peuvent s'offrir le luxe de deux offices religieux par jour, matin et soir. Elles, ces femmes, ne serviraient plus à rien dans les champs, pas même à veiller sur les enfants dans leurs berceaux, et c'est un temps de leur existence où elles peuvent enfin se tourner vers Dieu tout à leur aise. La foi de Bianca est très différente, et, déjà, elle se demande comment elle fera pour résister à ces rites et à ces rythmes. C'est don Dionisio, le vieux prêtre, qui, à sa surprise, va l'en dispenser : un jour qu'elle vagabonde dans le parc, le voilà qui apparaît près d'elle, comme surgi de nulle part, et, devant sa révérence timide, lui tend les mains, engloutissant les siennes dans une tiédeur rugueuse.

« Venez avec moi », dit-il, et il fait quelques pas en arrière.

Puis il s'arrête et la lâche, les bras écartés dans une embrassade à distance, comme s'il lui avait déjà trop demandé. Bianca ne sait comment on se conduit en face d'un prêtre catholique, ni de quelque prêtre que ce soit, mais son intuition lui souffle que l'obéissance est de mise et elle se hâte de s'avancer vers lui. Ils marchent ensemble, soulevant elle sa jupe et lui sa soutane dans une curieuse synchronie.

« Voilà. »

Il s'immobilise devant une petite porte percée dans le flanc de l'église, apparemment pour ne laisser passage qu'à des gnomes. Il la pousse, se plie en deux et obstrue l'ouverture l'espace d'un instant crucial, comme un bouchon de chair et de tissu, puis disparaît. Elle l'imite, ployant le dos et les genoux. Ils sont à l'intérieur, dans une sacristie dépouillée, avec un Jésus solitaire suspendu entre deux fenêtres hautes et étroites, scellées de vitres brun clair qui donnent à la pièce une lumière d'ambre.

« Si vous voulez, cette porte vous sera toujours ouverte, lui dit-il. Les prières ne sont pas un service postal, avec des horaires fixes. Dieu vient à nous quand nous nous y attendons le moins. Et nous pouvons en faire autant. »

Dès lors, Bianca évite de se joindre à la petite procession dévote qui, deux fois par jour, fait un grand tour pour entrer dans le siège terrestre du royaume de Dieu en passant par la porte principale. Sans donner d'explication, que, du reste, personne ne lui demande. Donna Clara semble perplexe, mais nullement étonnée ; et la nounou lui murmure, confidentielle et un peu envieuse : « Vous savez, Innes non plus n'assiste pas aux offices. »

Mais on prie aussi à la maison, sans préavis : donna Clara ne se sépare jamais d'un rosaire de jais qu'elle porte autour du poignet comme un bracelet, bien que le petit christ qui lui est accroché constitue un étrange talisman ; et quand la conversation demande un appel aux saints et à la Madone, elle a tôt fait de le prendre entre ses doigts, qui font courir les grains nécessaires pour réconcilier le ciel et la terre. Donna Julie, si elle est là, en fait autant, et même les enfants bredouillent leurs *Ave* dans une cantilène distraite où les syllabes sont avalées. Lui, quand il est présent, se borne à incliner la tête et à croiser les doigts, comme si la prière était une bonne occasion parmi d'autres de s'abstraire de ce monde et de se perdre dans l'autre. Bianca en profite pour tous les étudier, car elle est la seule à garder les yeux ouverts dans un jeu qui exige qu'on les ferme.

Innes, l'homme qui n'assiste pas aux offices, est revenu de ses vacances salutaires. Quand la voiture l'abandonne devant la grille, les fillettes, aux aguets dès le matin, courent à sa rencontre dans un chœur de cris stridents, tandis que les garçons lèvent à peine les yeux de leur jeu (une construction compliquée de bouts de bois), et c'est seulement à l'appel de la nounou qu'ils daignent se mettre debout avec une lenteur étudiée, prenant tout leur temps pour faire tomber les esquilles de leur pantalon. Innes attrape Giulietta au vol et la prend dans ses bras, et les deux autres s'agrippent à ses genoux ; sa haute taille est déconcertante, même pour un Anglais, pense Bianca, restée assise à l'ombre du portique avec son livre. Lui fait un pas en trébuchant, chancelle et rit de bon cœur, sans que les petites lâchent prise ; puis surgit donna Clara et, subitement, un autre ordre s'instaure : les trois sœurs se détachent de la haute silhouette et se disposent en rang, puis ce sont les deux frères qui descendent des marches et complètent la formation avec la courtoisie requise. Même Bianca se lève pour se placer avec les autres, tandis que Berto et Barba déchargent une malle élimée et un sac de voyage à fleurs pourpres. Puis la voiture s'éloigne sur la route et la nounou court fermer la grille, trop agitée pour laisser un domestique s'en charger, avant de se planter au bout de la file, un peu voûtée sous l'effet de la trépidation, le regard fixé sur le visage du nouveau venu.

« Cher, cher, cher, cher Innes ! s'exclame donna Clara en lui tendant les bras et en le serrant contre elle un bref instant, son visage contre sa poitrine. J'espère que vous vous êtes reposé et revigoré, je veux que vous me disiez tout sur les eaux de Padoue, parce qu'un jour, je voudrais aller les prendre aussi, quand les soucis de la famille me le permettront. »

Comme toujours, donna Clara manifeste une tendance irrésistible à se placer au centre exact d'un cercle constitué du monde entier, un cercle dont son regard est le rayon et à l'entour duquel tout ce qui advient doit avoir un rapport avec elle, la faire briller, fût-ce d'une lumière réfléchie, et rebondir sur elle : une vague insolence consolidée par le rang social et par l'habitude. Innes n'y prête pas attention, ou peut-être y est-il accoutumé, car il lui répond avec galanterie :

« Donna Clara, vous n'avez aucun besoin d'eaux miraculeuses. C'est ici, à Brusuglio, que jaillit la source de l'éternelle jeunesse. Je suis certain qu'elle sourd quelque part dans le parc, que vous savez où et que vous en gardez le secret. Dire que je suis allé si loin pour la chercher ! »

L'accent anglais du précepteur est presque imperceptible, car Innes, comme Bianca le découvrira plus tard, est lui aussi de mère italienne. Mais il passe aussitôt à la langue paternelle pour s'adresser aux *kids* ; du moins, quand donna Clara a procédé aux présentations :

« Voici notre miss Bianca, avec qui vous vous découvrirez beaucoup de points communs. Il suffira que vous daigniez parler aussi notre langue de temps en temps : nous ne voulons pas de conspirateurs dans la maison ! »

Puis les enfants le coincent pour l'emmener voir une nichée d'oisons. Ils ont déjà parcouru la moitié du chemin jusqu'à la basse-cour quand le maître de maison se penche à une fenêtre du premier étage.

« Innes ! Enfin ! »

L'Anglais se retourne à demi, avec un sourire, sans parvenir à faire lâcher prise aux petits accrochés à ses mains.

« Mon ami, je viens à peine de rentrer et me voilà déjà prisonnier…

— C'est ce que je vois, dit don Titta. Dès que vous aurez réussi à vous délivrer de cette tribu de sauvages, vous me trouverez dans mon bureau. »

Et Innes serre les lèvres en signe d'acquiescement avant de se laisser entraîner.

Il s'appelle de son nom complet Stuart Aaron James Innes et il a étudié à Oxford, jusqu'à ce que la faillite de l'entreprise familiale – les navires, les Indes, le commerce – le contraignît à se chercher un vrai travail. Sa passion naturelle pour les voyages et le désir de ne pas s'humilier devant ses pairs l'ont décidé à quitter l'Angleterre. C'est son troisième poste de précepteur : il a passé des années à Paris et en Savoie avant de s'ensabler (c'est le terme qu'il emploie) dans la campagne milanaise. Tout cela, il l'a raconté à Bianca dans le secret de la langue qui les unit, en attendant l'heure du dîner sous le portique de derrière, tandis que la lente obscurité tombait peu à peu, engloutissant d'abord la forêt dans le lointain, puis les marges du grand pré. Il a les cheveux bouclés, franchement longs, et il les chasse de son visage d'un geste involontaire, presque féminin ; des yeux d'un bleu aigu, grands et distants ; de petites moustaches précises, fauves, et un début de barbiche qui lui donne un air médiéval : ascétique, ou chevaleresque, ou les deux à la fois. Son élégance est sobre, mais rigoureuse : sa redingote, quoique proche de la mort par consomption, est d'une coupe impeccable et repassée avec un soin irréprochable. Après ses confidences, il s'est tu quelques instants, laissant errer son regard sur le parc si beau en cette heure bleue, puis il lui a dit : « Je suis content que vous soyez arrivée. Je sens que votre présence me rendra l'exil plus supportable. » Bianca l'a trouvé un peu théâtral, presque intrusif, et s'est renfermée dans un silence qu'il a dû prendre pour de la timidité. Tant mieux.

À table, ce soir-là, le poète et lui ont presque été les seuls à parler. D'un autre poète, anglais aussi, une vieille connaissance d'Innes, qui vit entre Venise et la campagne et entretient des chevaux sur le Lido, là où finit la lagune et commence la mer, prêts pour toutes les fois où lui prend l'envie d'une course entre l'eau et le ciel ; puis d'un ami commun, un certain Jacopo, mort dans des circonstances imprécises et environnées de mystère, et peut-être scandaleuses, car à un certain moment donna Clara a jeté sa serviette sur la nappe et lancé, irritée : « On ne pourrait pas parler de quelque chose qui nous intéresse nous aussi ? » Son fils a posé son regard sur elle avec une lenteur calculée, puis lui a répondu, glacial : « Je m'étonne que vous jugiez tout cela sans intérêt. C'est une réalité qui nous concerne tous. » Bianca aurait voulu demander à quoi il faisait allusion au juste, en savoir davantage, et elle cherchait les bons mots pour formuler sa question, mais force lui a été de contenir sa curiosité quand donna Julie est intervenue, posant sa petite main sur le bras de son mari : « Vos absences pèsent beaucoup à madame votre mère. Ne vous étonnez pas si les soirs où elle vous revoit à table, elle aspire à toute votre attention. » Entre Innes et lui sont passés comme un courant de regards, une vibration dont tous les autres étaient exclus ; puis il a dit, tranquillement : « Excusez-moi, maman. Parfois, j'oublie que mon temps ne se passe pas comme le vôtre. » Contente et soumise comme un chien à qui on vient de jeter un os, la vieille dame a répondu : « C'est que nous sommes des femmes, et sans vous les hommes nous ne sommes rien, nous ne savons rien. — Seulement si vous le voulez », a-t-il répliqué ; mais cette fois elle n'a pas relevé, faisant dévier la conversation sur les vers à soie et sur les expériences de Ruffini à Magenta, « qui, un jour où l'envie nous en prendra, vaudraient peut-être une excursion ».

Ainsi la famille s'est-elle recomposée et la vie à la villa s'est-elle installée dans un rythme d'agréable uniformité. Depuis le retour d'Innes, le poète descend plus souvent pour prendre part aux repas ; sa réserve était donc un calcul, rapidement éventé par la perspective d'une compagnie masculine régulière. À la différence de la nounou (que Bianca, pour plaisanter, a choisi d'appeler Nanny, et tout le monde l'imite), encouragée à disparaître rapidement avec les enfants, aussi bien Innes que Bianca restent toujours assis à la table du déjeuner ou du dîner ; leurs opinions sont demandées et appréciées ; il n'y a pas de gêne, on parle de tout librement, de la facture – astronomique, semble-t-il – pour les semences récemment arrivées de Hollande au mariage réparateur de la blanchisseuse dévergondée qui fait grand bruit dans les milieux éclairés de Milan. Innes, qui s'y rend deux fois par semaine pour certaines réunions d'un cercle de compatriotes établis en Italie, en rapporte toujours des nouvelles qui suscitent chez le poète quelque chose de plus qu'une curiosité polie. En ces moments, ils se mettent à parler tous les deux, presque précipitamment, comme s'ils s'isolaient des autres, prononçant souvent un mot, patrie, qui éclate comme un serpenteau tombant au milieu de la table ; quand cela se produit, la belle-mère et la bru échangent un regard soucieux, et c'est en général donna Clara qui les interrompt en toute hâte, serinant les questions bien terre à terre qui lui tiennent à cœur : le dernier mal au ventre d'Enrico, la énième visite du médecin pour la fièvre de croissance de Giulietta, la peste des lapins : subtile prépotence de la réalité. Quant à Bianca, on ne peut dire qu'elle ait des convictions ; bien sûr, elle a vu et entendu plus de choses qu'il n'est normalement de règle pour une demoiselle de son âge et de son monde, et elle a aussi beaucoup appris, du seul maître en qui elle ait cru.

Mais cela ne suffit pas à faire d'elle la femme libre et accomplie qu'elle aspire à devenir ; en sorte qu'elle se tait, impatiente, réduite au silence par le bon sens, même si elle aimerait exprimer des points de vue compétents et audacieux, faire tourner la tête à ces deux messieurs pour qu'ils la scrutent avec un éclair de stupeur dans les yeux, car, qu'ils le croient ou non, les femmes aussi ont un cerveau et savent s'en servir. Mais non, rien : l'héritage des idées a été dilapidé trop tôt ; il y avait encore tant à faire, une âme à libérer, mais le temps a manqué, la vie en a décidé autrement. Bianca est une figure de proue inachevée, encore à moitié prisonnière du bois. Puisqu'il en est ainsi, elle ne pourrait que s'attirer des déboires, comme un navire qui prend le large trop tôt ; mais elle ne le sait pas. *Si vous me voyiez, père, en train de boire chaque parole nouvelle, chaque phrase moderne, dans l'espoir de comprendre le monde qui change, et comment il change, exactement comme vous le vouliez...* S'il la voyait, d'où il est maintenant, il ne serait sûrement pas tranquille.

Elle entend ces mots en passant devant une porte-fenêtre entrouverte :

« Elle est belle, mais elle est froide. Son nom, elle le porte trop bien. Le blanc est une couleur froide, je trouve. De neige, et de glace, et de vent, et de tempête. Et de grêle. »

Un petit rire, puis vient la réponse :

« Ce n'est pas qu'elle se donne des airs, mais elle garde ses distances, tu as raison. Tu voudrais qu'elle se mêle à nous, les domestiques ? Elle, c'est une artiste !

— Oui, pour sûr, une artiste, marmonne une autre voix.

— Peut-être, mais c'est une servante aussi, comme nous tous. Sauf qu'elle, on lui en file, de la galette ! Alors que nous, c'est seulement la soupe, nos vieilles guenilles et un galetas sous les combles. Et comme pourboire, un bon coup de pied au cul. »

Éclat de rire général. Bianca voudrait ignorer ces commentaires, mais n'y parvient pas ; elle voudrait partir mais reste, curieuse d'en entendre davantage. Elle rumine, agacée. Le blanc, une couleur froide ? Oh, non. Vraiment pas. Et puis, leur façon de parler l'irrite, avec ces *e* dilatés, comme s'ils étaient en caoutchouc et pouvaient s'allonger sans mesure ; d'ailleurs, ils se moquent d'elle dans son dos, à cause des siens, de *e*, fermés et rapides, et de ses doubles consonnes resserrées. Oh, ils ne sont pas méchants, mais comme tous les paysans ils se méfient de la nouveauté. D'ailleurs, les maîtres aussi ont la langue bien pendue. Autre passage devant une fenêtre, à un autre moment, et Bianca s'entend involontairement gratifier de la remarque suivante : « Jouer de la musique, non, elle ne sait pas, et quand on lui parle elle se met en boule comme un hérisson, mais elle dessine comme un ange. Ou comme une diablesse. De toute façon, ça revient au même », lance donna Clara à une mystérieuse interlocutrice ; et aussitôt, elle se presse une main sur les lèvres, comme pour faire rentrer dans sa gorge cette phrase bizarre, et part d'un petit rire de gamine. Mais Bianca ne peut voir le geste qui corrige et atténue la malice de ces mots ; elle n'entend que le rire et s'éloigne avec humeur. Désormais, elle a compris que dans cette maison la vérité a tendance à surgir des fentes entre les rideaux et des vitres entrouvertes. Il suffit de le savoir. Somme toute, ce ne sont que des phrases malheureuses, d'importance minime. Mais douloureuses, comme ces petites blessures qu'on a dans la bouche et que la langue ne cesse d'irriter.

Depuis le retour d'Innes, la scène est la même chaque soir : les hommes discutent, les femmes se taisent, désapprouvent ou, au mieux, échangent des regards et tentent désespérément de changer de sujet. Bianca écoute et observe : la mesure d'Innes, la véhémence du maître de maison.

« Vous croyez vraiment que les choses pourront redevenir comme avant ? Excusez-moi, don Titta, mais vous vous faites des illusions. Avec le sang de cet infortuné encore frais au bout des parapluies…

— Comme si nous l'avions tué de nos mains ! C'était un accident. Vous le savez comme moi, le peuple n'a pas de tête.

— Oh, je suis d'accord. Je ne vous vois pas transpercer un fuyard sans arme avec la pointe d'un parapluie. Mais de toute évidence, le peuple a des goûts différents. Dois-je vous rappeler le cuisinier rôti aux Tuileries ? Ou le bourreau Simon, avec du sang jusqu'aux chevilles ? Accordez-le-moi : à cause de la mort de ce malheureux, les Autrichiens auront beau jeu de frapper du poing sur la table, et d'un poing de fer. Adieu les gants, de velours ou de chevreau. Plus aucune indulgence, même pour vous les messieurs du beau monde.

— Mais il est trop tard pour revenir à la tyrannie. Les esprits sont fatigués, les peuples ne seront plus jamais une bourbe indistincte, ils réclament une identité qui leur appartienne ! Et nous les premiers, nous qui savons, nous qui comprenons, nous devons nous efforcer d'être des hommes nouveaux, ou au moins tenter de le devenir. Avec tous les risques que cette tentative comporte dans un monde, le nôtre, qui se résigne à être vieux, quand il ne s'en satisfait pas.

— Allons, écoutez-vous, mon ami ! Trop tard, plus jamais… Vous êtes tellement absolu, tellement excessif ! Du moment qu'il a du pain pour épaissir la soupe où il croupit, le peuple recommencera à se soumettre. Et nous, à livrer nos batailles de principes à l'abri de nos beaux salons.

— Ce que vous dites me fait horreur, Innes. Je dirai même que vous me vexez. Et que vous me faites me sentir responsable du tour qu'ont pris les événements. Même si au bout du compte, c'est vous qui avez raison : responsable, je le suis, si, comme vous l'insinuez, je reste ici à me cacher derrière mes paravents.

— Mon chéri, tu parles du nouveau ? Une chinoiserie de facture vraiment exquise. Donna Crivelli l'a vu et en a commandé un exactement pareil… »

Donna Clara a levé les yeux de sa broderie et s'immisce dans la conversation avec une étourderie calculée. Il est étrange que les hommes parlent avec tant de liberté devant la famille réunie ; en général, les entretiens sérieux, ceux qui sont faits de murmures diffus et de soudains éclats de voix, sont réservés à l'autre salon et au rite des cigares et des liqueurs qu'on ne célèbre qu'entre personnes mâles. Bianca a suivi cet échange, attentive au moindre mot, mais n'en a compris que vaguement le sens ; elle sait que Milan est encore sous le coup de violences récentes, au point que son voyage a été menacé jusqu'au dernier moment de devoir être reporté, car même Bartolomeo n'avait pas le cœur de la laisser partir dans ce climat de désordre ; mais la tempête s'est calmée et l'inconfortable diligence a pris la route. Au reste, depuis la mort de son père, elle ne sait plus rien du monde, sinon ce qui lui arrive par hasard aux oreilles : elle n'a plus personne pour le lui raconter ou le lui expliquer, hormis parfois Zeno dans les fragments de ses lettres qu'il ne consacre pas aux bals, aux parties de chasse et aux descriptions de donzelles aux noms de fleurs. À présent, don Titta tourne les yeux vers sa mère, presque surpris de la voir là, et l'observe en arquant les sourcils comme on regarderait une grosse mouche sur le glaçage d'un gâteau.

« Mais oui, le paravent à l'orientale, celui que nous avons mis dans le petit salon sur la galerie, insiste donna Clara.

— Excellente idée, ironise son fils. Un courant d'air, et il sera emporté par la fenêtre comme un ballon.

— Ce serait joli ! Dis, tu veux bien m'emmener à Morimondo ? On peut faire des promenades en ballon, même *La Gazzetta* en parle, mais il faut réserver à l'avance…

— Moi, je n'irai pas, j'ai trop peur, dit donna Julie. Si l'homme était né pour voler, le Seigneur lui aurait donné des ailes comme aux oiseaux.

— Et un bec pour attraper des vers », glisse Pietro, hors de propos.

Il rit tout seul, ignoré des autres.

« Voler… quel rêve ! dit Innes. Nous ne savons pas encore quelles merveilles l'homme accomplira un jour. C'est le mystère et le miracle de la science, n'est-ce pas ?

— Moi, je préfère la poésie, rétorque donna Clara. Et pas seulement parce qu'elle nous donne à tous le pain que nous mangeons. Je l'ai toujours aimée, sérieusement. »

Et elle déclame, en français, la main sur la poitrine :

Je serai sous la terre et, fantôme sans os,
Par les ombres myrteux je prendrai mon repos.

« Quelque chose de plus gai, maman, s'il vous plaît », plaisante don Titta.

Puis il secoue la tête et jette sa serviette sur la nappe en signe de reddition. Des ballons, des paravents et des rimes rassises : il n'en peut vraiment plus.

« Chacun ses goûts. On n'écrit pas de la poésie pour faire rire, objecte donna Clara sans s'avouer vaincue.

— Eh bien, demandez ce qu'il en pense à notre cher Tommaso, quand il se montrera. »

Donna Clara ne résiste pas à la tentation d'avoir le dernier mot et réplique :

« Parlons-en, de celui-là. S'il ne se remet pas les idées en place… Je te le dis, mon fils : tu es un très mauvais exemple pour tous ces pauvres jeunes gens qui se prennent pour des artistes. Les alouettes ne leur tomberont pas toutes rôties dans la bouche, comme à toi.

— Intéressant, dit don Titta. Je me croyais artiste et je me retrouve rôtisseur.

— Et alors, quelle différence ? Rôtir les mots, rôtir les oiseaux. Les gens sont aussi gourmands de vers que de volaille, pour ta fortune et pour la nôtre. »

Don Titta rit pour de bon, Innes l'imite, et même donna Clara en fait autant, regardant autour d'elle, toute fière de son petit effet. Donna Julie se borne à sourire, Bianca aussi : cette idée d'une poésie à vendre comme de la nourriture, de vers disposés comme des brochettes sur un plateau, à saisir avec deux doigts pour les déguster, la gêne profondément ; elle lui semble déplacée et choquante, et elle pense que don Titta ne devrait pas en rire, et se demande pourquoi il le fait.

« Notre cher Tommaso » s'est montré, oui ; et même, il est venu dans l'intention de rester. Son nom de famille est Reda, et lui aussi est poète : sa famille fait pression sur lui pour qu'il se consacre au barreau, comme auraient dû l'y conduire ses études, mais lui n'est pas d'accord ; il se sent appelé à une vie plus élevée, il commet quelques folies, il s'est même retrouvé sous clef pour quelques nuits à cause de certaines intempérances ; c'est pourquoi, dans un acte de générosité hautaine qui lui a fait un ennemi du vieux Reda, don Titta lui a donné asile – un asile grand ouvert et connu de tout le monde – dans sa villa, avec à sa disposition une pièce pour travailler et une autre pour dormir : qu'il essaie un peu, au moins, avant de se mettre au service d'une nouvelle maîtresse non moins capricieuse que la précédente, au train où vont les choses de ce temps. Donna Clara a expliqué la situation à Bianca, en termes laconiques révélateurs de sa désapprobation :

« Ils n'ont pas tous du talent comme mon fils. Pour moi, il lui manque une voix à lui, à Tommaso (articulé en scandant les syllabes), ce n'est qu'un godelureau, un gros garçon habitué à avoir ses aises. Et Titta, béni soit-il, l'a pris chez nous comme on recueille un chat errant, uniquement parce qu'il lui fait pitié. Mais ce n'est pas une auberge, cette maison ! »

Pourquoi l'apprenti poète devrait susciter la compassion, c'est quelque chose qui échappe à Bianca : Tommaso est un jeune homme de taille moyenne, élégant, un peu exalté, avec une expression craintive dans les yeux qui contraste avec la confiance en soi distillée par l'aisance évidente dans laquelle il a grandi. Dans la demeure qui l'accueille, il évolue avec nonchalance : il y vient depuis l'enfance, la connaît comme sa poche, et tout le monde le connaît, même les murs. Il mange peu et boit beaucoup ; le matin, il dort tard et, la nuit, sa lampe est la dernière à s'éteindre. Ses abus modérés lui donnent un air fébrile et une pâleur qui siéent au rôle qu'il s'est attribué. Bianca n'a pas encore décidé si elle a envie de lui être agréable ou non. Ce qui est sûr, c'est qu'à table maintenant on est nombreux : toute une petite cour qui se réunit à heure fixe pour lever son verre à son roi.

« C'est la nature qui fait les meilleures choses, commente donna Clara, et son fils opine du chef, ramassant avec sa fourchette quelques derniers grains de riz dans son assiette où ne reste que l'auréole verte de la sauce.

— Et aussi les plus belles », ajoute Bianca, impulsivement.

Donna Julie incline la tête de côté et sourit.

« Vous avez raison », dit-elle, promenant les yeux sur l'enfilade des têtes de ses enfants.

Mais ce n'était pas ce que Bianca entendait : son regard s'éloigne au-delà de la porte-fenêtre, pour contempler le profil imprécis des peupliers qui s'effarouchent dans le ciel turquin. Don Titta se penche en avant.

« Oui, dit-il, et l'art est un effort pour imiter l'inimitable. Il y a de quoi être frustré, non ? Naturellement, je parle pour moi, miss Bianca. Pour vous, tout doit être plus simple. Je me trompe ?

— Oh, je ne sais pas, répond-elle, tournant de nouveau les yeux et la tête vers la table. Je cherche plutôt à interpréter.

— Ce qui, inexorablement, veut dire transformer », observe-t-il.

Bianca plisse les lèvres en un sourire.

« Peut-être. Mais pour moi, ce n'est pas une entrave. Plutôt une tentative.

— Oui. L'avantage, c'est que ce ne sont pas un pavot ou une anémone qui se plaindront du manque de ressemblance du portrait qu'on fera d'eux. Du moins, je ne les ai jamais entendus », dit Tommaso avec un sourire.

Bianca le dédaigne.

« Pourtant, peut-être que…, poursuit-il, suivant sa rêverie.

— Qu'est-ce que ça veut dire ? Que les fleurs parlent aussi ? », demande Giulietta, la seule des enfants à avoir suivi la conversation avec toute l'attention de ses neuf ans.

Enrico rit, imité par Pietro.

« Bien sûr. Et tu les entends, dit-il, faisant tourner son index près de sa tempe.

— Je ne suis pas folle. Moi, j'écoute, réplique Giulietta, vexée.

— Et tu as raison. Bien sûr que les fleurs parlent, dit Bianca. Mais elles ont de toutes petites voix, et les bruits du monde les étouffent. Elles naissent, elles vivent et elles meurent : pourquoi ne parleraient-elles pas ?

— Cette conversation n'a pas de sens, décrète donna Clara, qui a un certain penchant pour les extravagances, mais seulement celles qu'elle-même autorise et pratique. Vous n'avez jamais pensé à faire des portraits d'enfants plutôt que de fleurs ? Vous pourriez bien gagner votre vie.

— Sûrement, dit Tommaso, parce que tout le monde est convaincu d'avoir les plus beaux enfants du monde. Pas de doute : à Milan, vous en trouveriez, de la clientèle. Des hommes riches qui épousent de belles femmes pour la reproduction. Même si ça ne leur réussit pas toujours au premier essai. »

Donna Clara ne saisit pas son ironie et ajoute :

« C'est certain. Et nous pourrions vous aider, si vous voulez. Grâce à nos relations. »

Bianca se défend :

« Non, ce n'est pas mon métier.

— Mais vous êtes très douée, dit donna Julie.

— De toute façon, miss Bianca, poursuit donna Clara, si pour finir vous découvrez que représenter un enfant exactement comme il est se révèle une tâche impossible, vous pourrez toujours en faire un rien qu'à vous. »

Et elle rit, suivie à tour de rôle par sa bru et par son fils. Bianca rougit, elle déteste se trouver au centre de l'attention, mais elle sourit quand même : elle est maligne, la vieille dame. Elle sait comment conduire une conversation, un art qui lui échappe encore et lui échappera peut-être toujours. Elle n'a pas de mal à se la figurer dans un vrai salon à Paris, entourée de belles têtes, parfaitement à son aise, avec à son côté un homme élégant et plein d'autorité qui écoute avec complaisance ses bons mots. Comment était-il, le comte Carlo ? Et comment se fait-il que dans la maison qui fut la sienne il n'y ait pas un seul portrait de lui ? À moins qu'il ne soit gardé comme une relique dans le secret des appartements privés, ou qu'il ne repose, suspendu à cette chaîne qui disparaît dans le creux des seins, attaché et prisonnier…

« Miss ! miss ? Où êtes-vous partie ? » C'est Innes qui la tire de ses divagations. « Notre petite rêveuse », commente-t-il.

Mais Bianca, irritée par son ton confidentiel, rétorque, presque avec insolence :

« Je ne rêvais pas. Je pensais, voilà tout. C'est défendu ?

— Si cela vous emmène trop loin, oui, ma chère,

c'est défendu, répond Innes. Vous êtes censée rester avec nous, vous le savez. Les convenances l'imposent. »

Bianca le regarde, agacée : ce sont des paroles qui conviendraient mieux à donna Clara. Puis lui vient l'idée qu'Innes joue peut-être seulement le rôle de la maîtresse de maison et elle le regarde, confuse.

« À mes yeux, de toute façon, c'est sans importance. Échappez-vous où vous voudrez, par la tête ou par le cœur. Il suffit qu'à la fin, vous reveniez parmi nous : je vous comprends, intervient don Titta.

— Bien sûr ! Vous aussi, vous fréquentez et vous aimez le lieu où se réfugie la miss ? plaisante donna Julie. Loin d'ici, de nous, de nos voix incessantes qui sont comme un bourdonnement importun.

— Mais je les aime, mes abeilles folles, et vous le savez », répond-il. Et il sourit. « L'amour a le droit de m'importuner aussi souvent qu'il veut. »

Aussi souvent qu'il veut ? Il faudrait corriger en : aussi souvent que *moi* je le veux, et ce n'est peut-être pas si fréquent. Ne l'eût-elle entendu de ses oreilles, et regardé, et vu si affable et serein, Bianca ne croirait pas qu'il s'agisse du même homme : celui qui passe indifférent entre ses deux fils prêts à lui montrer leurs récents dessins, marche tout droit et s'éloigne sans se retourner tandis que les enfants agitent leurs feuillets toujours plus lentement, comme en un adieu à un navire qui s'éloigne ; celui qui s'enferme dans son bureau des jours d'affilée, repoussant les plateaux placés devant la porte et destinés à finir sous les crocs d'un chat ou d'un rat, sans que même la fenêtre s'ouvre ou s'entrebâille, cette fenêtre devant laquelle donna Clara passe et repasse, le visage levé, attendant un signe de vie ; et celui qui crie la nuit, car elle l'a entendu et, d'ailleurs, Minna le lui a dit le lendemain : ce n'était pas un chien, ni un paysan ivre, mais lui, qui, « quand il écrit, se met à hurler ». À présent, elle commence à comprendre pourquoi les enfants sont toujours si incertains devant lui, partagés entre une réserve qui confine à la timidité et le désir de toucher l'autre moitié de lui, la moitié bienveillante, douce, celle qui a envoyé Felice labourer et partager avec des filins un grand lopin de terre à l'orée des halliers, en sorte que maintenant tous les cinq, Matilde comprise, ont leur coin de jardin marqué par une pancarte en bois qui porte le nom de chacun en lettres fleuries, et un matériel complet, avec houe et bêche minia-tures, et de minuscules sachets de semences à plan-ter. De toute évidence, c'est un homme compliqué. Un instant, il est là ; l'instant d'après, il disparaît et reste au secret des semaines, à poursuivre, capturer et dompter les Muses. Puis il resurgit, calme et pâle comme un convalescent, et le voilà de nouveau cet autre lui-même qui se dépense volontiers pour tous, s'agenouille près de Pietro et d'Enrico pour regarder avec enchantement leur moulin à eau bâti en équilibre sur le bord du petit canal, et contemple les danses de ses filles au son du tambourin de Pia, avec un sourire si doux qu'il semble presque bête.

Si le père est tantôt présent et tantôt absent au gré de sa fantaisie (et chaque fois de façon totale), la mère, la fragile, dévote et taciturne donna Julie, est une ouvrière infatigable de l'amour : un amour qui sourd d'elle avec constance, mais, du fait même que jamais son flot ne s'interrompt, risque de passer inaperçu. C'est l'amour paisible et silencieux de tous les jours, qui veille sur la santé et les tricots de laine, sur les emplâtres et les tisanes, sur la nourriture et ses transformations naturelles, oublieux de l'âge de ceux auxquels il est voué, ou, mieux, le fixant au point de la vie où ces soins sont tout ce dont ils ont besoin. Mais aucun des enfants, observe Bianca, n'est plus assez petit pour requérir de telles attentions ou pouvoir s'en contenter. Ils auraient besoin d'autre chose : de jeux et de complicités, d'histoires, de rires. Des baisers, des caresses, ils en reçoivent jusqu'à plus soif, les rendent sous la forme de rapides petits coups de bec sur les joues, et s'en délivrent avec autant de rapidité qu'on se débarrasse d'écharpes et de gilets imposés par excès de protection, avant de s'enfuir sans plus attendre et de chercher ce qui leur manque. C'est plutôt donna Clara, quand l'envie veut bien l'en prendre, qui le leur apporte ; et ils s'emparent de tout ce qu'ils peuvent, avides, sachant que l'os n'est pas gros et qu'ils doivent se le partager. Même pour Innes, ils ont une affection de chiots : il est le seul à s'attirer le respect des deux garçons et les filles l'aiment sans conditions, peut-être parce qu'il est grand comme leur père mais moins distant, qu'il est possible de voler entre ses bras et que c'est gai comme faire un tour de manège.

Une fenêtre ouverte, encore. Cette fois, c'est la voix de Nanny, angoissée, prête à se rompre :

« Oh, cette miss… Il partira avec elle, je le sais d'avance. Et elle ne connaît même pas le français… »

Bianca est ébahie de cette impudence : comment, révéler ses sentiments à une domestique, surtout vive comme Pia ! Soudain, elle aimerait faire une entrée théâtrale, écarter les rideaux, se pencher devant l'institutrice destituée et la petite servante maligne comme dans une comédie de Goldoni, et dire : « Vous vous trompez, mademoiselle. Innes est tout à vous. Mon intérêt est ailleurs. » Histoire de faire taire cette sotte. Mais cela ne servirait qu'à attiser ses espoirs, qui ne sont que pures illusions. Mieux vaut qu'elle le comprenne toute seule, qu'Innes est inaccessible. Ou qu'elle continue à se leurrer : c'est peut-être ce qu'elle désire, ce qu'il lui faut pour rendre plus supportable sa prison. Ensuite, les enfants deviendront grands, Nanny devra se chercher une autre maison et nul doute qu'alors Innes sera déjà très loin : Bianca ne le voit pas s'encroûter longtemps à un même poste. Pas ici, en tout cas. C'est un homme qui rêve, et son rêve finira par l'entraîner.

Écoutant, réfléchissant, elle est restée immobile à sa place, pour qu'on ne la découvrît point ; et ce sont les voix qui s'éloignent, celle de Pia qui, à sa surprise, prend sa défense : « Mais non, mais non, que dites-vous là, la miss est tout sauf méchante… » Jouer les jolies statues, a-t-elle remarqué, est parfois des plus commodes. Quand on ne se fait pas voir, mais aussi parmi tout le monde, au salon, parce que cela revient au même et qu'un ornement en biscuit parant un meuble vaut mieux qu'une petite tête pensante sous ses boucles bien coiffées. Sur sa peau lisse glissent tant de choses, tant de mots. Une histoire lui vient à l'esprit, française, que racontait son père : celle d'une statue antique, une Vénus enterrée dans un jardin, qui tombait amoureuse d'un jeune homme et, toutes les nuits, allait le retrouver en laissant dans les couloirs de la demeure d'étranges traces de terre dont personne ne savait expliquer la présence, et à la fin, pour l'empêcher d'épouser sa fiancée de chair et d'os, le serrait trop fort dans ses bras de bronze et le tuait. Les statues aussi ont une âme. L'avantage est que personne ne le sait, en sorte qu'elles peuvent la cacher ou la révéler à loisir.

Le temps de contourner le coin de la maison et voilà justement Innes, l'homme dont on parle trop, qui vient à sa rencontre en débouchant de derrière un buisson de myrte, grand et parfait comme un ballon aérostatique.

« Où allez-vous, miss Bianca ? Vous explorez nos halliers sauvages ? »

Malgré elle, Bianca regarde derrière elle : Nanny tomberait en syncope si elle voyait ainsi confirmés ses pires soupçons, la surprenait à cet instant, aussitôt après son éclat d'amertume, toute prête à converser avec l'objet de ses désirs. Puis elle hausse les épaules (quelle importance ?) et sourit.

« À vrai dire, j'allais faire quelques pas dans la prairie. L'endroit le moins sauvage dans les parages. »

Ils harmonisent leur pas, lui ralentissant, elle accélérant, un peu gauches mais calmes. Sa méfiance initiale surmontée, le dosage de son ironie compris et mesuré, Bianca a découvert que la compagnie d'Innes lui plaisait beaucoup, quoi qu'en pense Nanny.

« Vous faites peut-être allusion aux curieuses habitudes de notre employeur commun ? » Ils échangent un sourire entendu, mais il redevient aussitôt sérieux et ajoute : « C'est un grand homme, vous savez. Et j'ai de la chance de travailler pour lui. Vous aussi. La bourgeoisie de la vallée du Pô, ou la petite noblesse, cette classe suspendue entre terre et ciel, est rarement aussi éclairée. Le plus souvent, elle se contente de se fondre dans le paysage. » Puis, changeant de sujet et d'expression : « J'ai quelque chose pour vous, qui vient de m'arriver de Londres. Un livre qui, semble-t-il, y rencontre un succès énorme. C'est une histoire romantique, je suis sûr que vous l'apprécierez.

— Mais vous aurez sûrement envie de la lire en premier, dit Bianca, tentant de réprimer sa curiosité.

— C'est déjà fait. Mes nuits sont habitées de beaucoup de livres. C'est le seul avantage de l'insomnie : on a plus de temps pour ses passions. Ensuite, on somnole dans la journée, on fait la sieste avec les enfants… »

Il est pâle, Innes, et ses yeux sont plus enfoncés que d'habitude dans ses orbites profondes. À la lumière vive du jour, à laquelle le toit de feuilles ne parvient pas à faire écran, la cicatrice verticale qui court du coin de sa paupière vers le bas semble encore plus marquée : une blessure subie dans un duel, mais ce n'est qu'un pli, un signe distinctif, le message d'une âme au travail. Bianca nourrit le soupçon – et pour une fois, sans qu'elle le sache, fondé – qu'Innes est un vrai révolutionnaire. Rien qu'à se le formuler dans sa tête, le mot lui donne le frisson, évoquant des tortures, des chaînes, des cachots, des têtes qui roulent dans des mares de sang. La colonie anglaise de Milan ? Allons donc ! Ce qui le conduit si souvent en ville est sûrement bien autre chose. Et le rôle de précepteur dans une famille connue et respectée lui fournit une excellente couverture.

Ce qu'Innes ne lui a jamais dit, mais dont Bianca a l'intuition, c'est que le maître de maison est aussi impliqué dans ces entreprises. La complicité entre les deux expliquerait bien des choses : le secret dont s'entoure don Titta ; ses escapades de plus en plus fréquentes vers sa demeure milanaise – que Bianca imagine poussiéreuse et vétuste, une ruine, attendu qu'aucune des dames ne semble avoir envie d'y remettre les pieds – sous prétexte de recherches pour le roman qu'il écrit et qui, à ce qu'on dit, l'occupe depuis une dizaine d'années. Pour don Titta, le risque est beaucoup plus élevé que pour un précepteur de passage : lui, c'est le Poète, aimé et courtisé de tous pour ce qu'il apparaît, un élégant, aimable fourbisseur de mots. Bianca, qui connaissait ses œuvres avant qu'il lui écrivît, les trouve agréables mais exsangues : dans ces rimes à la mode ne circulent pas de grandes passions, mais des sentiments délicats, de quiètes idylles, les portraits posés d'une vie chantournée qui, dans la vraie vie, n'existe pas.

Du reste, s'il est collectionneur, on comprend mieux qu'il soit si passionné par l'innocente folie de faire peindre ses fleurs et ses plantes comme si elles étaient humaines. Mais si, sous cet Arcimboldo des pétales, des herbes étranges, des fruits exotiques et des feuillages, se cachait un autre homme, aux idées fortes, qui n'attend que l'occasion propice pour faire voler aux quatre vents son plumage végétal et se montrer au monde tel qu'il est ?

Le roman. La révolution. Le roman de la révolution. Pour tout cela, pour tout ce que cela pourrait signifier, Bianca éprouve une curiosité détachée : elle sait bien qu'il s'agit d'affaires importantes, de questions de principes, de droits bafoués qu'on revendique avec une juste autorité et le secret nécessaire pour trouver le moment venu, dans de violents déchirements – car il semble impossible de ne pas en passer par là –, la voie la plus claire et la plus efficace pour se manifester et changer les choses. Cela ne va jamais sans effusion de sang. Mais elle est trop occupée par sa petite métamorphose, qui, à vrai dire, a déjà chamboulé sa vie en la rendant différente de celle de n'importe qui d'autre, pour pouvoir ne serait-ce que se représenter l'audacieux dessin à contre-jour du monde qui viendra. Elle est comme une brodeuse qui travaille au coin d'une immense nappe : elle a sa surface à achever et la remplit de points qu'elle fait et défait, inlassable, sans savoir comment ce même motif pourra se multiplier et s'amplifier sur la toile destinée à draper une vaste table.

Pour le moment, le livre qu'Innes lui a prêté lui coupe le souffle, lui ôte le sommeil, la prive de son bon sens et fait jaillir d'elle un nœud confus de sensations. Il s'intitule *Ponden Kirk* et parle d'un amour désespéré et impossible, d'injustices et de fantômes dans une lande désolée qui ne s'arrête qu'à la mer. La petite main de Tamsin, blanche dans la nuit noire, qui gratte à la fenêtre – à moins que ce ne soit qu'une branche, mais on dirait bien une main de spectre –, lui a saisi le cœur comme les descriptions de ses boucles délicates, de ses yeux d'ambre si communs ici et insolites là-bas, de l'obscurité qui entoure le bien-aimé Aidan et lui coule de l'âme et de la peau. Bien autre chose qu'*Udolphe* : cette petite oie égarée d'Emily n'est même pas digne de porter l'ombrelle de Tamsin. Qui d'ailleurs, Bianca en est certaine, doit détester les ombrelles, et, à supposer qu'elle en ait jamais possédé une, doit l'avoir fracassée dans un accès de colère, ou oubliée dans un sous-bois, ou déchirée par négligence, ou laissé emporter par le vent. Voilà que d'un coup toutes les lectures qui ont nourri une saison sont répudiées en faveur de la nouveauté. Innes sourit de tant de véhémence et tente de répondre du mieux qu'il peut aux questions dont elle le bombarde.

« L'auteur s'appelle D. Lyly, avec deux Y. C'est tout.

— Pas de prénom ?

— Non. Je pense que c'est un pseudonyme. Et que derrière un nom si transparent se cache une femme.

— Une autre Ann Radcliffe ?

— Pourquoi pas, ma chère ?

— Je tremble pour elle, alors.

— Vous tremblez ?

— D'envie réprimée. »

D. Lyly, Delilah, Dalila : la femme aux ruses. La ruse comme moyen de devenir ce qu'on est. Écrire. En comparaison, les fusains, les craies et les couleurs, tout l'équipement du peintre, lui semblent en ce moment bien fades, comme la bouillie d'avoine que lui donnait sa mère au petit déjeuner, alors que ses frères volaient du pain noir et des saucisses à la cuisine pour aller les manger en cachette sur le banc de pierre de la cour. Les fleurs, molles et mouillées dans leurs cadres verts et dorés ; les feuilles, mortes depuis longtemps quand on contemple leur portrait suspendu au mur : tout cela est si gracieusement imité, et si vain ! Car dans la vie réelle tout cela vaut beaucoup mieux en vrai qu'en effigie. Au contraire, les histoires écrites sont plus fortes, plus colorées, plus vivantes que la vie ; et comme si cela ne suffisait pas, les pages qui les accueillent sont prêtes à prendre et reprendre vie chaque fois qu'on y pose les yeux. Une fleur, jamais. Quand une fleur meurt, il faut attendre le printemps suivant pour la revoir, et au surplus ce ne sera jamais la même que la première fois.

Bianca est curieuse, elle voudrait en savoir davantage sur ce mystérieux Mr Lyly qui est peut-être une femme : Dieu sait quels à-pics et quels abysses de passion il ou elle doit avoir connus pour accomplir une si extraordinaire création sur le papier. Si c'est une femme, elle ressemble peut-être à Tamsin : comme elle impulsive et obstinée, comme elle apte à s'emparer de ce qu'elle désire contre vents et marées, sans que rien puisse la vaincre sinon la mort ; mais non, même pas elle...

« C'est probablement un quinquagénaire ventru qui souffre de crises de goutte, dit Innes, amusé. Il passe ses journées au club et n'est jamais allé plus loin que Hampstead.

— Vous vous moquez de moi, proteste Bianca.

— Alors écrivez, si vous pensez en avoir envie », répond Innes, indulgent et sérieux après avoir fait droit à ses emportements passagers sous la pluie, comme s'ils étaient en Angleterre, comme si c'était normal, sous le regard torve des domestiques et des paysans trempés jusqu'aux os qu'ils croisent en chemin (parce que c'est une chose de se mouiller parce qu'on est obligé et une autre de le faire exprès, et que traîner sa jupe dans l'herbe haute est un caprice inexplicable). « Écrivez. Essayez. Personne ne vous en empêche. Mais je sais que votre talent pour la peinture est le vrai. Il a seulement besoin de trouver sa voie. Ne me dites pas que les herbiers sont votre voie : ils ne sont qu'un petit sentier. »

Ainsi Bianca, mise au défi, essaie. Elle le fait par une nuit d'orage qui semble faite exprès pour se trouver soi-même à la clarté d'une chandelle, et tente un faux journal intime, qu'elle trouve convenu ; elle se trouve un faux nom et le tourne et le retourne dans sa bouche comme un bonbon bizarre dont elle ne sait si elle veut le déguster ou le cracher, puis l'écrit trois, cinq, dix fois, penchant de côté et d'autre les boucles des lettres ; enfin, elle raconte son voyage de Calais à Douvres par une nuit de tempête, omettant par pudeur les détails pénibles et dégoûtants des viscères retournés pour tenter une ébauche romantique, avec deux personnages mystérieux aux manteaux gonflés par le vent et une lune qui apparaît entre les nuages lacérés par les bourrasques… Elle se relit, et constate que tout cela est rebattu. Alors elle réessaie, et cette fois inclut les viscères et ce qui en jaillit ; mais l'effet la fait frissonner alors même qu'elle écrit : il y a des actes, des odeurs, des bassesses pour lesquels les mots sont trop ou trop peu. Ainsi se retrouve-t-elle les doigts tachés de noir devant de grands morceaux de papier déchirés sur le secrétaire. Il vaut mieux, infiniment mieux lire ; pour commencer, c'est moins fatigant. Elle se glisse dans son lit et, un moment, s'en va de nouveau avec Aidan : ils chevauchent ensemble, il a enfermé cette sotte de Tamsin dans la remise sans prendre le temps d'écouter ses cris ni le bruit de ses petits poings cognant contre la porte, il lui a volé son manteau pour le lui donner, puis elle a enfourché la monture à cru, sans hésiter, et maintenant elle sent sa croupe trembler sous ses cuisses, et, de ses bras, étreint la taille du héros, qui tremble aussi dans la furie du galop, et la pluie tombe à torrents, mais, miracle, la lune luit quand même… La lune luit toujours, médite Bianca en refermant le livre, tandis que les derniers coups de tonnerre retentissent au loin ; et elle la contemple, la lune – la vraie –, à travers la vitre qui la déforme et lui donne l'aspect d'un œuf frit. La lune est toujours avec nous, même quand on ne la voit pas, parce que nous en avons besoin comme du soleil, qu'elle est le revers de la pièce de monnaie, l'écharde de ténèbres lumineuses que nous portons fichée dans le cœur. Et, avec un soupir, elle reprend son crayon et dessine, dessine l'œuf frit dans le ciel, le profil du grand platane, une étoile comme un petit baiser de lumière. Cela, elle sait le faire. Et le fera.

La fête de la Saint-Jean est un petit rite important à la villa : il réunit les amis de la ville en partance pour leurs villégiatures, et c'est le salut estival avant que chacun prenne sa route en disant au revoir jusqu'à octobre. C'est surtout l'occasion de montrer la maison ouverte et vivante, et, peut-être, apporter la preuve que certaines choses sont restées comme autrefois. Bianca apprend tout cela dans l'excitation des préparatifs, dans les demi-mots des domestiques, dans les expressions – si différentes – de don Titta et de sa mère, qui, ragaillardie par l'agitation, crie des ordres à droite et à gauche comme un capitaine sur le pont d'un navire à l'abordage : mais oui, c'est la reconquête de sa place dans le monde ; lui, en revanche, se retire dans ses appartements, et, quand on vient le consulter pour le menu, les fleurs et la musique, lève les yeux au ciel et serre les lèvres pour retenir les impertinences qui lui viennent en tête.

St John's Wort, le millepertuis, la fleur du solstice. Bianca a eu une idée, l'a proposée, et on l'a approuvée ; si bien que maintenant elle prépare des dizaines de boutonnières faites d'un petit bouquet de fleurettes jaunes enveloppé dans une vrille de lierre. Elle a déchaîné la petite meute des enfants pour qu'ils se mettent en quête du lierre : seulement la pointe des rameaux, de cette longueur, pas plus, et attention de ne pas vous couper, on ne court pas avec des ciseaux à la main ; mais au bout du compte, en dépit des appréhensions de Nanny et de quelques tailles dévastatrices, la mission a été accomplie. À présent, les boutonnières sont posées en ordre sur deux plateaux à l'entrée, aspergée d'eau pour rester fraîches, et les dames et les messieurs acceptent avec un sourire cet hommage offert par les enfants (« mais comme tu as grandi, Giulietta, on dirait une vraie demoiselle, et toi, tu es Enrico, tout le portrait de ta grand-mère,

quel beau garçon ») avant de l'accrocher à leur poitrine par une épingle et de continuer leur chemin vers
les rafraîchissements. Nanny surveille l'opération derrière une colonne, très agitée, prête à récupérer son
troupeau dès que les derniers invités auront fait leur
entrée ; voilà, on referme les grilles, la nuit ordinaire
reste au-dehors avec les bavardages des paysans, qui,
avant de se rendre au bal sur la place, ne résistent pas
à la curiosité et se pendent aux balustres pour épier
les seigneurs, ou plutôt ce qu'il en reste : les voitures
avec leur blason peint sur la portière, disposées en
bon ordre sur le gravier de l'allée, telle une collection d'insectes exotiques (« tu as vu, Berlingieri est
là aussi, et celle-là, la bleue et noire, c'est celle des
Poma, tu vois la poignée en forme de pomme ? »).
Bianca les regarde de loin, écoute leurs voix, les montées et les descentes de ce dialecte étranger qu'elle ne
comprendra peut-être jamais. Une fois leur service
achevé, Pia et Minna se rendront à la fête aussi, elles
en parlent depuis des jours, et elles danseront comme
des folles, tête nue, riantes. Que ce soit par timidité
ou par crainte, par une sauvagerie ou une bizarrerie
que Bianca ne prend pas la peine d'analyser, il est
sûr que ses pas l'y porteraient volontiers, irrésistibles.
Mais c'est impossible, car la soirée des messieurs et
des dames va commencer, par là s'il vous plaît, vers
le parc, où des guirlandes de lumières séparent le
gravier de l'herbe et marquent la route qui conduit
aux prévisibles surprises.

Le Papillon est un poème célèbre (bien que récent)
de don Titta, si célèbre que même Bianca le connaît
déjà. Ce sont des vers appropriés à une telle nuit,

même si dans la réalité ce sont des phalènes, non des papillons, que les créatures écervelées promptes à se lancer sur les flambeaux et les bougies en quête d'une mort spectaculaire. Applaudissements quand le maître de maison conclut et s'incline ; et quelques reparties : « Vous nous traitez toutes de sottes exaltées, Titta ? », dit une belle dame en rose pâle parmi les rires des autres. « Seulement si vous vous sentez des lépidoptères à l'intérieur », réplique-t-il. « Brrr, quelle horreur, c'est vous le lépidoptère. » Autres rires. « Mais non, tous les papillons sont féminins, ma chère Adele. – Alors, la prochaine fois, écrivez sur les chiens », dit le petit comte Bernocchi, qui s'avance en faisant voler la queue de son habit comme un paon qui fait la roue. Les femmes de la cuisine, poétesses par contagion, ont mis Bianca en garde par un quatrain fulminant : « Tenez-le à l'œil, ce petit monsieur, qui est un peu trop facétieux ; ses yeux rôdent où il ne faut pas, quant à ses mains, n'en parlons pas. » Annoncé par un tel chef-d'œuvre, l'homme inspire à Bianca une méfiance instinctive ; assurément, il n'est pas beau avec sa petite taille et sa bedaine proéminente au-dessus de ses jambes courtes, sans parler de l'horrible perruque blanche que plus personne ne porte désormais, enfoncée comme un caparaçon sur l'absence de cheveux aux tempes qui lui fait le front très, trop haut. Bianca, qui n'était pas prête à fuir, le découvre planté à côté d'elle, et, tandis que le cercle des amis se disperse, il reste là, la coinçant littéralement dos au mur, la bloquant dans un coin du salon qui semble destiné à la retenir longtemps.

« Alors, miss ? Vous trouvez vos marques dans notre campagne sauvage ? Vous devez être habituée aux vraies capitales : Londres, Paris…

— Je les ai visitées », répond Bianca, laconique, presque brusque dans sa volonté de ne pas prononcer une phrase propre à lancer la conversation. Le jeu de paume mondain est un exercice qu'elle n'apprécie pas, et l'assurance du comte l'agace : ils ont à peine été présentés, et il ne cache pas qu'il sait déjà beaucoup de choses sur elle sans même les avoir demandées, du moins pas à elle. Le contraire est vrai aussi, naturellement, mais au moins Bianca a-t-elle le bon goût de n'en rien montrer. Et puis, ce diminutif devant son nom – *petit comte* Bernocchi – est ridicule : parce qu'il n'a pas encore hérité du titre (son père, disent les domestiques, est un grippe-sou très âgé, accroché bec et ongles à la vie), c'est comme si, à quarante ans passés, il restait figé dans une éternelle adolescence aussi peu seyante que possible. Maintenant, le voilà qui la scrute avec curiosité, à travers un lorgnon si démodé qu'il en est comique. Il ne doit pas lui arriver souvent qu'on coupe court à ses propos. Au reste, il plisse le front et continue comme si de rien n'était :

« Vienne, Turin, Rome… Pour ma part, je trouve que le Grand Tour est une invention grandiose. Elle permet aux fainéants d'Europe de poursuivre un certain temps l'activité qu'ils préfèrent. Elle les empêche de faire des dégâts dans les domaines intellectuel et économique, où il vaut mieux qu'ils laissent la place aux autres, à des gens animés par le besoin, qui est le vrai moteur du monde ; et en même temps, elle leur donne la possibilité de dissiper une part énorme de leur patrimoine en voyages, en hôtels, en loyers, en achats inconsidérés d'œuvres d'art médiocres, de bustes, de croûtes en tout genre, de monnaies frappées avant-hier… et cette saine circulation de l'argent fait du bien à beaucoup de monde.

— Quoi, vous n'avez pas voyagé vous aussi, dans votre jeunesse ? », intervient Tommaso en s'approchant.

Bianca remarque dans le ton de sa voix une certaine tension contrôlée par la courtoisie ; et à y bien regarder, ces mots, « dans votre jeunesse », sont une subtile insulte : il est clair que Bernocchi tient beaucoup à son apparence, mais ces soins excessifs ne font que souligner les ravages du temps et des excès de vin et de nourriture qui lui gonflent les traits et lui voilent la peau d'un fin lacis rougeâtre. Lui, tranquillement, répond :

« Bien sûr. Et je m'inclus de plein droit dans la catégorie des inutiles dont je viens de parler. Disons seulement que j'ai toujours eu le bon sens de ne pas me croire destiné à de grandes entreprises, et de rester sourd à l'appel des Muses, qui, si on les invoque indûment, peuvent faire tant de dommages… »

Si la flèche atteint Tommaso, il n'en laisse rien paraître et se borne à offrir son bras à Bianca. De mauvais gré, Bernocchi suit le couple jusqu'au milieu du salon ; là, tout le monde est assis, alerte, prêt à reprendre la comédie. Donna Julie semble perdue dans une de ses rêveries. Innes soulève les genoux de son pantalon avec ses longs doigts, ce qui est un signe d'impatience. Il tient silencieusement compagnie au curé, qui reste un peu à l'écart, intimidé ou s'ennuyant profondément, ou peut-être les deux à la fois, pense Bianca, observant la grosse tête chenue de l'ecclésiastique, qui s'incline sur sa soutane un peu lustrée et la regarde comme un paysage insolite.

Mais quand Pia fait son entrée avec le plateau des rafraîchissements, le vieil homme se secoue. Il lève la tête, et sur ce visage fatigué de paysan se dessine un beau sourire, doux et affectueux. Un sourire de grand-père, pense Bianca. Pia ne parle pas, mais, après avoir déposé le plateau sur une petite table, fait un pas en arrière pour laisser la place à Minna et répond à ce regard par un regard bon. Et redevient, comme cela lui arrive parfois, la fillette qu'elle a dû être avant que les astuces de l'arrière-cuisine l'éveillent à une fourberie hors du temps. Maintenant, pour un instant, elle est une enfant et rien d'autre, une enfant qui voudrait tant donner la main au vieux prêtre et se laisser emmener, où il veut, parce que ce ne peut être que vers un endroit très beau. Mais c'est impossible. L'instant est déjà passé : Pia fait une révérence, se retourne et disparaît, et le sourire reste à voleter quelques moments encore sur le visage du curé jusqu'à ce qu'on lui mette dans la main, presque de force, un petit verre de rosolis, et que le contact avec le cristal frais le fasse revenir à lui.

Bianca n'est pas la seule à avoir suivi des yeux cet échange. Donna Clara, à qui Innes a cédé sa place, se tourne vers le religieux et lui dit :

« Vous avez vu comme elle devient grande, votre pupille ?

— C'est vrai, répond don Dionisio avant de cacher son nez dans son verre.

— Vous ne comptez pas nous régaler de nouveau avec l'histoire de votre petite colombe sainte, monsieur le curé ? intervient Bernocchi, dans un bâillement forcé. Pour ma part, chère donna Clara, je pense que charité bien ordonnée commence par soi-même. Au moins, on ne risque pas d'être déçu. »

Donna Julie le foudroie du regard. Puis elle dit, l'excluant d'un imperceptible déplacement des épaules :

« Elle lit des histoires aux petites. Elle joue avec elles et elle les surveille. Elle est précieuse, notre Pia.

— Comment, elle sait lire ? s'étonne Bernocchi en haussant un sourcil. Pour quelle raison ?

— Et pourquoi pas ? proteste don Dionisio en posant son petit verre sur le plateau avec un dangereux cliquetis. Pia est une fillette comme les autres. Elle a une tête comme les autres. Et elle apprend vite.

— Ne me dites pas qu'elle sait aussi le grec et le latin, sourit Bernocchi.

— Un peu, pour ne rien vous cacher, réplique don Dionisio avant de battre en retraite dans un silence hostile.

— Ah, comme elle est généreuse et éclairée, notre Milan moderne ! ironise Bernocchi, tendant ses jambes blanches et arquées comme des pieds de table dans ses bas de soie. Non seulement elle recueille, élève et nourrit les enfants de personne, mais elle les suit pas à pas sur la route du grand monde et les pourvoit d'une instruction supérieure, qui leur sera sûrement très utile pour traire les vaches, ratisser le foin et frotter les parquets ! Du reste, même notre bon Rousseau a confié ses petits bâtards aux soins de la générosité publique, n'est-ce pas ? Et qui mieux que lui, qui a consacré son œuvre géniale à nous le montrer, pouvait savoir la meilleure manière d'éduquer un enfant ?

— Oh, vous… Personne n'est enfant de personne. Quant à Rousseau, il s'est trompé. » Tout en posant un regard fébrile sur Bernocchi, donna Julie, animée, parle précipitamment, comme si un feu de pensées surgissait du tréfonds d'elle-même ; elle n'a plus rien de la créature lisse et invisible qu'elle est d'habitude, car elle incline le buste en avant et déclare : « C'était un monstre, de forcer sa pauvre Thérèse à abandonner ses enfants. Les enfants doivent rester avec leurs parents. Vivre avec eux, jouir de l'affection qu'ils leur prodiguent sans mesure, recevoir des baisers et des câlins… c'est seulement ainsi qu'ils apprendront à aimer à leur tour. Par l'exemple. N'est-ce pas, mon ami ? »

Don Titta se borne à hocher la tête. Bianca regarde donna Julie reprendre contenance, ses joues pâlir de nouveau. Jamais elle ne l'a entendue parler avec tant de véhémence. Bernocchi lui rétorque :

« Oh, je sais que vous avez vos idées, donna Julie. Vos enfants, vous les avez même *allaités*, non ? Du moins, c'est ce qu'on dit. Pour ma part, je ne vous ai jamais vue, mais je reconnais que cela m'aurait plu… vous, la plus spirituelle des femmes, engagée dans un acte tellement *animal* ! Quel curieux spectacle ce devait être.

— Ce n'était pas un spectacle public, intervient don Titta, sérieux.

— Allons, allons ! lance donna Clara, agitant les

mains. Nous n'allons pas nous disputer pour les théories de cet homme ennuyeux. »

Et elle rit, d'un petit rire gras, gargouillant, mondain en diable, qui semble provenir de très loin. Le petit comte l'imite.

« Donna Clara, vous ne changerez jamais, lui dit-il, galant. Quand on a été la reine des salons… »

Puis il serre les lèvres, comme pour ravaler sa gaffe involontaire. Qui n'a pas échappé à la dame.

« Eh oui, mon cher Bernocchi. C'était le bon temps. Un temps envolé pour toujours. » Elle soupire, soulevant sa poitrine tendue sous le taffetas, puis, avec un autre geste (car ses mains ne sont jamais immobiles), chasse cette pensée : « Mais maintenant, nous sommes des gens plus simples et plus heureux. Un peu sauvages, mais heureux. N'est-ce pas, Julie ? N'est-ce pas, mon fils ?

— Vous êtes tellement originaux, vous autres, intervient Annina Maffei, une dame brune enveloppée dans une robe compliquée. Vous vous êtes créé votre petite cour campagnarde et vous vous complaisez dans cette existence rustique, mais au fond vous êtes surtout bizarres. La nounou pour les enfants, que vous appelez Nanny bien qu'elle soit française ; notre cher Stuart pour l'anglais, qui, reconnaissez-le, est une langue incompréhensible, tellement violente, pire que l'allemand ; et maintenant, comme si cela ne suffisait pas, l'aquarelliste domestique et le poète résident. Vous n'êtes pas sans savoir qu'à Milan, vous êtes l'objet de tous les potins. Vous restez cachés ici, mais autant vaudrait vous mettre sur la scène de la Scala… »

Donna Clara saisit une accroche intéressante, se penche en avant et murmure, d'un ton de conspiratrice :

« Alors, la Galli, vous l'avez vue ? Comment est-elle ?

— La Brignani est meilleure, à mon humble avis, répond Bernocchi. La Galli, c'est un peu la soupe de tous les jours. Exquise, angélique… presque trop. L'autre est petite, exotique… piquante, si vous voyez ce que je veux dire. » Et il cherche la complicité en interceptant les regards des autres hommes. « Mais la Galli vaut toujours mieux que nos habituelles sylphides fatiguées, à la Pallarini. »

Tommaso acquiesce avec un petit sourire qu'il ravale aussitôt ; Innes, la tête renversée en arrière, contemple d'un point de vue insolite les corolles des tulipes, molles sur leurs tiges courbées, artistiquement arrangées dans un vase derrière lui ; don Titta a pris l'air lointain qui est sa défense coutumière contre le monde. Et don Dionisio semble plongé dans une méditation privée, dangereusement proche du sommeil. Bernocchi est contrarié : il déteste que ses répliques tombent dans le néant. Aussi fixe-t-il Bianca, inclinant à peine la tête, et se pourlèche les lèvres ; elle, en dépit de sa volonté, rougit de ce regard. L'instant d'après, le même regard se déplace et se pose sur Pia, qui aurait dû disparaître depuis un moment, mais montre la tête sur le seuil de la porte, enchantée par la robe vieux rose et vraiment trop décorée, mais éblouissante, qu'arbore la comtesse Maffei. Elle ne s'aperçoit de rien, ne sent pas l'insistance de cette paire d'yeux qui, même de loin, pèsent aussi lourd qu'une main aventurée là où elle ne devrait pas.

Bianca a pris congé avec une révérence et l'alibi qu'elle devait se coucher tôt, toujours efficace pour une créature médiane comme elle, ni domestique ni invitée ; mais ensuite, elle s'est aperçue d'avoir oublié l'éventail en ivoire de sa mère, trop précieux pour qu'elle attendît le lendemain de le récupérer, et peut-être le retrouver cassé par un séant imprudent. Elle retourne sur ses pas et a la sagacité de s'immobiliser sur le seuil, sans se faire voir, et juste à temps. Il parle d'elle, le petit comte Bernocchi :

« Il semble bien que la perfide Albion ait voulu nous faire cadeau d'une authentique pierre précieuse. Une pierre à l'état brut, bien entendu : aussi brusque que gracieuse ; elle n'a besoin que d'être un peu affi-née, un peu retaillée, dirai-je, avec patience. Et vous dites qu'elle va rester pour peindre toutes vos fleurs ? Quel extravagant vous êtes, mon ami. En ville, on ne parlera pas d'autre chose, tout au moins jusqu'à votre prochain caprice. Ah, notre poète paysan… »

Et donna Annina :

« Dommage, ces taches de rousseur. On dirait un œuf de caille.

— Et un homme ? Vous lui trouverez un mari ? Ou c'est une de ces filles modernes qui n'aspirent qu'à l'indépendance ? »

« Il faudra la marier. » La phrase répétée à tous les dîners, insistante, menaçante. Bartolo qui parle avec son père sans même l'interpeller du regard, comme si elle n'était pas là ou faisait partie des meubles.

« Ce ne sera pas la peine. » La réponse, tenace, toujours la même. « Bianca n'en a pas besoin. Nous lui avons donné tout ce qu'il lui faut pour faire ses choix. Même celui d'un mari, si elle en a envie. Seulement si elle en a envie.

— Mais, père, voyons ! Elle a juste l'âge qui convient. Dans cinq ans, qui voudra d'elle ? Elle deviendra une vieille fille indépendante – et la voix scandait l'adjectif comme si c'était un gros mot – avec les doigts tachés et trop d'orgueil pour se laisser domestiquer.

— Tolomeo, je n'ai pas l'intention d'en discuter davantage. Ta sœur fera d'elle-même ce qu'elle voudra. »

Le visage de Bartolo qui s'empourpre, Zeno qui s'abandonne contre le dossier de sa chaise, lève son verre vers son frère et en avale le contenu d'un air rieur. Elle, qui voudrait disparaître, comme toujours quand elle est le centre et la cause d'une conversation. Son père qui la regarde par-dessous, avec un gentil sourire. Et elle qui ne sait que faire de toute cette liberté : c'est ici qu'elle voudrait rester pour toujours, dans cette salle à manger aux couleurs fanées, attendant que Bartolo s'en aille et que chacun puisse enfin pousser un soupir de soulagement, et peut-être rire sous cape de sa panse de bourgmestre.

C'en est assez. Bianca entre sans sourire et sans cérémonie, prend son éventail et s'en va, irritée, fermant ses oreilles à ce qui se dit, ignorant les regards surpris. Même Tamsin, de toute façon, est couverte de taches de rousseur. Parcourant en hâte le couloir, elle se regarde dans les miroirs éclairés des clignotements de mille bougies, et voit des points sur ses joues minutieusement piquetées, des boucles qui échappent à sa coiffure, une pommette haute qui dessine en l'air la moitié d'un cœur. Oui, je suis bizarre, et alors ? Je suis moi. *J'ai quelque chose que les autres n'ont point*, se dit-elle en français, altière. L'ennui, c'est qu'ensuite, seule dans sa chambre, le miroir de tous les jours, doré par la modeste chandelle blanche dans son bougeoir, lui renvoie l'image floue d'une demi-femme, une créature en suspens, tout juste bonne à paître l'herbe morte et rien de plus.

Seule ? Pourquoi ? La nuit est encore jeune, et il y a une autre fête non loin d'ici. Il suffit de descendre par l'escalier de service, de se glisser dehors par le petit portail et de se jeter dans l'obscurité de la route, avec ses curieux renfoncements et recoins créés par la rencontre, joue contre joue, de maisons pensées à des époques différentes ; ce soir, les réverbères sont tous allumés, comme dans les grandes occasions, et répandent autour d'eux un reflet jaune qui adoucit le contour des choses. Il suffit de se guider aux voix, au son du tambour, pour se trouver sur la place, devant la petite église ancienne, où l'on a monté une estrade et où les pieds sautent sur le bois en offrant au violon un renfort enthousiaste et désordonné. De grands flambeaux fixés aux coins de l'estrade éclairent les danseurs ; le musicien, sur une tribune à lui réservée, est affligé d'un grand nez que les ombres rendent géant ; son visage est maigre, et il porte un haut-de-chausse sale qui lui donne une touche d'élégance démodée ; il joue bien, à sa façon, même si la voix de son instrument, *a capella*, sonne âpre et brutale. Bianca s'appuie à un mur dans la pénombre, et contemple la scène réduite à des ombres chinoises par la force du jeu des flammes qui se réverbèrent sur les visages rougis par l'effort : un sabbat de sorcières et de sorciers aux pouvoirs modestes, réunis par les roulements du tambour pour célébrer leur tardive et inoffensive nuit de Walpurgis. Inoffensive, mais pas innocente : Bianca suit du regard, hypnotisée, la fille qui saute de l'estrade suivie de son compagnon, grimace un rire et s'enfuit en courant, pour se laisser rejoindre au bout de quelques pas, saisir par les épaules, retourner et enfin embrasser dans le cou et sur la bouche avec de violents transports ; plus elle fait mine de se débattre, plus son ami semble goûter son énergie et la cloue au mur avec ses baisers.

Une secousse distrait Bianca de ce spectacle :

« Miss, miss, vous aussi, vous vous êtes échappée ? » C'est Pia, qui rit, tout excitée, et la regarde de bas en haut avec un éclair de complicité dans les yeux, comme si elle avait tout compris, ou plutôt parce qu'elle a tout compris. Elle suit son regard et hausse les épaules. « Ah, cette Luciana ! Elle n'en a jamais assez… » Elle rit de nouveau, prend Bianca par le bras. « Allez, venez avec moi. Vous voulez danser ? Allons-y, dansons. »

Et elle la tire avec elle sur l'estrade, où la masse compacte se déplace comme par enchantement pour leur faire place. Bianca ne connaît rien à cette danse, une sorte de quadrille endiablé où les couples se meuvent en crabe, en se tenant par les bras ; mais Pia la guide en experte, et il suffit de quelques instants pour comprendre le dessin des pas sautés et glissés.

Une odeur de camphre, de cuir, de corps échauffés et de poussière flotte, disparaît et revient. Partout, des robes et des châles de fête extraits des malles, de vieux doublets trempés de sueur, des mouvements de torsion, tout cela ensemble, tout cela mêlé au doux arôme de foin et de fleurs de la nuit tiède. Pia rit, Bianca rit aussi, et elles dansent jusqu'au moment où elles sont fatiguées non tant par la danse, mais par les heurts continuels ; et, de nouveau, c'est Pia qui la guide en bas de l'estrade, s'accroche à elle, bras dessus bras dessous, pour l'entraîner vers un comptoir monté sur deux tonneaux où Ruggiero et Tonio remplissent des cruches. C'est du vin, un vin rouge jeune et âpre, qui ne désaltère pas et laisse dans la bouche un arrière-goût métallique ; Pia avale le sien d'une goulée et pose son verre sur le bois avec une violence volontaire, masculine. « La nuit de la Saint-Jean, nous sommes tous égaux », dit-elle ; mais Bianca ne comprend pas à quoi elle fait allusion : les hommes et les femmes ? Les nobles et les paysans ? Vous et moi ? Mais elle s'abstient de la questionner, c'est sans importance. À présent, Pia, qui s'est faite audacieuse et l'a prise par la main, l'emmène par une ruelle qui contourne l'angle d'une maison et en suit le mur extérieur ; une fois encore, Bianca ne demande rien, ensorcelée par la témérité de la gamine. Elle a la sensation qu'on les suit, et se retourne ; mais s'il y avait quelqu'un, il s'est évanoui dans l'ombre. Allons donc ! Il n'y a personne. La venelle continue entre deux ailes de végétation inculte, et l'obscurité est très obscure, mais Bianca sait qu'elle conduit vers les champs ; et c'est justement là, où les buissons s'interrompent et s'ouvre le grand éventail des terres cultivées, que se produit le prodige. Les lucioles. Par centaines, par milliers, par millions, suspendues entre ciel et terre, lancées dans leur parcours saccadé, éclairées sans éclairer, elles dansent aussi, guidées par un instinct de beauté qui leur fait dessiner des cercles et des arcs, des voltes et des volutes. Un spectacle à couper le souffle. Et peu importe qu'il n'y ait plus de musique : il suffit du chant délicat des grillons, qui se nuance du plus proche au plus lointain et constitue l'accompagnement parfait pour cette procession de minuscules chandelles en suspens.

L'ombre, s'il y en a une, appuie son front à un tronc d'arbre, l'étreint et soupire.

Le lendemain matin, le « bateau de saint Pierre » fait l'émerveillement des cuisines, et capte toute leur attention. Tout le monde défile devant le haut appui de fenêtre qui soutient la vieille bouteille au col tranché, bénie d'un jeu de voiles en blanc d'œuf où s'agrègent mille petites bulles. C'est un vaisseau fantôme, fouetté par la fureur des mers du Nord et miraculeusement rescapé du naufrage ; un petit navire qui emporte des vœux silencieux, pour les conduire on ne sait où, en un lieu où ils se perdront parmi ceux des autres. Mais il en va toujours ainsi : le matin, tout apparaît comme il est à l'accoutumée, les domestiques ont déjà fait disparaître les traces de la fête, mais dans les chambres flotte un je-ne-sais-quoi d'inachevé, ou d'abandonné à mi-course, que l'air frais ne parvient pas à dissiper ; la vie, en somme, va de l'avant, la vraie vie, celle qui ne brille ni n'étincelle, mais projette autour d'elle un rayonnement pâle et illusoire, comme la copie d'un bijou arboré par une dame qui garde l'original au coffre pour Dieu sait quelle occasion.

« J'ai fait le vœu de voyager, murmure Minna en contemplant le bateau en blanc d'œuf, ses petits doigts serrés sur l'appui de la fenêtre.

— Il ne faut jamais le dire, sotte, sinon le vœu ne se réalise pas ! la rembarre Pia du haut de la sagesse de ses treize ans.

— De toute façon, ils ne se réalisent jamais, rétorque Minna avant de descendre de la pointe de ses pieds et de courir vers une montagne de nappes à laver.

— Moi, en tout cas, mon vœu, je le garde pour moi », insiste Pia, cherchant du regard l'approbation de Bianca, qui se borne à sourire : que dire à ces enfants nées prisonnières ? Comment les consoler de leur futur déjà fixé ? Écrit dans les astres, c'est certain : dès leur naissance, il ne pouvait en être autrement. Aucune déviance n'est admise. Bianca reste sur place – comme un mannequin, pensent les servantes qui l'observent – et médite. Chacun est l'artisan de son destin… mais cela ne vaut que pour les hommes. Pourtant, je suis différente, non ? Dommage qu'à y bien regarder cette grande différence soit au fond peu de chose ; qu'elle ne soit pas contagieuse, et qu'on n'en puisse faire cadeau à autrui, bribe par bribe, comme le levain qui, d'une maison à l'autre, s'il est offert avec l'esprit qui convient, fait lever de la même façon des pâtes différentes. Mais quand on la possède, on la garde pour soi, cette faculté extraordinaire de changer les choses, de se changer soi-même ; et quand on en est privé, alors on reste enchaîné, comme un chien qui ne connaît et n'aime que ce qu'il parvient à atteindre en tendant le cou. Elles sont jolies, les fêtes, si au matin nous sommes toutes des Cendrillons, prêtes à renfiler nos guenilles grises, armées de balais, pour nettoyer le monde des éclats des rêves avant qu'ils ne se fichent dans la plante des pieds, nous condamnant à une blessure à chaque pas.

Et c'est alors que la fureur la prend : elle sort en toute hâte, sans chapeau, rassemblant ses affaires en une brassée ; à son passage, les jardiniers marmonnent des insolences voilées et la suivent de loin avec des regards qu'elle sent lascifs sur son dos ; elle cherche le néant, le désert, et au-delà des fossés, franchis malgré l'eau et la boue, il n'est pas difficile de les trouver. Seule enfin, elle se calme, regarde autour d'elle et se concentre sur ce qu'elle voit ; elle reconnaît les étranges petites orchidées sauvages – mais non, celle-ci est une fleur de pois, qu'est-ce qu'elle fait là ? – dressées au-dessus des touffes ordinaires de lavande, l'allure élastique du *Lespedeza*, qui, tel qu'il est, encore sans fleurs, semble muet bien que beau déjà, les jasmins qui, non contents d'être si fleuris, hasardent de nouvelles vrilles rouges, telles des mains qui avanceraient à tâtons ; alors, elle s'arrête, respire. De regard en regard, elle découvre des détails qu'elle n'avait pas encore observés : le jardin est si grand et si changeant, les expériences se superposent et se confondent, et même celles qui ont été laissées inachevées – il y en a tant – révèlent une grâce bien à elles, âpre et rebelle, le charme encore secret de la possibilité. Finalement, elle dessine et tout reprend sa place, au moins pour quelque temps.

Il est des jours qui ne se suffisent pas à eux-mêmes, tant la vie semble s'y condenser en abondance de l'aube à la tombée du soir : ce sont les jours parfaits, où le climat alterne le frais et le tiède selon le lieu où l'on porte ses pas, de l'ombre au soleil, puis de nouveau à l'ombre ; mais il n'est pas sûr qu'ils doivent être les plus sereins, car parfois les nuages et leur passage rapide, en offusquant la terre de sombreur, concourent aussi à leur intensité. Ce sont les jours où toute chose, dans la nature, semble née du matin et en même temps séculaire ; où toute chose vous regarde avec un air de tranquille défi, vous, bribe d'existence, minuscule et misérable mortel, en vous soufflant que tout le reste a été, sera et continuera d'être quand vous aurez disparu, à l'instant où vous disparaîtrez ; et, au lieu d'en être frustré, on en éprouve de la joie au plus intime de soi, car il est juste et bienheureux qu'il en aille ainsi ; que tel est le cours des choses non humaines, qui demandent à être contemplées et non comprises, tant la mesure d'une telle compré-hension serait trop immense pour un cerveau de la taille d'un poing. Ces jours-là, quoi qu'on fasse, on l'achève le soir venu avec un sentiment de satisfaction, mais en même temps d'inaccomplissement, comme si rien ne pouvait rivaliser avec tant de gloire et que l'on eût consumé le temps offert en sottises au lieu de s'asseoir, immobile, pour contempler ce qui advient, ou rien, ou tout, car cela aurait mieux valu ; on s'est affairé comme une misérable fourmi à remplir les heures de choses inutiles : manger, dormir, parler ; pourquoi n'avoir pas fait silence et être resté sans bouger, comme la sage Marie, au lieu de se prendre pour Marthe à tout prix ? Et tandis que le jour parfait s'évanouit dans un bleu de velours, on ne peut que prier pour que le lendemain soit identique ; et il ne le sera pas, parce que les jours parfaits sont tous différents et qu'on ne s'en rappelle pas un qui ressemble à un autre.

Il y a aussi des jours qui commencent de la pire façon et ne peuvent que s'améliorer, quand la colère, la frustration et cette rancœur qui vous pousse à détester tout le monde, à commencer par vous-même, se font jour avec l'aube, puis se dissolvent comme givre au soleil. Il suffit de si peu de chose : un prétexte pour rire, ou seulement sourire, qui vous rattache à la terre comme une bonne chaîne ; car si l'on ne peut voler, autant marcher lentement, et remercier le ciel d'avoir deux extrémités (à la cour de Brusuglio, « pied » est un mot solennellement banni). Comme la fois où, descendant à la cuisine pour y demander des chiffons propres (si l'on peut dire), Bianca trouve donna Clara juchée sur un haut perchoir comme une reine gargantuesque, décidée à instruire la cuisinière en lui déclamant à haute voix les recettes de la *Nouvelle Cuisine économique* d'Agnoletti, lisant pour moitié – dans un italien châtié et livresque – et pour moitié traduisant en dialecte, psalmodiant des noms d'ingrédients, des indications et des doses, tandis que la cuisinière se demande en marmonnant ce qu'elle a bien pu faire à ses gnocchi pour qu'ils soient tombés en disgrâce. Donna Clara : « Écoute bien. Il dit d'ajouter deux œufs à la pâte pour la rendre plus ferme, tu as compris ? C'est comme ça que tu fais, d'habitude ? Non ? Alors, ne nous plaignons pas si les gnocchi sont ramollis… » C'est une étrange famille, une mixture d'affectations et de soucis concrets, un balancement de positions sociales, où, l'espace d'un instant, on veut bien se mêler au peuple et où, l'instant d'après, on prend de grands airs dédaigneux ; où un instant l'on rit, et le suivant on affiche le plus grand sérieux. Même les petites maladies de donna Clara ont quelque chose de comique. Elles se présentent toujours par la même formule : « J'ai mal à la tête comme si une bête aux grandes mains me serrait l'intérieur de la nuque… » ; « aujourd'hui, j'ai mal au ventre. C'est comme si une bête aux grandes mains me saisissait les entrailles et les secouait… » ; « si vous saviez comme j'ai mal au dos ! C'est comme si une bête aux grandes mains me donnait des coups ici, et ici, et ici… »

La vieille Pina, domestique et cerbère particulier de donna Clara, est en réalité la seule à l'écouter, inclinant de côté sa tête chenue dans l'attitude d'une poule perplexe ; puis elle lui dispense des conseils d'herboristerie en ordre dispersé : semences d'aneth contre les ballonnements, douce-amère contre le catarrhe, racine de grassette (mais en petite quantité) contre les douleurs de tête. Les autres servantes, tête baissée, répriment des sourires en prêtant l'oreille à ces échanges. Et quand donna Clara se traîne jusqu'au salon en attendant le médicament le plus adapté à l'occasion, les murmures s'élèvent :

« Attention, parce que si la bête te met ses grandes mains sous les jupes, tu risques de te sentir en pleine forme…

— Mais grandes comme quoi ? demande une autre.

— Comme ça… »

Bianca s'échappe, mais n'a aucun mal à imaginer les gestes vulgaires et furtifs qui accompagnent la conversation, et se représente un animal mythologique, une sorte de Minotaure qui se glisse dans le lit de donna Clara et masse ses épaules blanches de ses grandes mains, en prélude à des plaisirs qui, pour la vieille dame, doivent maintenant se réduire à des souvenirs heureux, à supposer que les souvenirs aient la patience de durer un demi-siècle sans se ternir. Bianca ne saurait le dire : d'aussi anciens, elle n'en possède pas encore.

« Minna, qu'est-ce que c'est que ce prénom ? »

Il a quelque chose de nordique, a-t-elle pensé la première fois qu'elle l'a entendu. Mais elle ne voit pas où les parents de la petite, deux paysans au visage rouge et rugueux comme des briques, ont bien pu aller le pêcher dans les litanies des saints ou les listes de leurs ancêtres.

Minna, qui pliait ses chemises, a saisi la balle au bond ; laissant là son travail, elle s'est assise sur une banquette, les pieds en dedans, les coudes sur les genoux, considérant Bianca.

« Oh, c'est une longue histoire. »

Bianca continue à se coiffer seule. « Vas-y, je t'écoute », dit-elle. Et la gamine commence à lui faire un récit qui, d'évidence, lui plaît beaucoup :

« C'est le nom qu'on a mal recopié sur le certificat d'indigence que le curé a fait pour mon papa. Ils ne pouvaient pas me garder : à la maison, il y avait déjà Mirta, Carlo, Battista et Luigina, et puis la moisson était proche, parce que je suis née en mai, et maman devait travailler aux champs, elle ne pouvait même pas m'allaiter. Alors, on m'a emmenée au tour, à Milan. »

Bianca a déjà perdu le fil. « Le tour ? », demande-t-elle, posant sa brosse et se retournant, car l'histoire promet en effet d'être longue et compliquée. Et Minna, contente de pouvoir instruire l'étrangère ignorante :

« Le tour, c'est l'endroit où on dépose les enfants abandonnés.

— L'orphelinat, dit Bianca, convaincue d'avoir compris.

— Mais non, mademoiselle. » Minna rit, cachant sa bouche avec sa main. « Moi, un papa et une maman, je les avais, je vous l'ai déjà dit. Et je les ai encore. On n'abandonne pas seulement les enfants orphelins, vous savez. Les pauvres, aussi. Même si ce n'est pas pour toujours. Moi, ils m'ont reprise quand j'avais cinq ans.

— Et avant cela, tu étais dans cette institution ? »

Les sourcils de Minna ne forment qu'une seule ligne horizontale.

« L'institution ?

— Oui, l'endroit où on garde les enfants abandonnés. Le tour, comme tu l'appelles. »

À Paris, elle est passée devant : un grand immeuble blanc, élégant, et son père lui a expliqué cette coutume hautement civile de confier les nouveau-nés de trop à la puissance publique pour qu'ils grandissent en bonne santé et reçoivent une instruction, ou du moins le peu qu'il en faut – ou en faudrait – pour tout le monde.

Minna s'illumine.

« Mais non, mademoiselle, vous n'avez pas compris. Le tour, c'est une boîte qui tourne et tourne, c'est pour ça qu'on l'appelle comme ça, et on dépose les bébés dedans. Mais ils n'y restent pas, les enfants, dans la maison du tour. Elle n'est là que pour les nouveau-nés. Quand on les a mis dans le tour, il y a des gens qui les prennent, qui les regardent bien pour voir s'ils sont en bonne santé, et ensuite ils les mettent en nourrice à la campagne. Les gens qui en veulent peuvent venir les prendre, on leur donne de quoi les habiller, des couvertures, et de l'argent aussi, et ils les élèvent comme leurs enfants à eux, parce qu'ils n'en avaient pas, ou parce qu'ils en avaient besoin, pour qu'ils aident dans la maison, qu'ils surveillent les troupeaux, ou gardent les oies, ou travaillent aux champs. Mais il faut bien les soigner, parce qu'il y a des contrôles et si l'enfant meurt, plus d'argent, c'est fini. Et puis, les pères et les mères, les vrais, peuvent venir les reprendre, s'ils veulent. Et s'ils peuvent. Quand ils peuvent. Moi, ils m'ont reprise quand j'avais cinq ans, répète-t-elle, son visage s'éclairant de nouveau. Mais on s'était trompé sur mon nom. Papa lui avait dit Erminia, au vieux curé, mais ou il était sourd, ou l'homme de là-bas, celui qui recopiait les noms sur le registre, l'a écrit de travers. Et les gens de Cusago, ceux qui m'ont prise chez eux, se le sont fait lire par le curé du village qui n'y voyait peut-être pas bien lui non plus, parce qu'il a dit Arminna, et puis il a dit aussi que ce n'était pas un nom de chrétienne, qu'il fallait m'en donner un autre, un nom de sainte normale. Mais d'Arminna, on a vite fait de passer à Minna, et Minna je suis restée. Même quand je suis rentrée à la maison, je veux dire ici. J'étais habituée, vous voyez ? Comme les chiens et les chats. Quand on change leur nom, ils ne comprennent plus. »

Voilà donc l'histoire de Minna. Le Nord, allons donc ! Bianca voudrait lui poser d'autres questions. Si elle a gardé des souvenirs de ces cinq ans passés dans la maison d'étrangers. S'ils l'aimaient bien. S'ils l'ont traitée comme une enfant ou comme la servante des serviteurs. Mais peut-être la petite ne saurait-elle pas répondre : il est probable qu'elle a tout oublié, et si elle se rappelle des choses, elle n'a peut-être pas envie d'en parler. Aussi, maintenant, Bianca la regarde-t-elle avec un respect nouveau. Cette fillette qui, avec un haussement d'épaules, se compare à un chaton, a connu sa part d'épreuves ; et pourtant elle est là, vivante, entière. Légèreté ? Ou la force flegmatique de ceux qui prennent la vie comme elle vient, parce qu'on ne peut pas faire autrement ?

« Tu veux bien finir de me coiffer ? »

Bianca se retourne vers le miroir et observe le visage de Minna qui vient d'apparaître dans le cadre, à trois pas derrière elle. Elle regarde le sourire qui plisse ses joues jusqu'à ses yeux, la joie d'être traitée comme plus qu'une servante, presque une femme de chambre. Tant pis si, par enthousiasme, elle lui tire un peu les cheveux. Tant pis si les petits peignes en os seront plantés mollement dans ses boucles, au point de lui faire craindre un écroulement général en plein milieu du dîner et de la contraindre à manger raide et la tête bien droite, comme si elle avait avalé un manche à balai. Bianca reverra cette même image, le reflet d'un petit visage concentré dans le miroir au-dessus de la cheminée, quand Minna se penchera à la porte, juste un instant, pour vérifier l'effet de son œuvre en public. Dont personne du reste ne se soucie, hormis Tommaso, qui, après le repas, au salon, lutte pour s'asseoir près d'elle et, tandis que la conversation s'enflamme, lui lance, à mi-voix :

« Vous avez un cou de nymphe. »

Bianca plisse le front : elle ne sait se défendre contre les compliments, elle n'a jamais appris, le temps et l'occasion lui ont manqué. Mais au lieu de rougir et de baisser le regard, comme la bienséance l'exigerait, elle foudroie Tommaso de ses yeux tempétueux : comment se permet-il ? Et c'est justement son cou qui se couvre de taches fiévreuses, elle le sent se transformer en carte d'un archipel. Elle porte sa main à sa gorge, toussote.

« Vous avez pris froid, miss Bianca ? Prenez mieux soin de vous, mettez un châle. »

Sans le savoir, donna Clara dissipe l'embarras de son empressement toujours un peu acerbe, qui sonne toujours un peu comme un reproche. Tommaso bat en retraite, pose son coude sur la table et sa tête dans sa main, et change de sujet :

« Titta, si tu n'y vois pas d'inconvénient, je voudrais te parler de quelque chose qui me tient à cœur… »

Les deux hommes se lèvent, s'inclinent et sortent de la pièce. Très lentement, le cou de Bianca retrouve sa blancheur, sous le regard renfrogné d'Innes.

Peut-être encouragée par la confiance nouvelle qu'on lui a manifestée – et peu prompte à comprendre qu'elle s'entendait à sens unique –, Minna, maintenant, ne lâche plus Bianca d'une semelle. Celle-ci, pourtant, n'a nul besoin d'une assistante, et l'a déjà fait savoir. Mais de toute évidence, donna Clara juge tout à fait approprié que l'aquarelliste domestique soit dotée d'une accompagnatrice, et Bianca craint, en repoussant Minna, de lui faire du tort et d'offenser la vieille dame. Aussi se borne-t-elle à lui confier, outre ses cheveux, le transport de la boîte de couleurs et du chevalet. Pour finir, elle la laisse aussi laver les pinceaux, non sans une certaine appréhension, car il y a dans ces petites mains une violence à l'état pur. Minna la suit partout, fidèle comme un chiot, curieuse à la limite de l'insolence : une domestique médiocrement domestiquée. Au début, Bianca a même eu le soupçon qu'elle venait pour l'observer, puis rapporter ce qu'elle voyait. Mais ensuite, elle a compris que la fidélité des serviteurs n'est que d'un côté, ou, pour mieux dire, *contre* ; et qu'elle-même était comptée parmi leurs rangs : inclassable comme elle est, elle a fini dans la case la plus facile à étiqueter.

Minna le lui a même déclaré sans équivoque, baisant ses doigts en croix devant sa bouche : « Nos affaires à nous, je n'en parlerai jamais à personne. Croix de bois, croix de fer. J'aimerais mieux mourir que jouer à l'espionne. – *Bless my heart and hope to die*, a répondu Bianca. – Quoi ? », a demandé la petite. Bianca lui a expliqué la phrase, et maintenant Minna fait le tour des fillettes de la cour pour leur annoncer qu'elle connaît l'anglais. Du reste, elle en sait un peu, de petites comptines déformées et marmonnées, et puis *yessir, yesmadam*, des mots qu'elle a entendus de la bouche d'Innes en écoutant ses leçons aux enfants de la maison. Bianca s'amuse à améliorer sa prononciation, en lui faisant répéter et répéter encore *Mother Goose, Mary had a little lamb* et ainsi de suite ; elle choisit exprès les rimes sur des noms d'animaux, parce qu'ainsi il est plus facile de séparer les mots de la cantilène et de les associer aux habitants de la cour, les oies, les agneaux, les chats, les chiens, les poussins. Et chaque fois, Minna s'illumine, frappée de petites révélations. Plaisir de la connaissance non imposée, réfléchit Bianca : voilà pourquoi la jeune paysanne saisit tout avec l'avidité de celle qui n'en a pas le droit et s'empare de tout ce qui vient. Alors que les enfants, les autres, assis à leurs pupitres là-haut dans la nursery, le front dans leur petite main, répètent de fades phrases françaises qui s'élèvent en chœurs incertains, audibles même du jardin, que les servantes répètent en faisant des révérences grotesques et en les écorchant : messié a oun ceval, madam a oun paraploui, bonjou, bonsoua, adié, avant de s'échapper en s'esclaffant.

Pia se joint à elles chaque fois qu'elle le peut. Sur Minna, sa présence produit un effet étrange : la gamine semble boudeuse, puis, peu à peu, se détend, et se sent peut-être même soulagée de défis trop compliqués pour sa petite tête. Aussi reste-t-elle volontiers à l'écart, prend une poupée dans son tablier et laisse Pia occuper sa place : de toute façon, elle est là et garde tout sous contrôle. Et quand Bianca se perd dans son dessin, c'est au tour de Pia de sembler disparaître dans un monde à elle, secret. Dans la poche de son tablier, elle n'apporte pas de poupée ou d'autre jouet, mais un livre. La première fois qu'elle s'en est aperçue, Bianca a dû la regarder bizarrement, car Pia s'est empressée de se justifier : « Vous savez, j'ai le droit. Ce sont les livres de la bibliothèque. Je ne les vole pas, qu'est-ce que vous croyez ? Comme je sais lire, le maître m'a dit que je pouvais les prendre. Je dois seulement les lui montrer avant de les emporter, et il me dit s'ils sont bons pour moi. » Bianca, depuis lors, jette un coup d'œil au dos des volumes, avec un certain amusement, sachant déjà qu'elle sera surprise : jusqu'ici, elle a intercepté une *Brève Histoire de la rose*, *Le Château d'Otrante* et les *Fioretti de saint François d'Assise*. Voilà au moins qui révèle la source de l'étrange vocabulaire de Pia, mélange d'expressions populaires et de paroles châtiées qui ne laisse jamais de la surprendre. Ainsi se tiennent-elles compagnie, chacune dans son silence, côte à côte ; pendant ce temps, Minna continue de jouer, en silence aussi, faisant aussi partie du pacte.

Mais Pia elle-même n'est au fond qu'une enfant ; parfois, une fureur la prend et, quand est rejoint l'endroit choisi à l'avance, elle pose sur le sol la boîte de couleurs et le chevalet – dont elle se charge volontiers, Minna est tellement maigre – et se lance dans une course folle, tel un poulain, jusqu'à l'orée du bois, puis revient en riant, étourdie mais plus calme, et se justifie en haletant : « Vous savez, j'en avais besoin ! » Une fois, au retour d'une de ces galopades, sa coiffe glisse de sa tête, révélant une chevelure d'un beau châtain brillant et deux tresses nouées sur sa nuque, où quelqu'un, non sans habileté, a entremêlé des rubans de velours bleu. Elle remarque le regard intrigué de Bianca et se hâte de lui fournir des explications : « Ils sont aux filles des maîtres. Non, maintenant ils sont à moi. Ils étaient un peu râpés, elles ne les mettaient plus et elles me les ont donnés. Ça aussi, regardez. » Et elle a soulevé sa robe de rêche serge rouge sombre pour lui montrer un jupon blanc à broderies. « Et même mes culottes ! a-t-elle ajouté en riant, faisant bouffer sa jupe entre ses mains. Elles étaient à madame. La jeune, bien sûr. » Elle cherche à se faire comprendre : « Avec une culotte, on se sent mieux, pas vrai ? » Autre agitation de jupe, et apparaît un pantalon blanc serré par un cordon aux chevilles. Il est vrai que donna Julie est petite et menue, sa taille dépasse à peine celle d'une enfant. Bianca songe que ces transmissions privilégiées de vêtements usagés doivent susciter certaines animosités dans la région des cuisines. Et de fait, Minna regarde sa compagne comme si elle voulait la foudroyer ; mais ensuite, ses lèvres dessinent un sourire trop rapide pour être hypocrite. Pia comprend et s'épanche : « Les servantes ne veulent pas de moi. Elles disent que je suis la petite chérie des maîtresses. Mais moi, j'aime autant rester seule, avec la cuisinière et Minna, c'est aussi bien comme ça. Et puis, ajoute-t-elle avec une sincère allégresse, maintenant, il y a vous ! »

Parfois, Pia chante aussi. « Allez, celle de l'incendie », lui demande Minna en battant des mains. Va pour celle de l'incendie.

> *Brusuu brusà,*
> *Brusuglio brûla.*
> *Le feu, qui l'a allumé ?*
> *Et si c'étaient les gens de Bress,*
> *Eux qui font tout à l'envers ?*
> *Et si c'étaient ceux de Cusan,*
> *Eux qui ont la main si leste ?*
> *Brusuu brusà,*
> *Qui le saura, qui le saura ?*

Mais Bianca n'aime pas cette chanson, elle la trouve large comme un chandail qui a perdu sa forme à force d'être lavé. Sa préférée est une chanson lente et douce, non en dialecte, mais en italien :

> *C'est la berceuse des oies,*
> *Tout un troupeau, ou moins, ou pas beaucoup,*
> *Blanches avec leurs jolies plumes.*
> *C'est la berceuse des brumes*
> *Qui tombent les jours d'automne,*
> *Qui s'en viennent et qui s'en vont,*
> *Dociles, sans faire de mal,*
> *Et qui cachent sous leur manteau*
> *Un joli petit cheval blanc :*

Un cheval et son cavalier
Que je voudrais bien revoir,
Parce qu'ils m'emmèneront
Loin, loin, loin de ma maison.
Mais ma maison, où est-elle ?
Elle est là où je suis roi ;
Je suis roi et je suis reine,
Berceuse de la fille en peine.

« C'est beau, a dit Bianca la première fois qu'elle l'a entendue. Chante-la encore. »

Et Pia a obéi, de sa voix aiguë, un peu nasale.

« Il l'a écrite pour ses filles », a-t-elle dit à la fin, sans que personne le lui ait demandé. Et elle a soupiré. « Allez savoir comment c'est, d'avoir un papa comme lui. Parfois, il joue même avec elles ! Je n'en ai jamais vu sur terre, un papa comme ça. »

Bianca s'est surprise à commenter :

« Oh, on ne peut pas dire qu'elles le voient beaucoup. Il a tellement à faire, il est très occupé, il va souvent en ville…

— Oui, mais c'est mieux que rien, pas vrai ? Oh, après tout, je ne sais pas, s'est aussitôt corrigée Pia, chassant une pensée avec une autre. L'Antonia de la place, qui est mon amie, tous les soirs, son père boit et la bat. Il boit et il les bat, elle et sa mère. Quelquefois, elle a les bras bleu et vert à cause des coups, on dirait les prunes du verger. Et le père de Minna, il ne la regarde même pas. » Elle dit cela sans méchanceté, comme une constatation ; et de fait, Minna fait oui de la tête, sans même lever les yeux de sa poupée de

112

chiffons sans visage. Pia rit amèrement. « Et le mien ?
Dieu sait comment il était !

— Il est peut-être encore en vie, observe Bianca
sans réfléchir.

— Non, dit Pia. Il est mort, c'est sûr. Autrement,
il serait venu me reprendre. Mais faisons comme s'il
n'était pas mort, ça ne coûte rien de rêver, ajoute-
t-elle en haussant les épaules. Oui, faisons comme
s'il était parti chercher fortune au bout du monde, et
qu'un jour il viendra m'emmener, et ce sera un monsieur, et je deviendrai tout de suite une demoiselle, et
il sera content que j'aie étudié, parce que je ne suis
pas ignorante comme les autres orphelins, que je sais
me tenir en société, je connais même l'anglais maintenant, et nous irons vivre ensemble dans un palais.
Mais avant, nous irons sur la tombe de maman. Lui
sait où elle est, je suis sûre qu'il le sait. »

Le silence tombe. Bianca ne sait que dire. À la fin,
Pia reprend, d'un filet de voix :

« Parce qu'elle, elle est morte. Pas comme lui. Elle
est morte en me mettant au monde. Envolée dans les
bras du Seigneur, où on est si bien. C'est don Dionisio qui me l'a dit, alors c'est vrai. »

Comme si ce n'était pas assez des rubans, des sous-
vêtements de seconde main, des livres prêtés et de
tous les autres signes de privilège, il est clair que
donna Clara manifeste elle aussi pour Pia une attention particulière, parfois excessive ; mais Pia reste une
servante, et elle la maîtresse. De temps à autre, le soir,
elle la fait monter sur un petit banc et lui demande

de réciter quelque chose, pour qui voudra l'écouter. Dans la cour se forme un cercle d'auditeurs fatigués mais curieux. Et Pia a toujours une poignée de vers nouveaux prêts à être déclamés. Elle rougit à peine, ferme les yeux pour chercher l'inspiration et commence, croisant les mains devant elle pour empêcher ses doigts de se tourmenter :

Pensif, inconsolable, l'accorte nymphe
le retient et, avec de suaves et molles
petites paroles, elle le caresse, comme si
elle pouvait lui ôter son Ithaque du cœur ;
mais tout ce qu'il désire, c'est voir, du haut
des toits,
s'élever la fumée de sa douce Ithaque,
puis fermer pour toujours ses yeux à la lumière.
N'en sens-tu pas ton cœur ému, ô Olympien ?

Les commentaires des domestiques pleuvent. « Je n'y comprends rien, mais elle récite bien. – "Avec de petites paroles, elle le caresse." C'est difficile, l'italien, pas vrai ? – Oui, mais elle a bien appris ses leçons. » On dirait que Pia est la fille de tout le monde, à entendre les remarques de la petite foule des serviteurs. Elle s'incline, descend en toute hâte du banc, qu'elle emporte sous son bras, et, en s'éloignant, fait un signe à Nanny, qui pousse en avant les deux garçonnets de la maison, enveloppés dans des draps. Enrico joue Télémaque et Pietro tous les prétendants. Ils récitent d'un ton incertain, les yeux fixés sur les lèvres de Tommaso qui s'est mis en tête de leur enseigner leurs rôles et, à présent, les répète *sotto voce,* en faisant oui de la tête pour les encourager ; en compensation de leurs hésitations, ils sont très réalistes dans leur bagarre, et, même si les applaudissements sont moins sentis, ils ne s'en aperçoivent pas, contents de brandir leurs petites épées de bois et leurs boucliers ronds à poignée de cuir que Ruggiero a confectionnés tout exprès pour la représentation et que, maintenant, plus personne ne peut leur enlever des mains. Toc, toc : ils sonnent fort, les coups des épées l'une contre l'autre ; le duel dure un siècle, les vers d'Homère sont oubliés et ne reste que cet affrontement fraternel, joué avec joie, assaut après assaut.

« Pia a confiance en vous. Elle vous a prise pour modèle. Je ne l'ai jamais vue aussi contente. Et moi aussi, je le suis, de voir comment vous la traitez, dit un jour donna Clara à Bianca, l'entraînant à part avec ses manières impérieuses et intimes à la fois, auxquelles on ne peut opposer de résistance.

— Cette petite vous est très chère », observe Bianca avec un effort pour sembler indifférente.

Donna Clara a vraiment envie de parler, car elle répond :

« Oui, vous avez raison. Et ce n'est pas seulement notre devoir de chrétiens qui nous pousse à la traiter avec une bienveillance particulière. Pia est vraiment une enfant qui ne ressemble à aucune autre. Tellement vive ! Mes petites-filles sont des fleurettes délicates, elles tiennent de leur mère, les pauvres chéries. Même ma Giulietta adorée : elle pleure pour un rien, elle est toujours malade. Je les aime parce qu'elles sont ma chair et mon sang, c'est la loi naturelle ; mais de temps en temps, c'est beau aussi, n'est-ce pas, de pouvoir se permettre de choisir qui on va aimer. Et Pia est celle que j'ai choisie. Quand elle sera grande, elle aura une vraie dot, pas la couverture de cheval et les quatre sous que lui donnerait l'Hôpital principal. Nous l'aiderons à trouver un bon mari qui la respecte, un boutiquier, un marchand, un petit propriétaire. »

Bianca se tait, irritée de tant de componction. Vous la traitez comme votre poupée, vous lui concédez des privilèges dont les autres servantes n'oseraient même pas rêver, et cela peut passer tant qu'elle est encore toute jeune ; mais quand elle aura grandi, elle devra se défendre contre mille jalousies, et, comme si cela ne suffisait pas, elle est aussi votre bonne œuvre ambulante. Vous vous servez d'elle. Voilà ce qu'elle voudrait dire ; mais les mots restent coincés dans sa gorge, parce qu'elle n'a pas le droit, qu'on ne se met pas en colère contre la maîtresse de maison, que peut-être – peut-être – il y a d'autres choses qu'elle ne sait pas encore, des détails nébuleux qui brouillent un tableau où le seul motif clair est le visage de Pia. Ce père disparu, cette mère défunte... Si c'est vraiment une enfant trouvée, comment se fait-il qu'elle sache tant de choses sur elle-même ? Qui les lui a racontées ? Et si son histoire était celle de tant d'enfants perdues, un petit carré pour chacune, en choisissant les plus jolis et en les cousant ensemble comme un patchwork sur un édredon ? Ou tout cela n'est-il que rêveries, naturelles, mais non inoffensives, si elles nourrissent une histoire qui ne correspond pas à la vérité ? Elle se fera du mal, pense Bianca, et on lui en fera. À cette seule pensée, son cœur se serre, et elle se promet de veiller, tant qu'elle pourra, tant qu'elle sera là.

Oui, mais elle doit aussi travailler. Elle a décidé de dessiner tout de suite les esquisses préliminaires, et, l'hiver venu, quand ses sujets auront temporairement disparu, elle peindra. Sans les couleurs vives devant elle, ce sera peut-être difficile, et même hasardeux. Aussi s'efforce-t-elle d'établir une gamme complète d'échantillons : elle a dessiné sur de grandes feuilles des enfilades de rectangles de même dimension, et à présent elle les peint dans les teintes dont elle aura besoin, les nuances innombrables du vert et du brun, le blanc qui tire sur le crème, ou le rose, ou l'orange, ou le jaune, les carmins puissants des fuchsias à la tête en bas ou des bougainvillées fraîchement rapportés du Brésil, les bleu violâtre de la dentelaire et du romarin, composant ses mélanges devant les originaux pour en vérifier l'intensité, la force, la douceur. En a surgi une palette harmonieuse, en dégradé du plus pâle au plus vif, très belle à regarder ; c'est la passion de Pia, qui la dévore des yeux et appelle les couleurs par leur nom, goûtant leur son comme si c'était une saveur : terre de Sienne écarlate, vert Véronèse, vermillon, lapis-lazuli.

Le travail ne s'arrête pas là. Avec diligence, Bianca note au crayon au bord de chaque rectangle les quantités de couleur qu'elle a mélangées, selon un calcul secret, espérant que les chiffres rendront compte, en temps voulu, de la nuance exacte qu'elle est parvenue à obtenir et ne se révéleront pas trompeurs. Combien de science il y a dans son travail, et combien d'inspiration, elle l'ignore ; certes, la peinture n'est pas une science exacte, mais elle n'en est pas moins précise. Elle requiert de la méthode et de l'application, deux qualités très éloignées de la nature de Bianca, qu'elle a pourtant appris à mettre en pratique, comme une gymnastique ennuyeuse mais saine qui renforce les muscles et embellit l'allure.

Elle trace les mots d'une belle écriture, ce qui n'est pas passé inaperçu ; en sorte que le maître la convoque dans son bureau et lui demande de recopier par ordre alphabétique les noms de toutes les fleurs, des plantes, des arbustes et des fruits qui cohabitent avec eux à Brusuglio, tout au moins dans l'enceinte des murets. « Ce sera un long travail », l'a-t-il avertie en lui montrant les registres qu'il a préparés tout exprès à cette intention : une colonne à rayures, qui occupe un tiers de la page, et le reste en petits carrés de livre de comptes, qu'il se chargera de remplir avec la date d'arrivée et le coût, en usant d'encres différentes pour signaler l'origine des scions et noter quelques commentaires sur la réussite de la plantation. Défleuris en deux mois ; résistants ; magnifiques ; tous morts ; cochenille ; mal blanc. Et ainsi de suite. « J'ai besoin de cataloguer. Vous savez, en horticulture, je ne suis pas un homme constant, dit-il, comme pour se justifier. J'aimerais, j'aimerais beaucoup le devenir, mais il faudrait que j'y consacre tout mon temps et toute ma tête. Où, justement, les pensées se bousculent… » Tendant l'index, il dessine en l'air un petit tourbillon. « Elles sont comme une spirale : infinies. La première en entraîne une autre, qui en entraîne une autre, qui en entraîne une autre... »

Est-ce ainsi que naît la poésie ? voudrait lui demander Bianca, intriguée. Une chaîne de pensées, et puis, improvisés ou prémédités, voilà que sourdent les mots parfaits, ceux qui les remplissent, les pensées, comme une main remplit un gant, et incitent le cœur et les doigts à les écrire ? Mais elle n'ose pas, elle n'a pas assez d'assurance, elle craint qu'il ne se rembrunisse, et elle a compris que pour le bien de l'harmonie familiale il vaut mieux qu'il reste serein. Ou absent, enfermé dans son bureau des jours d'affilée, ou perdu dans ses promenades où il ne fait rien pour avoir l'allure du parfait propriétaire qu'il est à présent, s'abstenant d'aller poser des questions sur les récoltes ou la sécheresse aux cultivateurs. Comme si le poète était trop encombrant, incommodant, exigeant pour pouvoir cohabiter avec l'autre partie de lui, celle qui le tire littéralement à terre, vers la terre, les fleurs, les plantes, les vignes, le blé. Mais il est clair que l'homme éprouve de la nostalgie pour cette partie qu'il doit négliger s'il veut être autre. Que de pensées compliquées ! « Si on pouvait tenir aussi la comptabilité du cœur... », laisse échapper Bianca ; puis elle porte sa main à ses lèvres : qu'a-t-elle dit, et pourquoi l'a-t-elle dit ? Lui la fixe des yeux, surpris, puis sourit. « Même un homme dénué de sens pratique comme moi peut vous dire que ce serait inutile. Alors, quand commencez-vous ? »

Demain. Il y a toujours un demain commode auquel renvoyer toute chose dans cet enchaînement de journées longues, grouillantes d'occupations et pourtant lentes, marquées par un beau temps tellement ininterrompu qu'il semble faux. Le travail requiert la rédaction de brouillons avant la copie calligraphiée, et donc la consultation précise de registres, de feuillets, de lettres, de notices d'accompagnement, de bons de commandes passées en France ou en Angleterre qui parlent de semences importées de très loin et arrivées à Brusuglio au terme d'un extraordinaire voyage dans l'espace et dans le temps. C'est ainsi, à partir de documents comptables, et non en visitant l'enfilade indistincte des champs et des serres, que Bianca découvre tout ce que le projet a de grandiose : apprivoiser des végétaux inconnus sous ces latitudes ; comprendre s'ils s'adaptent au climat, étudier à tâtons lesquels prospèrent et lesquels s'étiolent ; introduire des cultures que nul dans la région n'a jamais vues, dont nul n'a entendu parler. De temps à autre, elle doit quitter le bureau pour demander des informations plus précises à Leopoldo Maderna, le fermier, qui la scrute de ses yeux jaunâtres et répond à toutes ses questions, mais sur un ton d'agacement, comme s'il ne comprenait pas tant de sollicitude pour les résultats d'une entreprise qu'en son for intérieur il semble désapprouver ; mais il contredit cette impression quand la passion le saisit malgré lui, et il explique : « Les robiniers ont bien pris, ils sont même envahissants, les racines se propagent et ressortent de terre là où on s'y attend le moins, et on a du mal à les arracher parce qu'elles sont en forme de T renversé, comme ceci. » Et, avec la paume de sa main gauche à l'horizontale et l'index de la droite planté au milieu, il mime. « Pour s'en débarrasser, il faut creuser en profondeur. Il y en a là-bas, là-bas et encore là-bas. » Et il montre tout autour de lui, le long de l'horizon, les taches vertes, rondes, étalées des jeunes arbres. « Maintenant, ils sont grands, mais ils font de très bonnes haies de séparation, un mur élastique, et ils piquent plus que les ronces. » Bianca pense aux taillis verts dans lesquels était enveloppé le château de la Belle au bois dormant : et si ç'avaient été eux, les *Robinia pseudoacacia*, avec leurs minuscules feuilles ovales, à l'air tellement innocent, et ce vert jaillissant qui semble ne jamais vieillir ? Mais au vrai, il y a des arbres partout : *Acer negundo* et *Platanoides*, un bosquet de *Salix babylonica*, le *Liriodendron* avec ses ambitions de grandeur et ses fleurs jaunes de la taille d'un poing, l'*Ailanthus*, aussi beau que fétide, le *Gleditsia* à épines de Judée qui est un robinier en plus méchant, et le *Gleditsia inermis*, ici taillé en arbustes et formant une rangée de ballons verts qui s'étire vers l'est. Et puis l'*Andromeda arborea* avec son beau nom d'étoile, qui en automne fait l'effet d'un incendie, dit Leopoldo. Les *Clematis* arrivées du lac de Côme, que Bianca a toujours trouvées si mélodramatiques, mais elle n'en dit rien, parce que Maderna aussi en est originaire et il ne faudrait pas qu'il se vexe et se renferme dans le silence maintenant qu'il est devenu disert ; et de toute façon, elles ne prospèrent pas, les *Clematis*, il n'y a pas moyen : les voilà, qui montent à grand-peine le long d'espaliers, au sud-est, ce qui devrait les mettre à l'abri et au contraire les fait dépérir, il n'est pas exclu qu'elles préfèrent le nord ; il y a la *Clematis Armandii* et la *Cirrhosa*, avec ses trois fleurs à petits points couleur de grenade, belles, oui, mais trop rares pour qu'on puisse les apprécier, et puis l'*Intricata*, qui pour le moment n'est que feuilles et restera peut-être ainsi, et encore le *Pagoda*, avec son joli nom qui évoque de délicates chinoiseries. Pour passer du décoratif à l'utile, les cépages de Bourgogne et du Bordelais ont aussi eu moins de chance. « Le problème, c'est le sol. Ce qui donne bien ici, c'est le bersamino, la pignola, la schiava ou l'uccellina, comme chez le jeune monsieur Tommaso, plantés sans prétention. Il faut aller le long de la *via* Francesca, ou de l'autre côté du Pô, sur les collines, pour avoir de belles vignes, explique Leopoldo en la guidant à travers les rangées. Vous voyez, ici elles sont cultivées à la française, comme de petits nains. » Ils côtoient les plantations ordonnées d'où poussent des grappillons miniatures, d'un vert acide. « On vous dira que le raisin est bon, mais tout juste assez pour la table des maîtres, et encore, s'il ne commence pas par attraper le mal blanc. » Après ces sessions, Bianca retourne dans le bureau, relit ses notes, les compare aux listes d'achats rédigées de la main de don Titta, vérifie l'orthographe et la contrôle de nouveau sur les manuels et les lexiques. Et découvre que là-dehors, on ne sait où, il y a vraiment de tout : des cerisiers, des pommiers et des poiriers, des abricotiers et des pruniers de mille variétés. Même si le monde s'arrêtait, toute la population de la villa pourrait survivre pendant des semaines rien qu'en se promenant sous les arbres et en tendant les bras pour cueillir leurs fruits.

De l'art répugnant de la sériciculture, en revanche, Bianca n'a rien voulu savoir. Dans la campagne, les mûriers lancent vers le ciel des avant-bras de monstres ensevelis. Leopoldo explique : « On ne les plante pas profondément, et on ne laisse que quatre branches. La première année, on n'en laisse que trois non taillées, mais en les gardant bien nettes. Nous en avons planté huit cents, puis huit cents autres, et s'il y a trop de feuilles on peut toujours les vendre. » Et de fait, Bianca observe des allers-retours constants de garçonnets aux paniers remplis de feuilles fraîches, à donner en pâture aux vers qui habitent les maisons des paysans, soignés jour et nuit comme des hôtes de marque ; quand on passe tout près, la mastication incessante des petites mandibules flotte sur le silence comme une écume sale. « Ils sont de race japonaise verte », précise Maderna avec fierté ; et Bianca, qui ne veut pas les voir même de loin, les imagine gros et gras, enveloppés dans de petits chiffons fleuris, ceints à la taille de cordonnets faits de l'étoffe qu'ils crachent fil à fil. Ils accomplissent tant de travail qu'il y aurait lieu de leur faire honneur ; mais Bianca ne parvient pas à comprendre comment la soie, si belle, peut n'être en réalité que de la bave de vers morts, et n'a aucune envie de savoir comment cela se produit, même si Leopoldo, désormais en confiance et avec un rien de complaisance sinistre, lui a proposé plusieurs fois de venir avec lui quand on ébouillantera les cocons, car la date approche.

Elle a laissé en dernier, comme un enfant devant un plat de gâteaux, le domaine qui lui plaît le plus : celui des fleurs. Naturellement, elle se concentre sur ce dont elle n'a pas l'expérience ; mais elle en sait assez long grâce à ses études d'adolescence, effectuées sur des livres et en visitant les plus beaux jardins d'Europe. Elle a déjà fait connaissance avec les *Hydrangea*, telles des exultations de mauvaise herbe, lors de ses promenades à Kew Gardens ; mais c'est seulement maintenant qu'elle découvre que dans le reste de l'Italie ils sont encore à peu près ignorés : ceux-ci sont arrivés de France par la mer, ils ont navigué sur la Méditerranée, puis parcouru encore un long chemin en charrette, comme des princesses réduites en esclavage, pour parvenir jusqu'ici. Bianca rêve, le bout de sa plume dans la bouche, aux voyages des arbustes dans leurs sacs de jute, tandis qu'un jeune serviteur couleur d'acajou les arrosait d'eau douce jour après jour, cette eau qu'il aurait tant voulu boire jusqu'à perdre le souffle mais qui lui était interdite ; et pendant ce temps-là, le navire allait de l'avant, encore et encore ; mais si une tempête avait éclaté et qu'il eût fait naufrage, où auraient-elles fini, toutes ces plantes ? Au fond de la mer, pour s'hybrider avec les algues et s'emmêler aux cheveux des sirènes ? Ou, portées par les vagues, auraient-elles dérivé jusqu'à une plage déserte, pour former un bosquet nouveau dans une nouvelle partie du monde, connue seulement des singes et des perroquets ? Mais les hortensias dont Maderna est si fier ne sont que l'avant-garde d'une invasion organisée par le caprice du maître, par l'art d'un certain ami français, nommé Dupont (qui se décrit comme correspondant horticole et envoie de Paris, à intervalles réguliers, les feuillets de l'*Almanach du bon jardinier*), et enfin par les bons offices de Longone Costantino da Dugnano, un grand type osseux qui semble porter son nom de famille sur son dos, a tendance à rougir chaque fois qu'il voit une femme et transporte sur sa charrette des brigades de boutures voyageuses, avides d'être replantées en hâte. Mais les fleurs sont presque toutes parisiennes de naissance, ce qui explique peut-être leur réticence à prendre racine dans ces sols rustiques. Le *Lathyrus*, il faut bien le reconnaître, s'est peu ou prou révélé un échec dans toutes ses variétés ; les choses sont allées mieux avec les bégonias, si envahissants qu'ils se propagent partout en lançant leurs fleurs orangées comme des cris, et avec les digitales, qui, en raison de leur aura mortifère, ont été confinées tout au fond du jardin, là où aucun enfant n'aurait l'idée d'aller donner à manger à sa poupée et (sait-on jamais) à lui-même en absorbant ces petits tubes colorés. Les lobelies bleues et violettes parsèment de taches les bords du grand bassin, plus ou moins clairs selon la tyrannie de l'ombre et de la terre ; et il y a aussi l'*Achillea*, l'*Aquilegia canadensis*, la *Rudbeckia* avec sa gaieté bon enfant, toutes à demi sauvages, tombées aux limites du jardin ; les sachets roses des silènes, légers comme s'ils étaient de soie, qui agitent de leurs frémissements les bords de la prairie. C'est un jardin de campagne, ni italien ni français, différent de tous les autres : un bâtard dont la mère se nommerait beauté et le père expérience ; il n'a pas le charme de ses frères anglais, où les fleurs les plus rares ont l'allure dépeignée des herbes folles, où les roses s'appuient aux troncs comme des demoiselles fatiguées, et où d'improbables prés couleur d'émeraude s'étendent, compacts et embellis d'humidité. C'est aussi un jardin plein de contradictions, comme son propriétaire : grandiose et humble à la fois, populaire et altier. Apprendre les noms des choses, comme toujours, donne à Bianca un certain sentiment d'omnipotence, d'autant plus que presque toutes sont pour elle des nouveautés. Apprendre l'histoire d'une semence, ses tempi, ses comportements suscite en elle une étrange sensation de possession. Recopier dans le bon ordre toutes ces informations, en leur ajoutant sa touche personnelle – un minuscule dessin à l'encre de feuille, de fleur et de fruit dans une colonne supplémentaire qu'elle a créée dans la marge extérieure non quadrillée de son livre – est une façon de recomposer le monde, d'en contrôler jusqu'aux détails. Son œuvre terminée, elle aura droit à l'admiration et aux compliments de toute la famille, et en particulier à la gratitude sincère du Poète, impressionné par ses efforts ; ce sera une soirée de oh et de ah, où les fillettes seront autorisées à tourner toutes seules les pages, mais doucement, soigneusement, pour reconnaître les fleurs et les fruits qu'elles ont vus mille fois autour d'elles et en retenir les deux noms, latin et vulgaire. Elles lui demanderont de recopier ses dessins, et Bianca, dans un élan, leur promettra un album à colorier, où les plus belles formes seront agrandies à l'usage de leurs mains maladroites. Un petit triomphe à savourer en ignorant certains regards de travers, les compliments forcés, et que, même s'il y a du miel sur le bord du verre, la potion se boit amère.

Bianca est entrée dans la bibliothèque pour chercher l'exemplaire du *Traité des arbres fruitiers* qu'elle a vu entre les mains du maître de maison quelques jours plus tôt : une édition superbe aux planches colorées à la main, achetée par don Titta à Paris (c'est lui-même qui le lui a raconté à table) quand, pour la première fois, lui est venu le désir de se consacrer à sa campagne, « ignorant comme un nouveau-né ». Au lieu de le prendre et de l'emporter, elle n'a pas résisté à l'envie de le feuilleter tout de suite et s'est perdue dans la contemplation de la peau mouchetée d'une poire, puis de celle, réticulée et couleur rouille, d'un fruit étrange, au nom peut-être plus goûteux que sa pulpe. C'est à ce moment qu'il la surprend, lisant par-dessus son épaule.

« Vous vous intéressez aux pommes, miss Bianca ? »

Elle tressaille. Mais se reprend aussitôt, se retourne et fait en même temps un pas en arrière, car il est si près qu'elle sent l'odeur du tissu de son costume, un parfum de verveine, presque féminin. Elle dit :

« Je me demandais comment ce Duhamel du Monceau s'y était pris pour dessiner les fruits. Sur les planches du siècle dernier, ils ont toujours l'air si rachitique. Et les branches, aussi : elles font peur !

— C'est un peu leur structure naturelle : elles ressemblent à des mains de vieillards. Mais pour les fruits, vous avez en tête les nôtres. Eh oui, Brusuglio est un paradis retrouvé, ou, pour mieux dire, l'Éden où on nous a bienheureusement oubliés, répond-il, sans aucune ironie. Mais ne craignez rien : nos pommes ne sont porteuses d'aucune damnation. Ici, il n'y a ni fruit défendu ni fruit malade. Vous pouvez mordre dedans à volonté. » Puis, avec une ébauche de sourire : « Vous connaissez la règle non écrite de nos moissonneurs : à bas les demi-mesures. Ou la moisson est magnifique, ou autant dire qu'il n'y en a pas. »

Bianca sourit à son tour : elle est au courant des tentatives pour faire prendre racine au coton blanc et au nankin, et seul ce dernier a donné quelque chose ; dans un des registres, elle a lu l'annonce exultante d'une récolte exceptionnelle : cinq kilos de coton brut, transformés sur le métier en quatre-vingts aunes de percale précieuse ; mais il s'est agi d'un miracle : il n'y a plus rien eu ensuite, à cause du froid, du givre, de la pluie et de la grêle, tous ennemis d'une petite plante qui ne demande que de la chaleur. Au reste, en ce moment aussi, le printemps semble s'interrompre : il pleut tant qu'on soupçonnerait le soleil de ne plus jamais vouloir revenir ; les enfants sont confinés dans la maison et presque fous d'énergie réprimée ; un vert indistinct cache les contours du monde et brouille celui des arbres par la fenêtre. « Si nous envoyions une colombe en reconnaissance ? », suggère Innes. Regards de reproche de donna Clara et de donna Julie. « Si nous envoyions un chien, alors ? », se corrige-t-il. Bianca contient un petit rire, et c'est Pietro qui objecte : « Les chiens, quand il pleut, ils ne sortent pas volontiers. Ils finissent par faire caca dans la maison, et ça pue ! » Rire scandalisé des fillettes et d'Enrico, qui renchérit en chantonnant : « Caca, pue, cacapue cacapue cacapue ! – Les enfants ! », gronde leur mère. En vain. Nanny presse ses mains sur sa bouche, incapable de s'en empêcher. Coup de génie d'Innes, qui trouve une diversion : « Vous savez combien de jours a duré le Déluge ? » Sept, cinq, cent, vingt. Satisfaction maternelle et grand-maternelle, et révision pour tous des Saintes Écritures.

Deux jours de plus, et les petites sont malades toutes les trois, ou du moins c'est ce que soutient donna Julie, qui montre elle aussi un éclat fiévreux dans les yeux, toussote en cachette et recommence à faire la navette entre la nursery et le rez-de-chaussée, transportant dans une alternance punitive de petits mets insipides et des décoctions curatives à l'odeur nauséabonde. Le Poète, comme toujours quand se déclenche une crise familiale, s'est enfermé dans son bureau, et c'est un nouveau va-et-vient de plateaux non consommés ; Tommaso, de crainte de rester seul dans le gynécée, l'imite ; donna Clara s'inquiète, ce qui lui va très bien ; à Innes incombe la tâche de divertir les deux garçons reclus dans la maison et de repousser les attentions de Nanny, qui, avec trois élèves en moins, dispose de trop de temps ; et Bianca n'a plus qu'à se réfugier dans la serre, où l'humidité malsaine, accentuée par la pluie au-dessus et tout autour, offre un excellent alibi pour s'abandonner sur le petit divan de fer, identique à celui des jardins de Condorcet, en supporter le gracieux inconfort et s'adonner à l'oisiveté en contemplant le ruissellement de l'eau sur les parois de verre. Bianca se sent bien dans l'eau ; c'est ainsi depuis toujours, elle est son élément naturel, ou du moins d'élection ; et là, entourée de l'eau du ciel, elle se prend à rêver, comme quand elle nageait, tranquille, avec des gestes très lents – précis et scandés, mais surtout lents –, et se demandait comment elle parvenait à flotter en défiant les obscurités mystérieuses du lac. Le monde au-dehors est une bulle fraîche et verte ; les arômes de la serre, exaltés par l'humidité diffuse, l'étourdissent ; et sa mémoire l'emporte loin d'elle-même, loin de cette vie qui lui semble étroite comme un corset trop serré sans qu'elle sache pourquoi, car tous les éléments sont réunis pour qu'elle lui aille à merveille : la liberté, l'indépendance, et même l'amusement. Elle ne sait que faire de la nostalgie ; ce n'est pas un sentiment qu'elle privilégie, elle le trouve inutile tel un exercice de pénible torsion vers des choses qui ne sont plus accessibles ; même le lac ne lui manque pas, car elle sait qu'il est toujours là, continue sans elle sa quiète existence minérale, et puis, en cas de besoin, deux jours de diligence suffiraient pour retrouver ses rives ; or, quand on sait qu'une chose est là, qu'elle reste à portée de main, qu'elle existe, cette seule pensée est un grand réconfort, même si on ne la touche pas ; et la seule personne dont elle sente le manque avec acuité est en elle, prompte à lui répondre quand elle l'appelle, vivace à la manière des esprits, dont on ne perçoit la présence qu'en se mettant à l'écoute. Pourtant, au bout du compte, quelque chose manque, quelque chose est en défaut.

« Qui a fait ça ? »

Il est entré ruisselant de pluie dans la nursery, et sa redingote s'est mise à fumer presque tout de suite à la chaleur de la cheminée allumée. Tel qu'il est, il ressemble à une apparition, avec cette légère brume qui brouille ses contours, ses cheveux allongés et obscurcis par la pluie et collés à ses joues pâles, ses yeux qui lancent des éclairs. Les fillettes sursautent, Franceschina court se réfugier dans les bras de Nanny, et même les garçons, d'instinct, se serrent l'un contre l'autre.

« Qui a fait ça ? », répète-t-il.

Et il tend devant lui, en le tenant à deux mains, le *Traité* de Duhamel du Monceau à la couverture presque noire. Trempé.

Bianca sent son cœur plonger dans sa poitrine. Sans rien dire, elle s'approche, prend le livre, le pose sur le tapis devant le feu, et, s'agenouillant, l'ouvre, séparant avec précaution les pages molles et déjà gondolées.

« Vous savez que vous ne devez pas emporter mes livres hors de la bibliothèque, dit-il, sévère. Vous vous en êtes servis pour copier les fruits, c'est ça ? »

Silence.

« C'est ça ? » Plus fort, cette fois.

Têtes qui se hochent, cinq oui muets.

« Mais nous sommes restés à l'intérieur, proteste Enrico. Nous ne l'avons pas laissé sortir. » (Comme si le livre était un animal rare à garder dans sa cage.)

« Je voudrais savoir qui l'a emporté dans le petit temple, et surtout qui l'y a oublié. »

Silence. Puis une voix, assurée : « J'ai vu la miss qui l'avait sous le bras et qui marchait vers là-bas, avec sa boîte de couleurs. » Pietro.

« C'est vrai, dit Bianca. Je l'ai emporté avec moi. Mais je l'ai aussi rapporté, et bien avant la pluie.

— Moi, tout ce que je dis, c'est que la dernière fois où je l'ai vu, c'est elle qui l'avait », répète Pietro en regardant ses pieds.

Bianca ne daigne même pas répliquer. Et puis quoi encore, se faire accuser par un gamin.

C'est alors que lui s'en va, les laissant seuls.

« C'est grave, dit Bianca, les regardant tous un par un, une par une. Vous saviez que c'est un livre rare, et que votre père y tient beaucoup. »

Pietro reste muet.

« Ce n'est pas la miss, je l'ai vue quand elle rentrait, la défend Francesca.

— Si nous le repassions pour le sécher ? propose Giulietta, et les autres rient un peu trop fort, de soulagement.

— Ce n'est pas une mauvaise idée, dit Bianca. Mais pas maintenant. Pour le moment, continuons. »

Mais le jeu interrompu n'a plus suscité d'entrain, et l'heure du dîner est lente à venir. Plus tard, demeurée seule, Bianca découd la reliure, qu'on fera refaire, et suspend les pages cahier par cahier dans la buanderie, là où l'on fait sécher les draps. Pia l'aide, articulant les noms latins des arbres au fur et à mesure qu'ils sont accrochés aux cordons d'étendage avec des pinces à linge en bois. Et tandis que la forêt de papier se densifie, humiliant de sa grâce les étendues de bas, de pantalons et de culottes, Bianca sent presque se dissiper – presque – sa colère contre Pietro, contre son mensonge, et contre l'animosité dont elle est presque sûre – presque – qu'elle se cache derrière ce désastre.

« Mademoiselle. Miss. Mademoiselle. »

Bianca recoud le livre repassé et secoue la tête : elle n'y parvient pas, il faut une patience de bénédictin, le dé est trop grand et glisse mille fois de son doigt, elle se pique et se troue la peau tant et plus, et à la fin renonce. Ainsi le *Traité* finira-t-il taché de sang comme le témoin d'un pacte sinistre. Qui jurerait sur une poire œuf-de-cygne ? Un marchand de primeurs, peut-être. Et que lui veut Tommaso, maintenant ? Bianca pose avec agacement son aiguille et son fil et lève la tête avec réticence.

« Oui ?

— Je suis désolé pour le livre. Mais je l'ai dit à Titta, que je vous ai vue le rapporter à la bibliothèque.

— Vous m'épiez ? »

Tommaso rougit.

« Je… je n'oserais jamais, miss. J'étais seulement au bon endroit au bon moment, comme on dit.

— Je vous remercie, mais je n'ai pas besoin d'un apprenti avocat pour me défendre contre les accusations d'un gamin trop gâté et menteur. À moins que vous ne vous entraîniez pour quand vous aurez les idées plus claires ? »

Bianca ne sait d'où lui vient toute cette malice, mais elle ne se contient pas. Les trous dans la peau de son index la brûlent. Elle glisse le bout de son doigt dans sa bouche et le suce.

« Oh, vous aussi, vous me serinez cette histoire ! Vous me rappelez ma sœur : le portrait même de la sagesse. En fait, elle est si laide qu'à trente ans personne n'a encore voulu d'elle.

— Si un de mes frères parlait de moi en ces termes, je l'embrocherais sur le manche de mon pinceau.

— Ah, je vois que vous savez quand même plaisanter… » Qu'il est gauche, Tommaso ! « Mais non, sérieusement, je voudrais que vous compreniez combien c'est important pour moi d'être ici en ce moment. Je… je vis dans son ombre. C'est mon mentor, mon maître et mon modèle », énumère-t-il avec une véhémence qui le secoue. Bianca a à peine le temps de se demander pourquoi il lui dit cela, à elle, que déjà il l'inonde d'un autre flot de paroles. Pourtant, n'étaient-ils pas en train de plaisanter un instant plus tôt ? « Et je ne peux même pas rêver de m'approcher de sa lumière. Alors, j'ai décidé de faire chanter ma muse populaire dans le langage qui lui convient le mieux. En dialecte. Vous… vous voulez m'écouter, peut-être ? Vous savez, j'ai besoin de la montrer en public, ma muse simplette, pour voir quel effet elle produit. »

Bianca ne sait si elle doit se sentir irritée ou flattée de cette marque de confiance qu'elle n'a pas demandée : le parler de la ville la rebute, habituée qu'elle est à la cantilène rugueuse qu'elle a dans les oreilles depuis l'enfance ; mais elle est assez fine pour se rendre compte qu'il s'agit surtout de familiarité, et que chacun trouve beau ce qu'il connaît le mieux, trouve la beauté dans ce qu'il sait. Tommaso prend son silence pour un encouragement ; il sourit, rougit, se passe les mains dans les cheveux faute de savoir où les mettre, et soudain le pâle damoiseau laisse la place à un petit garçon, rien de plus, avec quelques boucles dépeignées sur le front et un élan de gaieté prompt à jaillir. Bianca ne comprend que la moitié de ce qu'il déclame, une histoire de petites nonnes amoureuses, lui semble-t-il ; mais, malgré elle, elle sourit, si grande est la fougue qui anime les mots du jeune homme. Puis vient un curieux passage qui capte toute son attention, et qu'elle comprend entièrement, avant que le rythme de la novelette en vers ne reprenne le dessus :

> *Je t'ai toujours devant les yeux*
> *Et je ne pense qu'à toi,*
> *Jamais mon rêve ne perd ta trace,*
> *Dès que je me couche, tu es là,*
> *Et j'ai toujours à la bouche mon Battista,*
> *Toujours Battista, toute la sainte journée...*

Puis la récitation prend fin.

« Miss... Mademoiselle...

— Oui ? » Bianca reprend ses esprits et applaudit comme il se doit. « Bravo.

— Vous êtes sérieuse ? » Il retrouve sa contenance, redevient solennel. « Je ne sais pas quoi en penser.

— Franchement, je n'ai pas tout clairement compris... mais peut-être que ça m'a plu parce que je ne sais pas ce que ça veut dire. Pourtant... ça sonne. Ce n'est pas ce qu'on demande à la poésie, qu'elle sonne ?

— Oui. Du moment que c'est de la musique et pas des flatulences... »

Voilà, il est redevenu facétieux. Ce Tommaso inconvenant et intermittent lui plaît beaucoup plus. Bianca le regarde, en feignant un dédain de jeune pimbêche ; puis ils éclatent de rire ensemble.

« J'ai remarqué que votre familiarité avec notre poétereau va croissant, observe Innes, froidement, quelques jours plus tard.

— Vous êtes jaloux ? », lui demande Bianca, un petit sourire aux lèvres.

L'Anglais ignore cette insinuation.

« Tommaso a quelque chose qui brûle en lui. Mais pour le moment, il n'est qu'une occasion gâchée.

— Moi, j'ai l'impression qu'au moins il n'a pas la vocation du bourdon qui tourne autour de tout le monde, comme Bernocchi, par exemple.

— Ne jugez pas trop vite, Bianca. Le bourdon n'est pas le plus antipathique des insectes.

— Mais si vous appréciez Tommaso, pourquoi cela vous ennuie-t-il que je lui parle ?

— Je n'ai pas dit que je l'appréciais. J'ai dit que je sentais en lui quelque chose qui brûle, et je n'aime pas le gaspillage d'énergie. Je pense que pour son bien il vaudrait mieux qu'il s'en aille, et que tout ce qui le retient, y compris certaines gracieuses demoiselles disposées à l'écouter avec indulgence, ne fait que lui porter tort. Tant qu'il s'attardera à l'ombre du grand chêne, il restera fragile comme un poussin.

— Vous m'attribuez trop d'influence, Innes. Il reste parce qu'ici se trouve son maître, mentor et modèle… Peut-être pas dans cet ordre. »

Bianca hausse les épaules.

« En effet, dit l'Anglais. Et maintenant que le coucou s'est niché à Brusuglio, il sera difficile de l'en déloger.

— Il me semble qu'un nid est exactement ce dont il a besoin.

— Ne vous y trompez pas, Bianca. Il a votre âge, ce n'est plus un blanc-bec ni un orphelin, c'est un homme. Ce nid, comme vous l'appelez, lui permet de prolonger son enfance en s'appuyant sur les autres, sans affronter aucune difficulté. S'il veut vraiment devenir poète, il est temps qu'il tienne tête à sa famille, qu'il fasse ses choix et même coupe les ponts, si c'est nécessaire.

— Mais il n'aura pas un centime tant qu'il ne se rendra pas… Vous êtes tellement inflexible. Pauvre garçon.

— Pauvre garçon, dites-vous ? Il pourrait être portefaix le jour et écrire la nuit, s'il y tient tant. Prendre une chambre dans une auberge et se débrouiller. Mais ici, il est au chaud, ou au frais, selon la saison. Il mange, il boit, on le soigne. Même si, tôt ou tard, ses jolis gilets s'useront, et je ne crois pas que don Titta se souciera de renouveler sa garde-robe.

— Comme vous êtes malveillant. J'ai l'impression de m'entendre.

— Oh, miss Bianca, je suis peut-être envieux, tout simplement. Il est si jeune ! Pour lui, tout est encore possible, et cela m'irrite qu'il gâche ses potentialités en s'attardant sur l'idée qu'il se fait de lui-même.

— Et vous, vous êtes vieux, peut-être ? Allons donc. À trente ans, une femme est vieille, mais un homme est en pleine force de l'âge. Dans très peu de temps, je vous aurai dépassé dans cette course sinistre, et je m'habillerai de deuil pour pleurer mes belles années enfuies quand vous serez encore un bourgeon prometteur.

— C'est la qualité de la promesse qui m'inquiète. Je pourrais ne pas réussir à la tenir. »

Le visage d'Innes devient sérieux et sombre. Il se tait et rumine, comme si Bianca n'était pas là. Et elle, qui a échoué dans sa tentative pour l'amuser, se le reproche.

« Le fantôme ! Il est revenu ! »

Pietro se précipite dans la pièce, apportant une bouffée de vent frais qui se répand autour de lui quelques instants, même après que Nanny s'est empressée de refermer la porte-fenêtre. La course et l'excitation lui ont empourpré le visage ; il enlève le béret de travers que sa mère et sa grand-mère l'obligent à porter même en été à cause de ses maux d'oreilles et le laisse tomber au sol, où Nanny le ramasse aussitôt. Ainsi dépeigné et coloré, il est beaucoup plus agréable à regarder que d'habitude, plus vif. Il trépigne, tout feu tout flamme.

« Je vous dis que je l'ai vu ! Il était là-bas, près du petit temple, et quand je me suis approché il a disparu à l'intérieur ! Il est dans le petit temple ! »

Les fillettes portent leur main à leur bouche, retenant leur souffle ; donna Julie soupire et détourne les yeux, comme pour effacer la vision de son fils surexcité : elle déteste les scènes. Enrico proteste : « Tu aurais pu m'emmener avec toi… – Non, réplique son frère. De temps en temps, j'aime bien faire les choses tout seul. » Donna Clara lui prend les mains, les frictionne entre les siennes pour les réchauffer et parle avec le mélange d'encouragement et de reproche voilé qu'elle emploie toujours pour s'adresser aux garçons, comme si les ramener à la raison était une entreprise dont la vanité est déjà établie : « Tu sens comme tu as les mains froides ? Tu vas retomber malade et rendre folle ta pauvre maman. Tu sais que tu ne dois pas sortir le soir. Et tu sais aussi que cette histoire de fantôme ne plaît à personne. Et puis, on ne doit pas raconter de mensonges, nous te l'avons dit un million de fois. Qu'est-ce que tu faisais dehors à cette heure, hein ? » Un regard torve vers Nanny, qui hausse les épaules. « J'étais occupée avec les filles… » Mais Pietro répond, fanfaron, tout content de prendre sur lui et la faute et le mérite, puisque pour une fois c'est la même chose : « Ce n'est pas la faute de Nanny, elle était à la nursery et je suis sorti tout doucement, en passant par la fenêtre. Vous ne pouvez pas nous garder prisonniers tout le temps comme des femmes ou des laquais. » Ignorant l'incongruité offensante de ce rapprochement, donna Julie joint les mains dans un geste de prière, suppliant en esprit le saint qui doit protéger les enfants des duretés du monde même s'ils sont très doués pour se les attirer tout seuls, et se borne à dire : « Mais Pietro… » Alors, le gamin reprend, un peu moins hors d'haleine et rejetant sa pèlerine en arrière comme un hussard vaniteux : « Il était tout voilé et il marchait à ça du sol, et il faisait peur, mais pas à moi. Je me suis approché et je l'ai presque attrapé, mais ensuite… Eh bien, il s'est échappé et dans le petit temple il faisait noir, mais noir ! Du coup, je suis revenu. Pour vous le dire », conclut-il, muant sa lâcheté en audace.

Tandis qu'Enrico le regarde d'un air grognon, serrant les poings et gonflant les joues dans une pantomime de rage contenue, les fillettes se divisent en deux camps : d'un côté, Matilde et Franceschina fixent leur frère avec une expression de ravissement ;

de l'autre, Giulietta choisit le scepticisme. En son for intérieur, Bianca lui donne raison : Pietro n'a pas vraiment l'étoffe d'un héros. Et il a probablement inventé une bonne moitié de ce qu'il raconte. Mais de toute évidence, cette histoire de fantôme n'est pas une nouveauté.

Donna Julie baisse la tête. Donna Clara insiste :

« Les fantômes, ça n'existe pas.

— Et moi, je vous dis que c'en était un ! rétorque Pietro, encouragé et peut-être un peu déçu par le manque de conviction des reproches qu'on lui adresse. Le même que les autres fois, vous savez, grand-mère ? Noir, avec un voile devant le visage. Vous aussi, vous l'avez vu une fois, dans la campagne, et vous étiez toute chavirée…

— On dit ef-fra-yée, corrige donna Clara. Mais comme les fantômes n'existent pas, ils n'effraient personne. Maintenant, file te changer. Et ne prends pas la peine de redescendre dîner : les menteurs ne sont pas les bienvenus à notre table. »

Donna Julie fait mine de vouloir intervenir, mais se ravise et serre les lèvres, se retenant avec peine de parler. Défier l'autorité est peine perdue, comme d'habitude. Pourtant, il n'est pas juste que donna Clara commande sans cesse et à tout propos : Pietro n'est pas son fils. D'un autre côté, le garçon n'est pas sympathique, et le voir humilié procure à Bianca un plaisir aigu, comme s'il était son égal ; mais elle en éprouve aussitôt de la honte quand elle voit ce plaisir se refléter dans le regard malveillant d'Enrico. Le coupable, qui est resté planté là à faire passer le poids de son corps d'un pied à l'autre en attendant la suite, se convainc lentement qu'il ne se passera rien d'autre : cette fois, l'indulgence automatique de sa mère n'annulera pas la punition décrétée par sa grand-mère. Aussi baisse-t-il la tête et s'éloigne-t-il vers l'escalier, seul.

Donna Clara respire à fond – du moins autant que le lui permet sa cuirasse de soie – et secoue la tête.

« Trop d'imagination. Ils écoutent trop d'histoires, ces enfants. Je vous l'ai toujours dit, Julie.

— Mais il dit la vérité. Parce que le fantôme, moi aussi, je l'ai vu une fois. »

À la surprise générale, c'est Matilde qui intervient, Matilde qui ne parle jamais sans être interrogée, et qui en cet instant a les joues roses d'émotion. Ses sœurs la regardent, effarées. Mais donna Clara coupe court :

« Assez avec ces bêtises ! »

La fillette se le tient pour dit.

C'est l'heure de passer à table, la compagnie se divise, Enrico lance un regard équivoque à la place vide de son frère, ne sachant s'il doit l'envier ou se réjouir de tenir, pour une fois, le rôle du seul homme de la tablée. Puis, en découvrant le menu, c'est la joie qui l'emporte : les ris de veau à l'aneth sont un de ses plats préférés et il pourra en prendre autant qu'il veut, comme si le fait de n'être pas coupable cette fois-ci le rendait à jamais innocent. Bianca observe avec une horreur mal déguisée le gamin qui s'attaque avec entrain à cet étrange mets : elle-même ne mangerait jamais (et n'a jamais mangé) rien de ce genre, et elle déteste jusqu'au nom de cette pitance – les *animelle* –, car il lui semble barbare de mettre dans sa bouche quelque chose d'aussi spirituel et intime à la fois, arraché au corps d'un être naguère vivant. Enrico, qui passe ses journées avec les animaux – chats, chiens, lapins et chevreaux auxquels il prodigue autant de câlins que de brutalités –, ne semble pas s'en inquiéter ; on dirait qu'il ne sait obéir qu'à une impulsion à la fois, et pour le moment c'est son palais qu'il écoute. Bianca détourne les yeux et les pose sur les pâles feuilles de salade qu'elle a accepté de troquer contre le plat d'âmes de bêtes. Pour oublier, et poussée par un reste de curiosité insatisfaite, elle fixe du regard donna Clara, qui affronte sa portion avec la même fougue joyeuse que son petit-fils, et lui demande :

« Si je ne suis pas indiscrète, pourriez-vous m'expliquer cette histoire de fantôme ? »

La vieille dame lève lentement les yeux de son assiette, fourchette en l'air, agite la main comme pour chasser un insecte importun, puis désigne du menton le garçon et fait un non rapide avec la tête. Bianca se résigne : elle gardera pour elle sa curiosité. Mais au dessert, quand on a dit bonne nuit à Enrico et aux fillettes que Nanny est descendue récupérer, elle revient à la charge. Donna Clara se justifie :

« Vous savez, en présence du petit, je préférais éviter d'en parler : ils sont tellement sensibles, les garçons ! »

Bianca aurait un commentaire à faire sur ce point, mais se retient : ce n'est pas le moment de l'interrompre ou de la distraire. De fait, amadouée par la tarte aux fraises, la vieille dame cède :

« Vous devriez le savoir mieux que personne, que toute maison ancienne ou seulement un peu vétuste a son fantôme. Ici, nous avons la Dame rose. Je ne sais pas si vous vous êtes aventurée au nord des halliers, mais là-bas, au milieu des arbres, il y a une petite tour en ruine et on dit que c'est ce qui reste du château de cette dame, qui aurait perdu son chevalier à la guerre la veille de ses noces. Des fables romantiques. » Elle dodeline de la tête pour manifester sa désapprobation. « Ces sornettes à la mode, vous voyez ? Quoi qu'il en soit, la veuve qui n'était pas encore veuve se serait recluse dans son château pour ne plus jamais en sortir, ni vivante ni morte. C'est une histoire que tout le monde connaît par ici. Et vous savez comment sont les enfants : ils écoutent et ils répètent. Ils ont dû entendre tout ça de la bouche des domestiques, il y a toujours une petite dinde en tablier qui crie pour rien et voit ce qu'elle a envie de voir.

— Dommage. J'aurais aimé faire son portrait. Celui du fantôme, je veux dire », plaisante Bianca.

Mais donna Clara change de sujet :

« Excellente, cette chantilly. On dirait que Pina a enfin compris que pour monter la crème, il faut avoir la main délicate. »

Donna Julie sourit.

« C'est moi qui l'ai préparée, dit-elle.

— Voyons, Julie ! Vous savez bien que vous ne devez pas vous fatiguer, proteste sa belle-mère.

— Me fatiguer ? Pour quelques œufs et un peu de crème fouettée ?

— Et puis, qu'est-ce qu'on va penser en voyant la maîtresse de maison au milieu des casseroles ? poursuit donna Clara, oublieuse des moments où elle trône sur le haut siège de la cuisine, même s'il est vrai qu'elle n'a jamais touché à aucun ustensile.

« — Moi, j'aime ça. Ça m'amuse, insiste donna Julie. Vous ne me laissez jamais rien faire.

— Ma foi, si vous avez envie de retomber malade… », ronchonne donna Clara en terminant sa dernière bouchée de tarte.

Bianca a mangé en silence, savourant la légèreté de la pâte, le moelleux de la crème en contraste avec le croquant des fruits.

« Ma mère avait appris à faire le plum-pudding, dit-elle. Vous voulez la recette ? »

Donna Julie s'illumine.

« J'adorerais essayer. Vous m'aiderez ?

— Bien sûr. Moi, et tous les enfants », sourit Bianca.

Donna Clara est mécontente, mais pas au point d'oublier de se faire resservir une part de tarte.

« Je ne vous comprends pas. Qu'est-ce que c'est que cette idée de mettre les mains dans la pâte et d'attrouper les enfants dans la cuisine ? Ça ne servira qu'à brouiller les idées aux domestiques. Personne ne saura plus où est la place de personne.

— Les enfants y vont tout le temps, à la cuisine, en cachette, et je ne vois pas où est le mal : ils s'y amusent sûrement plus qu'avec Nanny, et ils y apprennent plus de choses. Sans compter que je ne suis pas une vraie dame, dit tranquillement donna Julie. Regardez. »

Et elle tend ses petites mains, blanches mais marquées de légères coupures, un peu gonflées, et qui semblent presque rugueuses.

« Je vous le dis toujours, que vous travaillez trop ! éclate donna Clara. Ce n'est pas bien. Si vous mettiez au moins des gants, comme il se doit…

« — Je suis un peu lasse de ce qui se doit, réplique donna Julie.

— Eh bien, vous avez tort, lui dit donna Clara sans même la regarder, ramassant les miettes dans son assiette avec son pouce.

— Et c'est vous qui le dites ? »

La phrase reste en suspens, flotte au-dessus de la table, trouve la force de faire lever le regard à la vieille dame et de l'enchaîner à celui de sa bru.

« Quoi, moi ?

— Vous... vous, au moins, vous avez vécu », murmure donna Julie.

L'instant d'après, c'est comme si un courant d'air avait éteint d'un coup sa petite flamme ; elle baisse la tête et se tait.

Plus tard, en dénouant les cheveux de Bianca, Minna (qui, comme toujours, a tout entendu) ne résiste pas à la tentation :

« Vous ne devez pas la croire, donna Clara. Elle ne veut jamais en parler parce qu'elle dit que ça distrait les domestiques. La Dame rose, oui, c'est une histoire, une invention, et personne n'y croit. Mais le fantôme, il y en a un. Il existe. Il vient à l'heure des vêpres, toujours le lundi.

— S'il est si ponctuel, ce doit être un fantôme anglais, s'amuse Bianca. Avec une horloge de précision suspendue à une longue chaîne.

— Ça, je ne sais pas. Mais il sort du rien et il disparaît dans le rien. » Minna la regarde dans le miroir.

« Sérieusement, miss. Ouvrez les yeux, et vous vous en apercevrez. »

Les fantômes, pour exister, attendent seulement que quelqu'un croie à leur existence, et Bianca devrait le savoir. Pourtant, elle se laisse leurrer et attirer par la créature de fumée comme un enfant crédule. La pluie cesse, la terre sèche, le soleil revient et, sous ses rayons, l'été redevient puissant pour la dernière fois avant son déclin. Il fait chaud et le monde, revigoré par tant d'eau, est d'un vert plein, luxuriant, festif. Le lundi suivant, à l'heure où la cloche de l'église sonne l'appel du soir et où quelques vieilles s'en vont prier en boitillant, Bianca se dirige vers la grille du côté nord. Le prétexte est une promenade : elle a emporté avec elle un panier, des gants et un sécateur pour cueillir quelques roses insolites dans les massifs les plus éloignés de la villa, où prospèrent des variétés anciennes ou tout simplement vieilles, point assez originales pour mériter l'attention constante des jardiniers, ni assez épuisées pour qu'on en fasse du petit bois. Et pour nourrir la fiction, elle se penche sur des buissons qui fleurissent en abondance loin des regards, comme pour prendre une revanche. Les roses ont une couleur trop incertaine pour son goût, avec leurs pétales onctueux ; pourtant, elles sont belles avec leurs têtes rapprochées et onduleuses et leur parfum à peine perceptible. Bianca enfile ses gants et choisit quelques tiges, juste assez longues pour que les corolles retombent d'un vase en cristal qu'elle a vu relégué sur une crédence. Quand elle lève les yeux de son panier, où elle a déposé les fleurs avec autant de soin qu'on couche un nouveau-né, elle est tout près de tressaillir en découvrant, à une certaine distance, exactement ce qu'elle est venue voir. Ce n'est pas un fantôme : seulement une femme vêtue de noir, rendue mystérieuse par le voile qui lui retombe plus bas que les épaules comme une courte cape et lui donne un aspect monacal. Voilà une mode qui n'est pas encore arrivée jusqu'ici, mais Bianca la connaît pour l'avoir observée dans les pages de certaines revues étrangères quand elle courait le monde au côté de son père. Cette femme est-elle étrangère aussi ? Conclusion hâtive, peut-être : il se peut qu'elle n'ait choisi cet habillement que pour ne rien laisser connaître d'elle. Au vrai, même si elle n'était enveloppée de son voile, la lumière incertaine du soir tombant suffirait à cacher les traits de son visage ; et, à cause de l'herbe haute qui l'entoure, il semble qu'au lieu de marcher elle glisse sur des roues, tel un élément de décor sur la scène d'un théâtre.

Ce n'est qu'un instant : le temps de soulever sa jupe pour affronter les herbes folles, de presser le pas, de s'approcher de la grille, et la femme voilée n'est plus là. Bianca s'efforce de regarder plus loin, en vain : les grilles de la villa sont faites pour rester fermées, et celle-ci ne fait pas exception ; or, sans la franchir, impossible de continuer à suivre, ne fût-ce que du regard, la silhouette sombre pour deviner où elle s'en va.

« Elles sont belles, ces roses, lui dit donna Clara un quart d'heure plus tard, en la trouvant devant l'évier de la cour, occupée à arranger ses fleurs dans le fameux vase en cristal. Vous avez fait bonne chasse, je vois. »

Bianca serre les lèvres : sa proie lui a échappé. En revanche, le portrait des roses durera beaucoup plus longtemps qu'elles, et tous admireront l'entremêlement des tiges mouillées sous le niveau de l'eau.

Le bon chasseur fait preuve de constance : il retourne plusieurs fois sur le lieu où il a repéré sa proie, quitte à en repartir, et pour la capturer il s'arme de patience et de méthode ; il attend. Le lendemain, Bianca cherche et trouve un endroit qu'elle se rappelait, où le mur d'enceinte est plus bas ; comme en hommage au garçon manqué qu'elle a été, elle le franchit sans grande difficulté – elle porte pour l'occasion une vieille jupe de serge grise, qui n'a pas grand-chose à perdre dans l'aventure – et parcourt à nouveau, pas à pas, l'herbe écrasée à travers laquelle s'est enfui le prétendu fantôme, en quête de traces. Ce qu'elle devrait trouver, elle-même n'en sait rien : quand bien même il y aurait des empreintes, elle ne pourrait les suivre, et elle n'est pas un chien pour se guider au flair. Mais elle a de la chance, car là, par terre, où le sentier cède la place à l'herbe haute, il y a bien quelque chose. Bianca se penche, ramasse l'étrange objet et reste accroupie pour le tourner et le retourner entre ses doigts. C'est, ou cela semble être, un coussinet de velours rose et vert, cousu de rayures délicates de fil d'or, au point roulé ; dans le petit carré central, sur fond rose, est brodé un petit agneau d'or avec une vraie clochette accrochée au cou, en métal argenté. Bianca la secoue, et elle tinte tout doucement. On dirait un ornement de maison de poupée, ou une poche élaborée pour contenir du pot-pourri, à glisser au milieu du linge. Bianca l'approche de son nez, mais il ne sent rien.

Le lundi suivant, il pleut à verse. Le mardi, le soleil revient, mais aucune découverte surprenante, et l'herbe est encore très mouillée. En revanche, il y a quelqu'un sur le sentier, même si ce n'est pas la personne que Bianca s'attendait à trouver.

« Tiens tiens, notre jeune peintre qui s'offre une petite escapade… et déguisée en servante, je vois ! Une délicieuse Colombine. Que faites-vous, miss Bianca, vous vous êtes travestie pour jouer une saynète ou vous vous promenez incognito pour trouver des sujets originaux ? Vous aussi, vous êtes une amoureuse du petit peuple et vous êtes décidée à en épouser la cause crapoteuse ? Suivez mon conseil, laissez tomber : une jolie fleur comme vous est beaucoup plus à sa place à l'abri des murs d'un jardin. Ou alors, si vous voulez, venez en ville avec moi : je vous montrerai combien la vie peut être belle. »

Engoncé dans une redingote bleue dessinée pour d'autres physiques et dans un pantalon et des bas blancs qui grossissent encore ses cuisses et ses mollets plus que robustes, le petit comte Bernocchi ôte son tricorne et s'incline en une courbette profonde qui découvre un instant son cou rougi par la chaleur et par le frottement de sa perruque. Spectacle des plus déplaisants, et rencontre des plus déplaisantes pour Bianca, qui donnerait beaucoup pour ne pas devoir subir le regard inquisiteur du personnage et tente de se défendre par la froideur :

« Comte Bernocchi... C'est le dernier endroit où je m'attendais à vous trouver.

— En effet, en effet. Je suis arrivé en avance et j'ai demandé qu'on me dépose ici. Je voulais faire quelques pas dans la campagne, comme c'est l'habitude de notre hôte, pour découvrir si c'est ici, parmi les herbes folles, que se cache la source de son inspiration. Mais naturellement, si ces breuils sont peuplés de petits animaux aussi intéressants que vous, je comprends une foule de choses... »

Et il la regarde avec malice. Heureusement, voilà Innes qui arrive, traversant à grandes enjambées la prairie jusqu'au mur bas, sur lequel il appuie ses mains en se penchant vers les deux autres, ce qui l'oblige à ployer un peu son grand corps.

« Qui est le plus heureux, celui qui est de ce côté ou de l'autre ? », plaisante-t-il. Mais l'expression sombre de Bianca ne lui a pas échappé, ni son habillement d'une simplicité insolite. Aussi lui tend-il la main par-dessus le muret. « Je vous en prie, ma chère, revenez parmi nous. Nous ne supporterions pas votre fuite », lui dit-il d'un ton léger en l'aidant à franchir l'obstacle.

Le petit comte Bernocchi lorgne les chevilles nues de la jeune fille, découvertes par le mouvement, et ne détourne le regard que lorsqu'il sent sur lui celui d'Innes.

« Ne me demandez pas d'en faire autant, badine-t-il. Je ne suis pas un gymnaste-né, comme vous autres les Anglais, et je préfère faire le tour. Une petite promenade hygiénique me fera le plus grand bien. Dites qu'on prépare les rafraîchissements, j'en aurai besoin à mon arrivée. Et dites aussi que j'apporterai une brassée de roses, comme une demoiselle, comme notre miss… »

Bernocchi se découvre de nouveau et s'éloigne par le sentier qui suit le mur d'enceinte, un pas après l'autre, balançant sa canne. « *Then be not coy…* », murmure Innes en regardant son dos. Mais lui n'entend pas, ou ne comprend pas, et ne se retourne pas. Innes et Bianca partent d'un petit rire. Il est des moments – et celui-ci en est un – où il est légitime d'oublier les mœurs du salon : les murs imaginaires, les stucs, les cristaux et les porcelaines entre lesquels il convient de toujours se mouvoir avec précaution s'évanouissent en même temps que les portraits de famille, comme un fond de scène replié en toute hâte par des accessoiristes, et ne reste que la joie de la complicité. Quelle chance : Innes non plus ne trouve pas Bernocchi sympathique. Une demi-heure plus tard, ils le retrouveront dans le jardin devant la villa, alangui sur une chaise longue, la panse bien en vue, observant avec attention les jeux des fillettes avec Pia. Et quand cette dernière court récupérer la balle qui a roulé loin du sentier, sa tête se tourne et la suit, puis se tourne de nouveau pour contempler le jeu qui a repris, puis se tourne et se retourne encore, accompagnant les sauts de la jeune servante, d'une façon qui serait cocasse si elle n'était si opiniâtre.

Dans la mare, il y a un lombric
Mou et interrogateur ;

Sous l'eau, il roule ses anneaux
Et l'on ne saurait dire s'il est mort ou vivant.
Rose-gris, ou gris et rose,
Dans la boue il cherche femme ;
Et s'il ne la trouve pas,
Il s'épousera tout seul.

« Bravo papa ! »

Les enfants battent des mains en riant, surtout Pietro et Enrico, qui réservent toujours aux vers une attention particulière et doivent en avoir coupé en morceaux des milliers pour préparer leurs bouillons de sorcière, ou pour le seul plaisir de les voir se convulser dans une douleur qui, parce qu'elle est muette, ne leur semble pas cruelle.

« Mais comment fais-tu ? s'écrie Giulietta. Moi aussi, je veux écrire des poèmes, comme toi… »

Don Titta tend la main et dépose une caresse sur la joue de la petite, qui agite la tête comme un chat. Mais Pietro détruit la douceur de ce moment :

« Je le sais, moi, où on peut trouver des chenilles de phalènes ! Nous pouvons leur construire des maisons ! »

Et les enfants filent vers le catalpa, même les fillettes, suivis par Nanny qui leur crie :

« Ne touchez pas aux chenilles, ce n'est pas propre ! »

Les grands restent assis, attendant le café.

« Tous les enfants sont naturellement poètes, pontifie le maître de maison. C'est dans leur regard.

— Oui, mais tout de même, Titta, des histoires de vers de terre, alors qu'on vient à peine de finir de manger ! » Reproche de donna Clara, sourires indulgents des autres.

Bianca regarde autour d'elle, cherchant à capter l'humeur des présents. Innes affiche le détachement, mais une minuscule contraction du coin de ses lèvres trahit un sourire ironique qu'il contient avec peine ; les autres ignorent cet échange de propos, enclins, par goût de la tranquillité, à accepter la millième extravagance de leur hôte. Donna Julie hoche la tête, ne retenant de la conversation que ce qui l'intéresse : « Ce sont nos anges », murmure-t-elle. Bernocchi lève les yeux au ciel, puis les baisse vers son flan et en met dans sa bouche une copieuse cuillerée.

Poètes ? Anges ? se demande Bianca, peut-être la seule à qui la question tient à cœur, bien qu'elle n'ait pas la liberté d'en discuter. Les enfants sont compliqués, difficiles ; ils sont souvent malades, et quand ils ne sont pas malades ils font des caprices, de sorte qu'en toute circonstance ils restent incompréhensibles. Du moins ces enfants-là, plongés dans la confusion par des règles contredites par des exceptions corrigées par des règles, différents de tous les autres sans pouvoir s'y comparer, mais conscients du privilège dont ils jouissent : pupilles de leur grand-mère, astres du ciel pour leur mère, porteurs d'espoirs pour leur père. Des enfants, rien que des enfants, ils ne le sont presque jamais. Innes est le seul à savoir les prendre autrement : il les plaisante sans les humilier, réveille leurs intérêts vagues ou assoupis, sait les intriguer et les mettre au défi. Lui, pense Bianca, est naturellement un père, peut-être parce qu'il ne l'est pas, et que tout le monde est capable d'éduquer les enfants des autres. Même de les faire jouer, la seule chose qu'elle trouve facile, comme quand, profitant de l'absence de donna Clara, elle les emmène à la cuisine pour préparer avec eux une fournée de *fairy cakes*.

« Les gâteaux des fées ? Vraiment ? » La petite voix chantante de Matilde, avec ses *e* très fermés et une confiance incrédule sur le visage.

« On les appelle ainsi parce qu'ils sont délicieux et qu'ils sont pareils à ceux que mangent les fées en prenant le thé.

— Mais non, les fées n'existent pas…

— Bien sûr que si, elles existent ! Elles sont petites comme ça – et Bianca dessine un C avec son pouce et son index – et elles ont des ailes.

— Et elles prennent le thé tous les jours, comme vous les Anglais, intervient Pietro avec ironie.

— Oui, tous les jours, répète Bianca, très sérieuse. Mais maintenant, assez parlé : si tu te servais de ta langue pour faire le mélange, tu obtiendrais une pâte merveilleuse.

— La langue dans la farine ? C'est dégoûtant !

— Justement. Tais-toi et travaille. »

Silence soudain. Vingt minutes au four, mais la cuisson semble durer un siècle, et, pour tuer le temps, tous s'assoient sur des bancs et écoutent Bianca, qui raconte comment naît une fée toutes les fois qu'un enfant rit.

« Alors, si nous rions, elles viendront ?

— Elles viendront, et elles ne s'en iront plus jamais.

— Jamais jamais jamais ?

— Je n'y crois pas, ce sont des histoires ! »

« — Si tu n'y crois pas, tu ne les verras pas.

— Bravo, Matilde. C'est exactement comme ça que ça marche. »

Le parfum doux de la pâte qui gonfle supplante peu à peu celui, métallique, de la cuisine. Les enfants battent des mains : « Ça sent bon ! » ; et les voilà, les *fairy cakes*, à peine brunis, parfaits.

« Ils sont trop beaux pour qu'on les mange, déclare Matilde.

— Maintenant, je comprends pourquoi les fées les aiment, commente Giulietta avec un soupir.

— Arrêtez avec les fées ! Les miens, je les mange », dit Pietro, rapace.

Il le fait et s'échappe, aussitôt suivi de son frère qui tient deux des tartelettes dans ses mains et court, tel un écuyer maladroit. Les fillettes observent Bianca, en attente de la suite. Elle sourit et leur dit : « Maintenant, préparons le thé. » Innes, qui se montre sur le seuil, s'en voit aussi offrir une tasse, tandis que les petites, qui ont attendu tout le temps qu'il fallait et même davantage, ignorent l'infusion brune et savourent les yeux fermés les curieux petits gâteaux qu'elles ont pétris de leurs mains, et qui ne peuvent donc qu'être exquis. « Ce sont les meilleurs du monde ! », lance d'ailleurs Franceschina, la bouche pleine, non sans darder de temps en temps des regards furtifs vers la fenêtre entrouverte pour y apercevoir les fées, car celles-ci, elle en est sûre, s'accrochent aux encadrements en attendant qu'on leur serve leur part : Bianca a dit qu'il fallait en garder pour elles, et dans ce cas… dans ce cas ? Innes sourit, mime un toast avec sa tasse, et Bianca lui répond. Il n'y a rien de meilleur au monde qu'une bonne tasse de thé : c'est la saveur de la certitude, contre tous les hasards, du retour à la maison où qu'on se trouve.

« Vous êtes une menteuse, lui dira plus tard son ami en se promenant avec elle dans la campagne.

— Moi ? Pourquoi ?

— Vous dites toujours que vous n'aimez pas les enfants.

— C'est vrai. En tout cas, pas tous. Mais ils m'intéressent.

— Il suffirait que beaucoup de pères et de mères pensent comme vous pour rendre les leurs heureux. Mais à y bien réfléchir, j'ai une autre théorie en ce qui vous concerne.

— Écoutons, monsieur je-sais-tout.

— Il est possible que vous ne mentiez pas. Admettons que ce soit vrai : vous n'aimez pas les enfants. Le fait est – et Innes s'arrête et la regarde dans les yeux, l'obligeant à faire de même – que vous êtes encore une enfant vous-même. C'est pour cette raison qu'ils apprécient tant votre compagnie.

— Je vois. Et comment voulez-vous que je réagisse ? Que je me vexe ? Que je vous gifle ?

— Faites ce que vous voudrez, du moment que vous ne vous comportez pas en demoiselle. On doit trouver quelques avantages dans la candeur de la campagne, vous ne croyez pas ? Elle nous invite à lui ressembler. À être ce que nous sommes. Quel mal y a-t-il si, de temps en temps, vous vous concédez un peu d'enfance ? »

En effet, quel mal y a-t-il ? Bianca se hisse sur la pointe des pieds et ôte son chapeau à Innes ; puis elle le lance comme un disque et il vole avec précision entre les troncs des arbres, pour atterrir au milieu d'une petite clairière. Lui sourit, indulgent, et va récupérer son couvre-chef, à grands pas mais sans hâte, sous le regard étonné de deux tailleurs de branches.

Minna est tombée malade, d'un mal qui la fait tousser depuis quelque temps déjà – les chauds et froids de la demi-saison, les pieds nus dans les sabots – et maintenant l'oblige à garder la chambre : même les petites servantes ont le droit d'avoir des ennuis de santé. Aussi le devoir de servir Bianca est-il passé à Pia, qui semblait n'attendre que cela : elle bavarde, elle range et dérange, et si on la laissait faire elle écraserait les pigments et ferait bouillir les couleurs comme une vraie apprentie engagée dans un atelier. Bianca l'observe, amusée et aussi soulagée, car les mains de Pia sont alertes et précises, sans rapport avec la gaucherie de Minna, qui est encore trop jeune et n'a aucune idée de ce qu'elle fait : elle se borne à obéir aux ordres, parce que c'est ce qu'on attend d'elle, dans l'humeur distraite avec laquelle elle plumerait une oie dans la cuisine ou laverait le linge dans le fossé. Quand Bianca demande et obtient que Pia conserve le rôle qu'elle s'est assigné, elle le fait sans aucune idée de la tempête qu'elle va déchaîner, car elle croit de bonne foi que, pour Minna, une tâche en vaut une autre. Impression que la servante enfant, guérie, s'empresse de rectifier. Non qu'elle dise rien, du moins au début ; mais elle s'enferme dans un silence hostile, et, quand elle la coiffe, procède par à-coups, lui tirant les cheveux comme elle faisait à son arrivée, et se montre si distraite qu'un de ses gestes maladroits fait tomber de la coiffeuse une boîte en céramique pleine de fleurs séchées.

« Excusez-moi… Excusez-moi, je ne… »

La petite explosion a le pouvoir d'enflammer toute sa colère, et, soudain, elle laisse tomber sur le sol les éclats de faïence dont elle avait rempli sa main.

« C'est sa faute, si je suis si agitée. C'est sa faute si je casse des choses, dit-elle, encore accroupie, son minois levé, les mains sur les cuisses.

— La faute à qui ? demande Bianca, bien qu'elle ait déjà deviné.

— Cette sorcière. Maman le dit tout le temps, qu'elle enjôle tout le monde, même les maîtres comme vous. Pia. »

Et elle crache ce nom comme si c'était un gros mot.

« Voyons, Minna, c'est affreux de dire des choses pareilles ! Je croyais que vous étiez amies…

— Amies ? Vous parlez d'une amie ! Il suffit que je me retourne et vlan, elle me vole ma place, et bonsoir tout le monde. » Minna se tait un instant, s'efforçant de contrôler son impudence ; puis elle se mord la lèvre, soupire, ne parvient pas à se retenir et reprend : « Elle veut toujours tout avoir, mais elle se prend pour qui ? C'est une enfant de personne, Pia : on l'a mise au tour comme moi, mais elle, personne n'est venu la reprendre, oh non. Elle ferait mieux de se taire et, comme dit ma mère, de se frotter les mains d'être entrée dans une maison respectée comme la nôtre, au lieu de devoir chauffer le lit d'un va-nu-pieds de la Brianza. » Le venin jaillit à flots, inarrêtable. Et maintenant, Bianca est trop intriguée pour en dévier le cours. « Mais non, elle, ça ne lui suffit pas. Il faut toujours qu'elle se croie différente de tout le monde. Elle ne vous a pas encore parlé de son agnus et de tout le reste ? » Et elle prononce ce mot insolite en tordant la bouche, avec une voix grimaçante, tentant de singer son ennemie ; mais le résultat est que Bianca ne comprend plus rien. Minna s'aperçoit qu'elle a dérouté son auditrice, et serre les mains et les agite en l'air. « Mais oui, son agnus ! » Dès lors, Bianca risque fort de s'égarer complètement dans la masse d'informations que Minna se met à brandir et lui jette presque au visage, sans logique, en sorte qu'elles obscurcissent encore ce monde déjà évoqué des enfants mis de côté à la naissance, confiés aux bons soins de la ville, parfois repris et restaurés dans l'affection de leurs parents repentis, comme dans une fable ou dans un roman, avec un *happy end* qui tombe à point nommé. Mais ici, tout est infiniment plus embrouillé, compliqué de détails techniques que la petite semble maîtriser comme un fonctionnaire municipal tout en se montrant incapable de les indiquer dans le bon ordre. Ce qui donne ceci :

« Elle prétend que quand on l'a mise au tour, elle portait du beau linge, bien sûr, et comme don Dionisio est allé la prendre avec sa sœur et qu'ils l'ont sevrée et élevée pour qu'ensuite elle les serve à la maison et qu'elle devienne comme la fille de la sœur, parce qu'elle n'avait pas d'enfants, il a dit qu'on lui avait tout montré, que c'était écrit dans une lettre attachée aux langes qu'elle était fille d'une mère morte en couches, et il a dit aussi qu'elle avait des vêtements de bébé de riches, et que, glissé dans tout ça, il y avait l'agnus en or, en argent et en velours brodé. Bien sûr, elle ne pouvait pas être une enfant pauvre comme les autres, pas vrai ? Il fallait qu'elle fasse la princesse même dans le tour.

— Mais… un instant. Tu vas trop vite, je n'arrive pas à te suivre. Cet agnus…, tente Bianca.

— Moi, le mien, je ne l'ai jamais vu, et même si je l'avais vu, comme j'étais un bébé de trois jours, je ne m'en souviendrais pas, mais de toute façon je n'en avais pas, je n'ai jamais dit que j'en avais un, pas vrai ? Parce que mes parents à moi, ils étaient vraiment pauvres, et on ne les donne pas aux enfants parce qu'on a peur qu'ensuite ils le perdent, vous voyez ? Ils le gardent là-bas, dans la maison du tour, répond Minna avec une mimique d'impatience. Ils le gardent avec ceux de tous les enfants abandonnés de Milan. C'est comme un petit tableau, grand comme ça – et Minna dessine un carré avec les pouces et les index de ses deux mains –, qu'on glisse dans les langes quand on laisse un enfant et qu'on sait déjà si on voudra le reprendre. Comme ça, si les parents reviennent, disons au bout de trois ans, ils peuvent dire aux gens du tour : mon bébé, je l'ai laissé ici tel jour de telle année et il avait un agnus comme ci et comme ça, et les gens du tour cherchent dans leur livre et ils vérifient, pour ne pas rendre un enfant qui n'est pas le bon, et si tout est vrai ils envoient chercher l'enfant, parce que pendant ce temps-là il était chez des paysans à la campagne, ce que j'appelle chez ses faux parents, et s'il est encore vivant on le rend à ses vrais parents pour qu'ils vivent tous heureux ensemble. Mais les pauvres mettent seulement la moitié d'une carte à jouer, la moitié d'une statuette de saint Roch, la moitié d'une petite médaille, des choses de pauvres, vous voyez ? Ils gardent l'autre moitié, et quand on réunit les deux on peut voir si l'enfant est le bon, si c'est bien le leur. Vous comprenez ? »

Minna est hors d'haleine, le visage rouge. Enfin, elle se tait, se redresse. Les fragments de céramique oubliés crissent sous ses sabots, mais elle n'y fait pas attention. Un reste de toux éraille sa voix quand elle conclut :

« Pour finir, même s'ils ont dit la vérité, personne n'a jamais voulu la reprendre, Pia. Alors, il vaudrait mieux qu'elle arrête de se donner des grands airs et qu'elle reste à sa place, point à la ligne. Mes respects, miss, et bonsouar. »

Et la fillette s'en va à petits pas dédaigneux, laissant derrière elle un petit désastre et une grande confusion.

Car Bianca est déconcertée : quelle est cette histoire d'abandon et de récupération, de beau linge, de couvertures, d'agneaux ? Et n'est-ce pas trop, deux enfants abandonnées dans la même maison ? Ou est-il normal, dans la région, de rejeter et de reprendre les enfants en trop, selon l'envie et l'opportunité ? Et que vient faire là-dedans don Dionisio ? Mais peut-être Minna a-t-elle seulement mélangé des bribes d'histoire écoutées à la cuisine, en les brodant de son imagination et de son ressentiment. Peut-être tout cela n'est-il qu'un fatras puéril d'affabulations dictées par une jalousie qui a pris un tour féroce, comme il arrive dans les coulisses de toute grande maison. Et

Minna est une bonne petite : cela lui passera, et même elle le regrettera. Mais pour le moment, Bianca revoit clairement le visage enlaidi, gonflé par la colère, que lui a montré la gamine au cours des longues minutes où elle lui a fait son récit ; elle lui a prouvé qu'elle savait trouver les mots, même quand ils sont compliqués, elle qui, pourtant, se laisse parfois démonter par un rien : comme si ce qu'elle lui a dit était un discours maintes fois remâché, un mauvais goût dans la bouche qu'elle éprouvait le besoin de cracher.

Pendant quelque temps, Bianca s'efforce de penser à autre chose. En vain. Elle s'en veut de n'avoir pas réussi à endiguer à temps la fureur de Minna, et se remémore son monologue dans sa tête, tentant de donner un sens à la quantité d'informations éparses qu'il contenait. Puis une pensée soudaine lui traverse l'esprit : elle ouvre un tiroir de la commode et y prend le carré de lin blanc dans lequel elle a enveloppé l'étrange coussinet trouvé lors de sa reconnaissance à l'orée des halliers. « C'est comme un petit tableau, grand comme ça, qu'on glisse dans les langes quand on laisse un enfant. » Si c'est bien cet objet qu'on appelle un agnus – et elle n'en est pas sûre faute d'en avoir jamais vu, non plus que Minna, comme elle l'a reconnu elle-même, et peut-on poser la question à une petite servante ignorante ? –, à supposer que ce soit bien cela, que faisait-il dans l'herbe, sans le moindre enfant à proximité ? À moins que quelqu'un – est-ce possible ? – ait abandonné un nouveau-né là-dehors, et que le coussinet se soit perdu ? Mais non, voyons, quelle sottise. On en aurait entendu parler si, pour comble de malheur, le bébé avait été dévoré par les fameux chiens-loups. Tu es une sotte, se dit Bianca, tentant de réprimer les pensées absurdes qui se bousculent dans sa tête et lui racontent une histoire à dormir debout. Mais elle continue de se sentir agitée, à la fois mécontente et intriguée : cette trame est meilleure que celle d'un roman, et elle existe dans la réalité. Ce drôle de petit coussin brodé avec tant de soin existe, et il doit avoir un sens. Qu'il faudra découvrir.

Cependant, la petite guerre continue : Pia et Minna ne se parlent plus, et la plus jeune s'obstine à considérer qu'on lui a fait un tort impardonnable, alors que la plus grande, en public, hausse les épaules et traite sa cadette de folle ; mais il suffit de la regarder à la dérobée pour deviner combien tout cela lui est pénible, et combien elle se tourmente pour tenter de régler le problème. Enfin, une solution vient à l'idée de Bianca, qui se sent fautive d'avoir suscité la querelle. Elle expose la situation à donna Clara et lui demande la permission nécessaire.

« Un différend ? Mais pourquoi diable, alors que nous les traitons si bien ? »

Bien sûr. Comme des bestioles dans des cages, pense Bianca, mais elle n'en dit rien. Au lieu de quoi :

« Vous savez, ce sont des gamines. Elles ont leurs caprices, leurs petites rancunes. »

Minimiser une affaire sérieuse lui semble le bon raccourci pour arriver à son but, et elle fait part de sa proposition. Donna Clara se montre d'abord hésitante et la regarde avec suspicion : est-ce qu'une étrangère va maintenant prétendre commander dans sa maison ? Et puis, se mêler des disputes entre servantes ! Mais elle les aime bien, ces petites, et il lui plaît de penser que la justice et la concorde règnent dans ses domaines. Bianca le sait.

« D'accord, d'accord, si vous pensez que c'est bien… Mais tenez-moi au courant, n'est-ce pas ? Quelles petites dindes, elles ont vraiment la belle vie, pourtant, habillées, chaussées, nourries et chauffées comme elles sont… »

Bianca ne peut se contenir.

« Admettons. Mais une fois satisfaits ses besoins essentiels, tout être humain sent s'éveiller en lui d'autres aspirations. C'est inévitable. »

La vieille dame la regarde d'un air un peu revêche : se peut-il que la miss ose se moquer d'elle ? Mais non : elle chasse la grosse mouche du soupçon en agitant les mains.

« Vous êtes vraiment une intellectuelle, miss Bianca. Ah, toutes ces femmes savantes… »

Ainsi commence l'alternance. Un jour Minna, un jour Pia. Parfois toutes les deux, à se partager les tâches : celle qui coiffe n'accompagne pas, celle qui accompagne ne coiffe pas. Elles écoutent Bianca sans rien dire, Minna faisant la tête pour ne pas renoncer au rôle gratifiant de l'offensée, Pia d'emblée toute contente ; et c'est elle qui tend la main à l'autre :

« Nous faisons la paix, alors ? »

Minna regarde le geste de Pia, mais continue de fixer un point en l'air, droit devant elle ; puis elle part d'un léger rire, hausse les épaules et se laisse embrasser. Bianca les regarde, l'une, puis l'autre, et s'étonne de leur capacité à être si différentes bien qu'elles aient grandi au même endroit : la petite est querelleuse et roublarde, elle a la langue bien pendue et des idées bien arrêtées, et ne répugne pas aux arguties pour défendre ses modestes certitudes ; l'autre est généreuse et toute disposée à céder du terrain par amour de la paix. Inutile de dire laquelle elle préfère. Mais avec de la patience, Minna pourra peut-être changer si on la guide. En revanche, Bianca souhaite que Pia ne change jamais, et préserve sa belle sincérité. Peut-être est-elle sans défense, alors que l'autre est mieux armée ; mais forte d'une simplicité et d'une droiture qui la font marcher quelques centimètres au-dessus de la fange : juste ce qu'il faut pour ne pas salir ne fût-ce que l'ourlet de sa robe.

Le énième lundi où il pleut, Bianca ne peut résister à l'appel : elle prend un manteau à une patère près de la cuisine et sort. Au bout de trois pas, elle s'en repent déjà : l'étoffe graisseuse a conservé des odeurs de toutes sortes – de poil de chien, de jus de rôti, de cendre, sur un fond plus vague et plus générique de saleté –, qui se mêlent et se répandent, ravivées par l'humidité. Il n'est pas agréable de marcher dans ces relents, si intenses qu'ils étouffent le parfum vert du parc mouillé. Mais il est trop tard pour retourner en arrière, et le manteau de Ruggiero remplit au moins son office : les gouttes glissent dessus comme sur les plumes d'un canard.

Son sixième sens lui donne raison. L'apparition est là. Cette fois, elle a accroché son voile au bord de son chapeau, et elle avance lentement dans l'herbe haute, tenant sa jupe à deux mains. Elle regarde ailleurs. Même de loin, on distingue ses grands yeux, sa peau très claire. Sa démarche est contenue, élégante. Bianca se dispose à s'avancer, sûre de l'avoir enfin à sa portée, de pouvoir questionner, savoir, cette fois ; mais soudain, elle s'immobilise, saisie d'un mélange de crainte et de respect. La dame s'est arrêtée, elle a incliné son menton sur sa poitrine et elle reste là, telle une statue de sel. Dans une brève bourrasque, son voile se soulève et lui recouvre le visage comme un rideau de scène. À présent, elle est effrayante et ressemble bel et bien à un spectre, comme on le dit ; et peut-être en est-elle un. Bianca recule, se retourne, court jusqu'à la grille qu'elle a laissée entrouverte, la pousse, la referme derrière elle en tournant la clef dans la serrure et l'emporte avec elle. Puis elle court et court encore, comme si, en s'éloignant, elle pouvait de quelque façon replacer cette vision dans le cadre d'une scène vue de loin, peut-être seulement imaginée, une chimère à caresser dans un moment d'ennui ; rien de réel, non, certainement pas.

Elle fait son portrait aussitôt, le soir même, pour n'oublier aucun détail. Le voile constellé de gouttelettes, comme le manteau nuptial d'une princesse de conte ; les yeux, larges et profonds, même derrière la fine étoffe grise ; la grande bouche, le nez droit et décidé, le menton impérieux. Elle est sûre qu'elle reviendra.

Pourtant non, elle ne revient pas ; elle ne reparaît pas le lundi à l'heure des vêpres, ni le mardi, ni le jeudi. Son absence n'est pas passée inaperçue, et suscite des rumeurs jusqu'au sein de la domesticité : « Alors, elle ne vient plus ? – Elle a peut-être trouvé la paix, pauvre âme errante. – À moins qu'elle soit morte de la grippe ! » Mais si Bianca demande des explications, les femmes se taisent, regardent ailleurs et changent de sujet. Elle ne vient plus, donc elle n'existe plus. On trouve aisément un nouveau sujet d'effroi à commenter en plumant les cailles : le fils maboul de la vieille Angelina, qui ne cesse de grossir à mesure qu'il grandit et, à vingt ans, ressemble à un ogre, et d'ailleurs mange comme un ogre, au point qu'on se demande dans quel état il finira ; le marchand de boutons, qui a des yeux de gitan et dont on dit qu'il emporte l'âme des vierges, même si en réalité il se borne à leur dérober quelque chose de plus accessible. Bianca s'agace de ces commérages, inquiète de la disparition du fantôme qui, faisant preuve de beaucoup de métier, ne s'est révélé que pour se volatiliser. Mais elle ne veut plus y penser : au vrai, elle se sent bête à force de curiosité insatisfaite et inutile. Et de toute façon, il y a beaucoup à faire, dans la cuisine comme dans les salons, la nursery ou le bureau ; les enfants lancent des cris stridents, les invités mangent et boivent, les serviteurs se plaignent et jurent, les maîtres donnent des ordres puis s'asseyent pour boire le thé ; les fleurs s'épanouissent et défleurissent, et il faut les capturer aussi longtemps que c'est possible.

Petite main jolie, avec ta sœur,
Où es-tu passée, dis-moi ?
Chez la reine, ou chez le roi ;
Mais qu'est-ce qu'ils t'ont donné ?
Du pain, du lait, du rosolis :
Guili guili guili…

« À moi aussi, à moi aussi ! »

Les jours de pluie, les petites mains qui se tendent pour se faire caresser et chatouiller dans la paume sont en nombre incalculable, comme si la maison n'abritait pas qu'une modeste fratrie, mais une bête à cent pattes désespérément avide d'échapper à l'ennui. Et même si la bête était d'abord perplexe – « Mais qu'est-ce que vous racontez, miss ? On n'y comprend rien ! » –, elle s'est vite habituée au son des comptines que Bianca est allée puiser dans une enfance encore très proche, comme l'affirme Innes.

« Vous me le faites, à moi aussi ? »

Grand benêt de Tommaso, qui se glisse dans la nursery en quête d'évasion et se met à genoux, puis à quatre pattes comme un animal, pour être à hauteur des enfants et les faire rire. Bianca s'en amuse un instant, puis le chasse :

« Allons, allons. Nous avons des choses à faire, ici. Et même à apprendre.

— Je ne vois pas Nanny. Vous l'avez enfermée dans une malle ? »

Petits rires : l'hypothèse est séduisante. Le quadrupède s'éloigne à reculons, dodelinant de la tête comme un bon chien. Et maintenant ?

« Maintenant, on se déguise ! »

Grimace des garçons.

« C'est un jeu de filles !

— Alors, vous n'avez qu'à partir. Je rappelle Tommaso pour qu'il vous emmène ?

— Nooooon !

— Miss, miss, nous nous déguisons en quoi ?

— En ce que nous voulons. »

Ils ont déjà des idées et disparaissent en vitesse. Pietro et Enrico se sont emparés de deux vieux manteaux – costumes ou uniformes, c'est difficile à dire – et les font tourner comme des toreros. Les fillettes rient.

« Je suis prête ! », annonce Pia, encore cachée.

Minna la précède en battant des mains, excitée, et quand son aînée lui impose silence, elle se tait et contemple son œuvre comme si elle n'était pas sûre de l'avoir accomplie elle-même. Avec son auréole d'épingles à l'aspect presque dangereux qui traversent son chignon, Pia ressemble à une paysanne du temps passé, apprêtée pour des noces rustiques.

« Comment ça, du temps passé ? proteste Minna quand Bianca exprime sa pensée à voix haute. Comment ça, une paysanne ? C'est une fileuse, vous ne voyez pas ? Cette robe et cette coiffure, c'est la tenue de fête des femmes du lac, celles qui travaillent la soie des vers. Ma mère vient de là-bas. J'ai tout pris dans la malle où il y a mon trousseau, mais n'allez pas le répéter. Et gare si on les abîme, parce que je dois les porter pour mon mariage !

— Si quelqu'un veut de toi », plaisante Pia.

Minna reste immobile, sérieuse. Puis elle éclate de

rire, et tout le monde rit avec elle. Cependant Pia, la mariée, tout entière imprégnée de son rôle, baisse les yeux et sourit pour elle-même. Tout cela est un spectacle, et elle est une petite actrice. Minna disparaît derrière le paravent chinois tandis que les fillettes fouillent dans une caisse pleine de chapeaux, de plumes, de doublets et de vieux corsets, et, au milieu d'exclamations et de quelques éternuements, se métamorphosent et courent se regarder dans le triple miroir, et rient, rient de la gentillesse complice de leurs sœurs quand elles approuvent leur accoutrement. « Vraiment, vous n'aviez jamais joué à ça ? s'étonne Bianca. Quand j'avais votre âge, nous le faisions tout le temps. » C'est elle qui a exploré les combles, s'avançant dans les espaces vastes et froids, mal éclairés par d'étroites fenêtres hautes toujours ouvertes sur le monde comme de petits yeux curieux ; c'est elle qui y est retournée une deuxième fois, plus à son aise ; et, entre autres choses, qui a trouvé dans une armoire ces brassées de vieux vêtements. Donna Clara, interrogée, a haussé les épaules. « Je ne sais pas ce qu'il y a, je ne suis jamais montée là-haut. Prenez tout ce que vous voulez. » Avec cette permission et la complicité de Minna et de Pia, elle a choisi les plus beaux et les plus étranges de ces affutiaux ; ensemble, elles les ont battus comme des tapis et exposés au soleil, mais en cachette des trois sœurs, pour leur faire une surprise. Qui a fonctionné. Minna continue à bavarder, de la petite voix pétulante qu'elle a quand elle est excitée : « Et le marié, Pia, ce sera qui ? Nous te donnons à Pietro ou à Enrico ? Ou tu préfères Luigi le sonneur ? » De nouveau, tout le monde rit :

Luigi est un jeune freluquet tout en os, et, quand il sonne les cloches de l'église, ses pieds se détachent de terre et il s'élève, accroché à la corde comme s'il allait disparaître, avalé par le clocher. (C'est Pia qui a montré ce spectacle à Bianca, la guidant en silence dans un coin de la sacristie.) Enfin habillée, Minna surgit d'un air fanfaron. Son pantalon et sa chemise à jabot l'ont transformée en un ravissant garçon. « C'est moi, c'est moi qui vous veux pour femme, mademoiselle ! Vous voulez bien de moi ? » Elle tombe un genou en terre au pied de l'épouse, qui serre son châle sur ses épaules en feignant la pruderie. Nouveaux rires. Mais le rire s'éteint sur les lèvres de la mariée, qui semble fascinée par quelque chose qu'elle voit du côté de la porte. « Qu'est-ce que tu as, une vision ? », lui demande Minna. Mais comme la réponse n'arrive pas, elle se tourne aussi et, l'une après l'autre, les fillettes l'imitent. Entre-temps, Pia a baissé les yeux sur ses pieds. Bianca le voit apparaître dans le miroir, distingue son visage et sa chemise, car le reste de ses vêtements est sombre et ses contours se perdent dans la pénombre du couloir.

Enfin, elle se tourne et s'avance, prête à prendre la défense de toute la petite troupe. « Nous jouions », dit-elle, d'un ton plus coupable qu'elle ne l'aurait voulu. Car après tout, ils ne font rien de mal : ils sont dans la nursery, l'endroit prévu pour les jeux, et dehors il pleut et on s'ennuie. Alors quoi ?

Mais lui ne dit rien. Il est comme hypnotisé par Pia, qui a fini par relever les yeux et soutient son regard avec une tranquillité qui pourrait passer pour de l'arrogance. Bianca voudrait interrompre cet échange muet qui la gêne, d'autant plus qu'il annule le reste du monde alentour. Elle est aussi inquiète pour Pia, redoute qu'elle ne s'attire une punition à cause de son impudence. Mais il continue d'observer la jeune servante, la tête un peu inclinée de côté, comme un peintre devant son modèle, méditatif, distant.

C'est Matilde qui rompt la tension. Elle étreint les genoux de son père et lui dit, son petit visage levé :

« Tu as vu comme je suis belle ? »

Enfin, il se secoue, tend les bras vers le bas et soulève l'enfant, qui rejette ses boucles en arrière avec ses deux mains comme pour se faire plus jolie. « Je suis déguisée en page, tu vois ? » Et elle agite ses petits pieds chaussés de babouches de soie bleue. « J'ai même un chapeau à plumes… » Elle se dégage des bras paternels pour courir récupérer le couvre-chef qui, dans la fougue du jeu, a roulé sous le sofa.

Lui se tait. Bianca ne sait que dire. Elle espère seulement qu'il va partir au plus vite, emportant avec lui l'embarras qu'il a suscité. Ce qu'il fait, tournant sur ses talons, toujours sans mot dire.

Libérée de sa présence, la nursery semble plus grande, presque plus lumineuse, même si le bleu du monde mouillé au-delà des fenêtres se mue déjà en une nuance plus opaque. Minna tend les mains aux fillettes et dit : « Maintenant, faisons la ronde. » Et pendant que toutes entonnent une chansonnette sur un air un peu faux, Bianca a l'impression de revoir leurs jeux du premier jour, quand Pia n'était pas encore entrée en scène et que tout semblait si innocent, si frais. Ce n'est pas sa faute, bien sûr. Elle chante à pleins poumons, les joues roses comme celles d'une vraie mariée. Elle se penche tantôt vers Francesca, tantôt vers Matilde, leur murmurant de petits mots secrets à l'oreille et obtenant en réponse des rires étouffés, puis se redresse et recommence à chanter. Lâchant les mains de ses compagnes, elle laisse tomber les siennes le long de ses flancs. Ainsi redevient-elle paysanne, et ses pieds s'agitent dans une danse compliquée. C'est une excellente danseuse. Tout le monde ralentit et finit par s'arrêter pour la contempler, avec respect. Ses épingles à cheveux vibrent à chacun de ses sauts et capturent la lumière douce des bougies. Pia danse, danse comme si elle n'avait plus de mémoire, comme si elle était seule sous le ciel assombri de l'été, écoutant une musique qu'elle entend dans sa tête, libre, heureuse.

« Vous marquez aussi ce qu'elles signifient ? »

Bianca déteste être observée quand elle travaille, mais ne peut guère chasser les curieux comme si c'étaient des poules échappées de la basse-cour, pscht, pscht, allez-vous-en. Avec les enfants, ce serait possible, car ils y sont habitués, et même Nanny s'en irait, quitte à faire un peu la tête ; mais avec donna Clara, pas question. Aussi fait-elle semblant de n'avoir pas entendu, espérant que la dame, comme cela lui arrive souvent, change de sujet ou s'éloigne, distraite. Mais elle insiste :

« Oui, le langage des fleurs ! Rose jaune : jalousie ; rose rouge : passion ; rose blanche : innocence ; rose lilas : émotion. Je m'y connais, pas vrai ? Tel fils, telle mère. »

Les enfants rient avec leur grand-mère sans comprendre, seulement parce qu'elle rit. Enrico tend la main vers un fusain ; Giulietta lui donne une tape sur les doigts et il lui fait une grimace, découvrant ses dents comme un chien ; Nanny claque la langue comme si elle s'adressait à un cheval. Bianca les ignore tous et continue à dessiner.

« Je parle, s'entête donna Clara, de la communication secrète, vous voyez ? Du message. Comment est-ce ? Mauve : compréhension ; tubéreuse : volupté ; myrte : infidélité.

— Et les marguerites ? demande Matilde, montrant le bouquet déjà écrasé de fleurettes qu'elle étouffe dans son poing.

— Innocence, ma jolie. C'est exactement ta fleur. »

Bianca apporte une dernière touche à ses fuchsias (frugalité), puis rend les armes, laissant tomber un peu trop brusquement son pastel, qui roule jusqu'au bord de la table et là s'arrête, roulant une fois, deux fois, trois fois. Francesca, à tout hasard, tend ses petites mains, mais il n'y a rien à sauver, cette fois.

« Je n'y crois pas, dit Bianca. Honnêtement, non, pas du tout. Les pauvres fleurs sont toutes fidèles, parce qu'elles dépendent entièrement de nos soins. Et elles sont toutes traîtresses, parce qu'il suffit de peu de chose pour qu'elles disparaissent : le gel, le vent, un ver de terre. Elles n'ont pas de cerveau : elles ont leur vêtement, et c'est assez. C'est nous qui devons être meilleurs qu'elles : constants, patients et secourables. Sans prétendre à rien en échange, sinon au don de leur beauté, quand elle se révèle et aussi longtemps qu'elle est là. »

Une ombre sur la porte de la serre.

« Bien dit, miss. »

La voix de don Titta la fait tressaillir ; les enfants se retournent et se pressent vers lui. Mais pas Bianca, qui s'occupe de se nettoyer les doigts avec un chiffon. Innes est là aussi, quelques pas en arrière. Il s'arrête, croise les bras, s'appuie au jambage de fer.

« Restez comme vous êtes, poursuit don Titta. Regardez quelle peau intéressante vous fait ce travail : bleue et pourpre, comme si vous aviez attrapé des papillons. Ce que je te déconseille de faire, Pietro, sinon je me mettrai très en colère. Compris ? »

Même s'il n'en avait pas encore eu l'idée, le gamin affiche un sourire en coin et écrase le gravier avec ses pieds, tout prêt à la cruauté. Bianca frotte une tache d'indigo sur son poignet, mais elle ne part pas : il faudra du savon. Donna Clara intervient :

« Avec les images, elles sont tellement plus jolies, les listes ! Avant, tout était en noir et à l'encre rouge, pour les greffons français. On aurait dit des rapports de police. »

Son fils l'ignore et continue :

« De toute façon, c'est vous qui avez raison et vous faites bien de rester comme vous êtes. Le vrai jardinier est celui qui sait se salir les mains. Sinon, il n'est qu'un dilettante. »

D'instinct, Bianca cache les siennes derrière son dos, consciente d'avoir de la saleté sous les ongles, car elle a planté ses doigts dans l'humus, pour le sentir, tiède et granuleux, presque vivant. Innes est le seul à remarquer son geste et semble en deviner la raison : il sourit et se tait. Don Titta n'y prend pas garde et poursuit :

« Je ne serai jamais à votre hauteur. Je ne suis qu'un marchand de primeurs vaguement civilisé. Un théoricien qui se complaît dans son dilemme assis à son bureau : cloporte ou vergne ? Flageolets ou haricots ? Il faudra bien un nouveau Linné rustique pour décider des noms des légumes, pour toujours et pour tout le monde. Je pourrais m'y consacrer sérieusement. Qu'est-ce que vous en dites, Innes ? Je suppose que cela aussi pourrait être défini comme une unification bienvenue.

— Bah ! dit donna Clara. Du moment qu'ils sont dans mon assiette et bien cuisinés, pour moi, c'est la même chose. C'est la saveur qui compte. Est-ce qu'ils le disent, dans tes traités ? »

Innes écarquille les yeux à l'intention de la seule Bianca, qui rirait si elle pouvait, mais se contente de toussoter.

« Vous n'aimez pas la verdure ? Ce serait triste, avec votre métier, dit donna Clara, avec espoir. Mais ce soir, il y a des mange-tout en conserve. Pas de haricots verts, ce n'est plus la saison. »

Là-dessus, femmes et enfants s'en vont.

« Vous venez aussi, papa ? »

Francesca se pend à sa main et il cède volontiers, fermant le cortège avec la fillette qui sautille à son côté, toute contente de l'avoir rien que pour elle.

Bianca est hésitante : elle reprendrait son travail avec plaisir, mais à présent elle se sent trop distraite. Innes s'avance, feuillette le livre presque entièrement illustré et hoche la tête.

« C'est un petit chef-d'œuvre, Bianca. Vous êtes vraiment la maîtresse des fleurs. Vous les connaissez et vous les possédez.

— Je dirais plutôt le contraire : ce sont elles qui me prennent mon temps, mon goût et tout ce que je suis. Mais assez parlé de moi, cela m'ennuie. Vous, plutôt : de quoi êtes-vous le maître ? Dites-le-moi. »

Innes s'assied sur le petit divan, aussi gracieux qu'inconfortable. Ce n'est pas un siège qui lui convient : il est beaucoup mieux à sa place dans un fauteuil en cuir fendillé, un livre à la main.

« Je ne sais pas, Bianca. Je ne sais pas. Ce que je désire n'est pas à ma portée.

— Même les philanthropes méritent d'être heureux, plaisante Bianca.

— Je vous en prie, ne faites pas la naïve avec moi ! dit Innes, sérieux, presque fâché. Le bonheur ne se mérite pas. On le prend quand il vient, s'il vient, mais c'est affaire de chance. On mord dedans comme dans un fruit insolite, en sachant qu'il ne nous rassasiera pas. » Puis il se radoucit. « Ne m'écoutez pas. La vie se chargera de tout vous apprendre en temps voulu. Vous n'aurez qu'à vous fier à elle.

— Vous ne me plaisez pas quand vous êtes si sérieux.

— Somme toute, poursuit Innes comme s'il ne l'avait pas entendue, il n'est pas dit que le bonheur ne soit pas une bonne fin pour tout le monde. Mais moi, par exemple, je me contente d'une ambition moins resplendissante : la bonté.

— Donnée ou reçue ?

— Bianca, Bianca, c'est votre plus grand défaut : vous n'arrivez pas à être légère, même quand vous essayez. Ou peut-être est-ce une qualité, comment savoir ? Votre question est importante, mais je ne vous répondrai pas. Pas maintenant. C'est un après-midi magnifique. Vous m'accompagnez de l'autre côté ?

— L'autre côté par rapport à quoi ? demande Bianca, déroutée.

— À eux tous, bien sûr. »

Ils rient. L'Anglais dénoue le cordon de son tablier et elle le retire, puis le jette sur la table. Ils sortent bras dessus bras dessous du refuge trop tiède pour s'enfoncer dans la fraîcheur parfaite du crépuscule.

Bianca marche dans le potager – mais plus qu'un potager, c'est presque un jardin en raison du soin méticuleux apporté aux légumes et aux herbes dans leurs carrés bien tracés – et admire les formes et les couleurs de tous ces légumes qui jaillissent parmi les feuillages : les trompettes des fleurs de courge tardives, les joues empourprées des tomates, certaines aubergines cardinalices. Ce n'est qu'un instant, un élan : elle s'arrête, cueille et enveloppe dans son tablier deux, trois, quatre de ces fruits de la terre. Ils sont tiédis par le soleil, et cette tiédeur l'accompagne tandis qu'elle retourne en arrière, rapide, inhalant l'arôme religieux du romarin de part et d'autre du sentier, dont elle peigne le haut des buissons avec les doigts de sa main libre comme elle le fait toujours, depuis toujours, par une impulsion irrésistible. Et c'est ce parfum, plus que son geste, qui réveille un souvenir très vif, pointu comme la mémoire de ce qu'on a perdu : sa promenade avec son père dans l'Orto Botanico de Padoue, sous la surveillance à distance d'un moine en bure sombre qui les avait laissés entrer seuls en échange d'une pièce, mais n'avait pas pour autant chassé ses soupçons. « Je pourrais emporter une bouture dans mon ombrelle », avait plaisanté Bianca. Et le religieux, faisant écran de son corps, avait coupé, justement, une branchette de romarin et l'avait glissée dans les plis de son ombrelle, ce qui l'avait fait rire. « Mais les simples, ce sont les herbes ou les gens qui les cultivent ? », avait-elle demandé, redevenue sérieuse. Elle avait quinze ans et ils venaient d'entamer leur voyage. Jamais jusqu'alors elle n'avait joui de la présence entière de son père, de tout son temps : un privilège dont elle ne se lassait pas et qu'elle récompensait par une attention inconditionnelle, telle une élève en compagnie d'un maître vénérable, l'amour en plus.

« Bonne question, avait-il dit. Je crois que les deux vont ensemble : si on n'a pas le cœur pur, on contamine les plantes dont on s'occupe. Les herbes simples sont celles qui soignent les maladies et rendent la santé. Mais ce moine aussi est certainement un simple, sinon il ne serait pas là, pieds nus dans ses sandales : il se tiendrait dans une salle pleine de fresques et caresserait sa robe pourpre, lorgnant déjà vers Rome. Pourtant, je suis sûr que c'est un homme heureux, même sans pourpre. Tu t'appelles Bianca parce que nous t'avons voulue simple, essentielle, pure. Parce que nous voulions que tu choisisses toi-même tes couleurs. »

Le gravier crissait sous leurs pas et le vent emportait par poignées les pétales violets du gattilier, comme des confetti lancés par un enfant.

« Vous voulez que je sois peintre ? avait demandé Bianca, s'arrêtant et se tournant vers son père. Et si j'en étais incapable ?

— Ne sois pas si littérale, Bianca. Je pense à quelque chose de différent, et de plus ambitieux. »

Elle avait rougi, se sentant obtuse, mais au bout d'un instant elle avait compris.

« Mes couleurs dans le sens d'un drapeau, ou d'un étendard ?

— Exactement. En Amérique du Nord, les guerriers de certaines tribus se peignent le visage avant de partir au combat, pour montrer la couleur de leur courage. Mais il n'y a pas besoin de les arborer sur les joues, ses couleurs personnelles. L'important est de les connaître. »

De ce jour, elle se rappelle aussi le platane oriental dont le moine gardien, poliment prié de fournir quelques explications, s'était vanté comme s'il était sa créature : « Il a plus de cent trente ans. » Bianca s'était demandé comment il pouvait le savoir, et si quelqu'un, en mille six cent quelque chose, avait pris le soin de noter dans un registre : « Planté bourgeon de *Platanus orientalis L.*, promet bien, nous en ferons le Mathusalem de notre forêt domestique. » Le religieux avait continué, sur le ton d'un homme qui récite une leçon : « Comme vous pouvez le remarquer, le tronc est creux, à cause de la foudre qui s'est abattue sur cet arbre vénérable alors qu'il était déjà centenaire, mais sans le faire mourir. Il continue de produire des feuilles, des fruits et des semences chaque année.

— Un végétal sans âme ? », avait demandé son

père, dans l'intention évidente de mettre le moine dans l'embarras.

Celui-ci avait rougi et s'était perdu dans une double argumentation :

« Son âme... ce sont les feuilles, et les fleurs, et les fruits... L'âme n'est pas le cœur... pour un arbre, s'entend. L'arbre n'a pas de cœur... »

Une autre pièce avait tiré l'homme simple de sa confusion.

À présent, courant vers le bureau avec les légumes dans son tablier, Bianca songe qu'elle ne sait pas encore quelles sont ses couleurs : toutes, et peut-être aucune, comme à l'intérieur d'une goutte de pluie qui s'arrête sur une feuille et recueille en soi l'essence du monde. Elle dispose le fruit de sa cueillette dans un panier, puis se ravise parce qu'on dirait un tableau de Baschenis : posés sur la table en bois brut, presque au hasard, ils sont parfaits. Elle les dessine, puis les colore, sans savoir à qui pourra plaire ce portrait d'un petit morceau du potager ; mais le résultat est beau, il est la vie même. À la fin, de ses doigts tachés, elle prend une tomate, mord dedans et la mange jusqu'au bout, vorace, absorbant à la fois la couleur et le jus qui lui colle aux mains. Le rouge est aussi une saveur.

Honnêtement, il faut le dire : les enfants – les garçons, s'entend – sont insupportables. Pietro réclame une attention totale, il est avide, despotique ; il veut toujours avoir raison ; et, parce qu'il est l'aîné, il jouit de privilèges refusés à tous les autres. Et cette sédimentation de ses défauts dans la tolérance des adultes ne fait qu'accentuer sa propension à la tyrannie. Enrico se borne à le suivre et à l'imiter en tout, comme il est naturel, à cela près qu'il est par nature plus fragile et plus enclin aux pleurs. Ensemble, ils sont tout simplement pernicieux. Un jour, Bianca a surpris Pietro en train de jeter une araignée dans la toile d'une autre. De loin, elle n'avait compris ni son geste ni son intention : elle l'avait vu lancer quelque chose, puis regarder dans le vide, accroupi sur le sol, son frère recroquevillé à côté de lui. Intriguée, elle les a rejoints assez vite pour voir la maîtresse de maison envelopper l'intruse de sa bave avec une frénésie féroce. La victime bougeait encore, elle a remué quelques secondes. Puis plus rien. Pietro a levé les yeux vers Bianca, qui lui faisait de l'ombre, et l'a regardée de bas en haut d'un air de défi, les lèvres entrouvertes dans un petit sourire.

« Tu es cruel, lui a dit celle-ci.

— Papa le fait aussi », a rétorqué le garçon.

Et il a cherché dans le gravier une autre bestiole, une fourmi cette fois, pour lui infliger la même fin. Bianca a fait volte-face et elle est partie sans rien dire. À Pietro, elle ne sait jamais que dire.

Le lendemain, c'est lui qui s'est approché, d'un pas indolent, comme par hasard, son frère dans son sillage, alors que Bianca, dans un moment de paresse, se promenait dans le parc. Il avait les mains derrière le dos, un adulte en miniature. Il lui a barré le passage sur le sentier, jambes écartées, dans une pose de brigand.

« Moi aussi, j'ai écrit un poème. Comme papa. Tu veux l'écouter ? »

Bianca a acquiescé sans sourire, ni se laisser leurrer par son ton innocent. Il a pris le feuillet qu'il cachait dans sa poche, l'a déroulé comme un messager et a lu :

Les os des morts
Sont longs, sont courts,
Sont blancs, sont morts,
Et ils te font trembler.
Attention aux omoplates :
Si elles viennent lentement
Et si tu meurs de peur,
Elles te feront crever.

« Ça te plaît ? », a-t-il demandé, s'attendant à l'indulgence habituelle.

Mais Bianca a répliqué sans pitié :

« Tu ne maîtrises pas les rimes, et il y a des vers qui sont à peine de l'italien. Et puis, "crever", c'est un verbe qu'on emploie pour les animaux, pas pour les humains. Donc, il faudrait tout refaire. Sans compter que les poèmes sur les os ne sont plus à la mode depuis longtemps.

— Peut-être que les os ne sont plus à la mode, mais ils font peur. Si on en voit, on pousse des cris qui font trembler les vitres. Fais attention, parce qu'ici, des os, il y en a partout, pas vrai Enrico ? Ils sortent de terre comme tes belles fleurs chéries. »

Enrico, en bonne petite crapule subalterne, a fait oui de la tête, et Pietro s'en est allé, les mains de nouveau derrière le dos, serrant sa feuille tel un dignitaire offensé, Enrico à sa suite mais deux pas en arrière.

« Minna, qu'est-ce que c'est que cette histoire d'os qui sortent de la terre dans le jardin ?

— Qui vous en a parlé, des os, mademoiselle ? » Minna écarquille les yeux, alarmée.

« J'ai entendu la conversation des garçons…

— Ah, ces deux chenapans. C'est une vilaine histoire. Vous voulez vraiment la connaître ?

— Je t'écoute, l'encourage Bianca.

— Eh bien, soupire Minna, ce sont les os du comte Carlo, à ce qu'on dit. » Elle se mouche, puis raconte le tout trop vite, comme un enfant qui avoue une faute, le front plissé, le regard fixé dans le vide. « C'était lui le maître, ici. Mon grand-père dit qu'il était gentil, pour un comte. Et puis il est mort, il a tout laissé à donna Clara et tout le monde est venu habiter ici, comme un troupeau. Et les os… Eh bien, d'abord, Madame – la vieille dame, je veux dire – a fait toute une histoire pour qu'il ait la plus belle des tombes, le comte. Les marbriers sont venus, avec un maître d'œuvre de Bergame. Et puis, on a transféré le cercueil. Il y a eu une fête, enfin, pas vraiment une fête, mais comme un second enterrement, avec le curé et tous les Français venus de Paris, qui racontaient comme il était formidable, le comte. Moi, je ne l'ai pas vu, j'étais trop petite, mais on me l'a raconté. On l'a enfermé dans le petit temple, le cercueil, et au début elle passait son temps à nous faire faire des couronnes de fleurs et à réciter le rosaire, tous les jours, comme si c'était une sainte. Et puis elle en a eu assez, ou alors c'est lui, son fils, quand il est arrivé, et on a abattu le petit temple. Il a fallu deux jours, et ça, même moi je m'en souviens parce que j'avais grandi, et les pierres, on s'en est servi pour faire cet autre bâtiment, qu'ils appellent je ne sais plus comment... ah, oui, le gazebo, là-bas, sur la petite butte, mais tout le monde dit encore le petit temple, et... et le cercueil a disparu. Mais on dit que les os sont toujours là, et qu'ils se promènent. Moi, ça me fait peur, les os des morts.

— Mais qui dit cela ? se hasarde à demander Bianca, pour trouver un peu de sens à ce salmigondis.

— Les gens, dit Minna en se tordant les mains sous son tablier. Mais pourquoi vous intéressez-vous aux histoires horribles, mademoiselle ? Vous savez, le fantôme du comte Carlo va se mettre en colère et venir vous tirer les pieds la nuit ! »

Bianca rit.

« Les fantômes n'existent pas, Minna. »

C'est vrai, du moment qu'on ne prend pas la peine de les évoquer ; parce qu'alors, ils prennent forme, pour partie comme on les a voulus, pour partie comme eux le veulent : prompts à nous affliger, si nous le désirons, ou à nous apporter le réconfort, si c'est de cela que nous avons besoin ; avec le risque qu'ils n'aient plus envie de s'en aller, tant ils se sentent bien dans la consolation qu'ils nous apportent, dans le regret, dans les sentiments de faute, dans le dur coussin de la douleur renouvelée.

Il y a des moments où elle pourrait faire de Pia l'amie qu'elle n'a pas et qui, peut-être, lui manque : leur entente est de celles qui n'ont pas besoin de mots et se nourrissent de regards, de gestes, de minuscules attentions réciproques ; une complicité qui bannit tout le reste de l'univers féminin, absorbé par ses affaires sans importance, et rend précieux, si précieux le peu qu'on a. Des cadeaux de fleurs, que Pia coupe et arrange avec une grâce innée, mêlant le haut avec le bas – une gueule de loup, trois renoncules, un petit bouquet de roses naines – comme si elle n'avait jamais rien fait d'autre de sa vie, les disposant dans un bol dépareillé au sombre décor noir et or, qui, par lui-même, serait laid, mais devient par sa main digne de la table d'un dieu ; des cadeaux de rubans, non pas usés, mais neufs et crissants, un collet de dentelle propre à adoucir le plus sévère corsage de gros coton, trois mouchoirs à ourlet ajouré. (Et qui prétend qu'on n'offre pas de larmes ? Ce sont des sottises : chacun offre ce qu'il peut.)

« Tu fais parfois des rêves, Pia ? », lui demande Bianca, avec la brutalité de la confidence.

Étendues sur l'herbe, les yeux perdus dans le ciel, les mains derrière la tête, les pieds tout proches : une horloge humaine qui marque les heures de la liberté.

« Je préfère ceux que je choisis toute seule, répond Pia, tranquillement. Comme ça, je m'invente une vie différente de ce qui sera.

— Mais tu ne peux pas en être sûre.

— Oh, si, je peux : si je l'ai déjà imaginée, elle ne peut pas être la vraie. Voilà pourquoi je m'invente des choses impossibles : comme ça, je m'amuse et je ne gaspille rien. »

L'économie pratique du contentement.

« Et qu'est-ce que tu inventes ?

— Je ne peux pas vous le dire, miss. Vous ririez de moi.

— Moi ? Jamais de la vie.

— Et vous, miss ? Vous rêvez ?

— Seulement la nuit. Et ensuite, je ne me rappelle rien, sauf que j'ai rêvé. Ou plutôt si : une fois, mon père est venu me voir, et je m'en souviens. Il était en chemise, comme le Christ au milieu des brebis, et il voulait me prendre dans ses bras, mais il était trop loin.

— Et votre mère ? »

Quand on ne réfléchit pas, certaines paroles viennent plus facilement.

« Elle ne riait jamais. Ensuite, elle est morte.

— Peut-être qu'elle le savait. Qu'elle allait mourir, je veux dire. Donna Julie aussi... Non, elle rit. En quelque sorte. »

Bianca pourrait se montrer curieuse : et la tienne, de mère ? Les langes de luxe, et le reste ? Mais elle se retient : elle ne voudrait surtout pas perdre ce qu'elles ont, ce qui est. Ah, pouvoir tout dire, sur tous les sujets, presque sans penser, en sachant qu'il n'y aura aucune conséquence, que personne ne le répétera, même si ce sont des choses dont on a honte !

« Vous le trouvez beau, Tommaso ?

— Allons, Pia ! Il est tout jeune.

— Justement.

— Il a les cheveux soyeux. Ce serait amusant d'y passer les doigts, de le dépeigner un peu.

— À mon avis, il n'en a pas besoin. »

Rires, et silence.

« Moi, je le trouve beau. Luigi aussi devient beau,

187

mais son père veut l'envoyer au service des Crippa de Lampugnano. Nous ne nous verrons plus.

— Ce n'est pas si loin. Il pourra venir te retrouver.

— Un serviteur est comme un prisonnier, vous savez ? Et de toute façon, ce qui me plaît, c'est seulement de le regarder. Je n'ai pas envie de me marier. Je suis mieux toute seule, et puis j'y suis habituée.

— Pourtant, ça arrivera. »

Bianca se tourne sur un côté, s'appuie sur un coude. La petite est encore allongée, les yeux fermés.

« Et vous, miss ? Vous aussi ? »

Parfois, rien ne vaut le silence.

« Alors, finalement, vous vous êtes mise au portrait ? Je vous l'avais dit, mon petit, que c'était une meilleure idée. »

Bianca a eu la surprise de la sentir brusquement dans son dos, alors qu'elle travaillait dans le petit bureau. Le fait est que si elle ne reste pas enfermée dans sa chambre, elle n'a pas d'endroit qui lui appartienne vraiment, et, quand elle se sent étouffer là-haut, elle migre là où elle trouve de la place, et court des risques. Comme celui-ci : voir se soulever de sous ses yeux l'esquisse de la femme mystérieuse, commencée en hâte il y a déjà quelque temps et jamais achevée. Donna Clara fronce le nez pour poser plus fermement son lorgnon dans son nid de chair et de rides.

« Très joli. Il me rappelle quelqu'un… Vous l'avez fait de mémoire ?

— Non… non, vraiment. C'est une dame que j'ai rencontrée…

— Je vais vous dire qui c'est, parce que je le savais, j'ai deviné tout de suite. Mais non, mais non. Je divague. Et puis, vous ne pouvez rien en savoir, de cette femme. C'est ma pauvre tête qui me trahit : mon âge, mon imagination et tout le reste. » Donna Clara lui lance un coup d'œil en penchant la tête de côté comme un oiseau sur son perchoir. Puis : « Bravo, en tout cas. Vraiment, bravo. Tous mes compliments. »

Bianca se tait : que pourrait-elle répondre ? La vieille dame dépose le feuillet sur le bureau.

« Et le mien, de portrait, vous le ferez quand ? Même si, à la réflexion, je ne suis pas sûre d'en avoir tellement envie. Le miroir me suffit. Eh oui, c'est bien triste, ma chère, quand on s'aperçoit que dans le cadre celle qui se reflète est une autre, qui est là sans bouger et qui vous regarde, vous regarde avec un air têtu, alors que vous voudriez l'effacer pour faire réapparaître celle que vous étiez, allez, va-t'en, vilaine bête… mais l'autre n'est plus là, elle s'est perdue, elle ne revient pas. Le temps n'est pas galant homme, oh ! non. À moins que vous ne soyez plus gentille que le miroir… mais je vous connais, petite sorcière, vous avez la manie de la sincérité et vous feriez de moi un monstre, le monstre que je suis. »

Un bref éclat de rire, et donna Clara fait volte-face et s'en va.

Mais il n'y a pas de quoi rire quand Bianca retrouve l'esquisse de la femme mystérieuse déchirée en deux dans le sens de la longueur, délibérément posée sur la pile de ses autres dessins, sur le secrétaire de sa chambre. Seulement deux jours ont passé, elle ne l'a montrée à personne, n'y a pas travaillé et l'avait mise de côté comme on fait d'une idée qui n'est pas encore bien claire : celui qui lui a joué ce vilain tour l'a cherchée en fouillant dans ses ébauches de fleurs et de visages. C'est celle-là qu'il voulait. Bianca soulève les deux morceaux du feuillet, les rapproche, et ses mains tremblent : du papier, la femme la fixe de ses yeux légèrement de travers et sa bouche se tord en une grimace. Elle lui semblait belle : dolente et belle, dolente mais belle ; maintenant, elle ne l'est plus.

Ce n'était pas prévu. Non plus que l'idée d'enseigner le dessin aux trois fillettes, qui est venue à donna Julie et ne pouvait donc être écartée d'un revers de la main, mais s'est révélée malheureuse, car on ne peut attendre le même degré d'attention de la part d'enfants d'âge différent, et n'a abouti qu'à forcer Bianca à dessiner sur ordre : « Fais-moi un pivert ! – Fais-moi le petit cheval ! – Un poisson ! – Une fleur ! » ; et les petites s'émerveillaient de son savoir-faire, puis remplissaient les formes avec une fougue exagérée. On fera donc autre chose et cette fois, le projet se pare de hardiesse, du charme des choses interdites. Mais maman et grand-mère sont en ville pour des courses, et il fait vraiment très chaud, une telle chaleur qu'on se croirait en juillet bien que l'été tire à sa fin. Même donna Clara l'a reconnu hier, après qu'un troisième sorbet au citron n'eut pas suffi à la rafraîchir : « Ici, à Brusuglio, c'est un peu l'enfer. Oh, oui. L'été, on crève de chaleur et l'hiver, on gèle, donc on crève aussi, mais d'une autre façon. Mais le ciel, oh, le ciel est si beau quand il fait vraiment beau !

Je le dis toujours à mon fils : même au-dessus de mon Paris bien-aimé, je n'ai jamais vu des ciels pareils. »

Ce n'était pas prévu, mais c'est possible. À cette heure-ci, Nanny dort et elle a le sommeil lourd. Le fossé est très loin, les cris ne pourront pas la réveiller. Les garçons sont partis avec Ruggiero voir les jeunes poulains dans les écuries de la Bassona et ne rentreront que ce soir. Minna a accepté aussitôt de se faire la complice de Bianca : « Je vous aiderai, miss. Mais les petites, est-ce qu'elles tiendront leur langue ? »

Bianca n'en sait rien et ne s'en soucie pas. L'important, pour le moment, est de s'amuser. Si l'aventure est révélée, elle pourra toujours compter sur l'appui du maître de maison : n'a-t-il pas fait l'éloge, il y a quelque temps, au dîner, de la saine éducation à l'anglaise ? Alors en avant, à la queue leu leu, avec Minna qui ouvre la marche en tenant à son bras un panier plein de bonnes choses pour le goûter.

Les fillettes sont un peu perplexes, et Giulietta donne voix à leurs doutes : « Où allons-nous ? » Elle a compris qu'il ne s'agissait pas d'un pique-nique comme les autres, car d'habitude on va sur la colline ou dans le grand pré aux bouleaux, jamais plus loin.

« C'est un secret, leur dit Bianca en les guidant sur le sentier qui mène aux confins du domaine et où le fossé sépare les terres cultivées des halliers.

— Mais… c'est permis ? murmure Francesca, assez futée pour comprendre que souvent, presque toujours, les secrets cachent des choses défendues.

— C'est permis, c'est permis, la rassure Bianca. Ce n'est pas parce que nous ne l'avons jamais fait que nous n'en avons pas le droit, n'est-ce pas ? »

En arrivant, elles ont une surprise : assise par terre, le dos appuyé à un tronc, il y a Pia, qui tresse une guirlande de fleurs sauvages, différentes mais toutes blanches.

« Tiens, qu'est-ce que tu fais ici ?

— Je vous ai entendue parler avec Minna. Et je sais garder un secret. Vous voulez bien de moi ? »

Elle a posé la question avec un calme absolu, car elle sait d'avance que la réponse sera oui. Du reste, Bianca regrette de n'y avoir pas pensé, de ne pas l'avoir envoyé chercher. Mais Pia est déjà debout, joyeuse, incapable de rancune.

« Et maintenant ? demande Francesca, qui n'a pas encore compris.

— Maintenant, nous allons nous baigner, annonce Bianca.

— Dans le fossé ? dit Giulietta avec une grimace.

— Dans le fossé, répète Bianca. Il est frais, l'eau est claire. Vous verrez comme ça fait du bien. »

Obéissantes comme elles sont, les fillettes ne savent pas comment protester, mais on devine qu'elles préféreraient être à des lieues de distance, même dans la nursery qui, sous les toits, est peut-être en ce moment la pièce la plus chaude de la maison, entourées des objets familiers : les pantins aux grands yeux, le cheval à bascule dont les garçons ne veulent plus, les cubes de bois avec les lettres à apprendre. Elles restent plantées là comme des poupées, immobiles, debout, les bras le long du corps, observant avec de grands yeux l'eau du fossé qui n'a jamais été aussi verte et inquiétante. Pia commence à déshabiller Francesca sans obtenir aucune collaboration ; Minna s'occupe de Giulietta, Bianca de Matilde. C'est elle, la plus petite, qui se met à crier :

« Mes vêtements, je ne les enlève jamais devant les autres ! J'ai honte ! »

Bianca la prend dans ses bras et l'emmène derrière un arbre au tronc assez large pour la cacher. « Ici, personne ne te verra », dit-elle. Et elle continue de la déshabiller avec une calme fermeté. Son petit corps est rond, sa peau très claire, elle a encore un ventre de bébé. Comme elle aimerait la dessiner ainsi. Les autres, soumises au même traitement, restent bouche cousue. Mais à la fin, Giulietta s'écrie d'une voix aiguë, pleine d'excitation :

« Et nous pourrons aussi apprendre à nager, comme Pietro et Enrico ?

— Pas comme Pietro et Enrico, répond Bianca derrière le gros arbre. Mieux qu'eux. »

Et elle apparaît, tenant Matilde par la main, qui marche un pas en arrière mais ne l'oblige pas à la traîner et ne veut même pas qu'elle la prenne dans ses bras. Bon signe.

Elle aussi se déshabille, rapide, glissant hors de sa robe et restant en chemise et en jupon. S'il ne tenait qu'à elle, elle s'en libérerait aussi, mais elle a le soupçon – fondé – qu'aucune des fillettes n'a jamais vu un adulte plus nu que cela. Pia et Minna, elle en est sûre, n'y prendraient pas garde, mais ce trio…

Même ainsi, Giulietta la regarde avec la plus grande curiosité et à la fin laisse échapper :

« Miss Bianca, vous avez des taches de rousseur même sur les bras ! »

Bianca sourit et effleure de la main sa peau couverte d'éphélides.

« Je les ai toujours eues. Que veux-tu que j'y fasse, les gommer ? »

Giulietta rit à cette idée, puis son attention est distraite. Elle regarde Pia, si insolite sans sa coiffe, qui se laisse glisser dans l'eau le long de la rive couverte d'herbe haute, plonge dans un flot d'éclaboussures et s'esclaffe avec gaieté.

« Elle est froide ? lui demande-t-elle, hésitante.

— Délicieuse », répond Pia, et elle s'élance, agitant les bras et les jambes dans le mouvement confus des chiens qui nagent.

— Regardez, elle flotte ! s'écrie Francesca, extasiée.

— Tout le monde peut flotter. Il suffit de bouger un peu », explique Bianca, se laissant tomber à son tour. Le niveau du fossé est bas, l'eau lui arrive à la taille, fraîche, revigorante. Sous ses pieds, elle sent du sable et des herbes, mais le fond est ferme. « Alors, qui nous rejoint la première ? »

Et elle tend les bras vers le haut, prête à recevoir la téméraire. À sa surprise, c'est Matilde qui s'avance, et qui a peut-être seulement besoin de se sentir un moment dans les bras de quelqu'un. Quand ses petons touchent l'eau, elle laisse échapper un petit cri, mais ne pleure pas. Elle retient sa respiration et s'accroche à la taille de Bianca, tandis que l'eau imprègne sa chemise.

Francesca est plus courageuse. Gauchement, elle s'assied sur la courte pente herbeuse, se laisse glisser comme elle a vu faire à Pia, et un instant plus tard elle est debout dans le fossé ; elle, l'eau lui arrive à la poitrine, et elle rit, d'un rire nerveux mais content.

Minna donne la main à Giulietta et elles entrent dans l'eau ensemble, précautionneusement. Quand leurs corps plongent, elles poussent un bref hurlement suraigu. Maintenant, tout le monde est à l'eau. Pia est déjà loin, mais la voilà qui se retourne et revient en arrière en ouvrant un sillon dans l'eau lourde qui se referme à son passage, sans faire d'écume. Elles sont de nouveau toutes ensemble, et, d'instinct, se donnent la main pour une ronde qui reste ouverte, car Bianca ne peut lâcher la petite Matilde, mais peu importe, c'est une ronde quand même. Puis le jeu s'interrompt et Minna fait une sorte de plongeon : elle lance les bras en avant, disparaît en une seconde et, celle d'après, reparaît, les cheveux collés au visage. Tout le monde rit à cette vision. Elle lève les bras, victorieuse, et s'écrie :

« Ce qu'on est bien !

— Je peux aller sous l'eau aussi ? demande Giulietta, héroïque.

— Oui, mais il faut souffler, autrement tu vas boire la tasse », lui explique Pia.

Et elle lui montre comment faire, enfonçant la tête sous la surface et provoquant un gargouillement de bulles.

« Et pour les yeux ? Qu'est-ce que je fais ?

— Comme tu veux. Si tu les ouvres, tu verras du vert. Si tu les fermes, évidemment, tu ne verras rien du tout. »

Giulietta s'immerge et resurgit aussitôt, toussant et se frottant les paupières.

« J'ai de l'eau dans le nez ! se plaint-elle.

— Ferme-le », dit Pia. Et de nouveau, elle lui fait une démonstration, formant une pince avec ses doigts. « Comme ça. »

La fillette réessaie en se bouchant le nez, et cette fois, quand elle reparaît, elle est tout sourire.

« J'ai vu du vert, j'ai vu du vert ! »

Matilde, très lentement et toujours dans les bras de Bianca, agite un petit pied, un seul, creusant en rythme un mince sillon dans l'eau. Francesca a aussitôt imité sa grande sœur, et, quand elle émerge, s'écrie :

« Moi, j'ai vu un poisson ! »

Tout le monde rit de son ton triomphal, et Francesca aussi rit d'elle-même, sans se vexer le moins du monde. Le soleil joue dans les feuilles hautes au-dessus d'elles, ne laissant tomber que quelques taches de lumière qui se posent sur l'eau et, au bout d'un instant, se déplacent. Pas un bruit alentour, à part la vibration des cigales affolées de chaleur et les lents éclaboussements des corps rafraîchis. Elles se taisent maintenant, jouissant du moment. Bianca regarde les cinq visages, un à un, et sur chacun les diverses gradations du plaisir. Celui de Giulietta est une grimace de concentration, comme si elle ne voulait pas perdre la moindre fraction de ces secondes bienheureuses. Francesca, elle, sourit, abandonnée, mais sans lâcher la main de Minna, qui lève les yeux vers le ciel plus bleu que bleu par-delà les feuillages. Matilde est sérieuse ; ses yeux sont immenses, dilatés par la stupeur.

Puis l'instant passe. La petite Pia, qui n'est pas

si petite que cela, comme le révèlent les rondeurs proéminentes sous sa chemise collée à sa peau, se hisse sur la rive pour se couronner de sa guirlande laissée dans l'herbe, rit en rejetant sa tête mouillée en arrière, puis redescend dans l'eau et se laisse aller sur le dos, battant des pieds et aspergeant les autres qui reculent et lèvent les mains pour se protéger, mais sans peur.

Ensuite, elle se redresse, reprend pied ; l'eau du fossé lui arrive au ventre et elle se caresse les cheveux en les écartant de son visage, d'un geste élégant. Admiratives, les fillettes l'imitent, et c'est à ce moment que Bianca, pour la première fois, remarque la ressemblance. Dans la forme du crâne, l'ossature du visage. Évidente, flagrante.

La stupeur qui l'a saisie a dû s'imprimer sur ses traits, car Pia elle-même lui demande, soudain sérieuse : « Qu'est-ce que vous avez, miss ? Vous êtes toute blanche… » Puis, quand elle se rend compte du jeu de mots avec le prénom de Bianca, elle se remet à rire, d'un rire léger, suivie des autres, et plus personne n'arrive à s'arrêter, comme il arrive parfois entre grandes amies, ou entre sœurs.

Plus tard, un grand pavoisement de chemises blanches comme neige accrochées au fil d'étendage derrière les cuisines, tête en bas comme des enfants fantômes pendues par les pieds à un arbre, est la seule trace de leur transgression. Nanny, le soir, en descendant bavarder un moment après avoir mis au lit ses trois pupilles, ne laisse pas de s'étonner :

« Elles étaient mortes de fatigue, elles ont fermé les yeux tout de suite. Si seulement c'était toujours comme ça ! Ah, Ilide a fait la grande lessive ? Pourtant, ce n'est pas le jour. »

Et elle regarde l'enfilade de chemises et de jupons que la lune s'efforce en vain de sécher. Bianca et Minna échangent un regard entendu, très bref. Pia n'est pas là : elle a dû s'échapper pour un de ses vagabondages. La nuit est tiède et silencieuse, et la demi-lune, dans le ciel, lumineuse comme un fanal.

Pour Bianca, ce bain rapide n'a pas suffi. Aussi reparcourt-elle toute seule le chemin emprunté dans l'après-midi avec son escorte de fillettes et de petites servantes. Les feuilles, au comble de leur densité, couvrent maintenant la lune et rendent indéchiffrable l'obscurité, mais elle connaît la route et c'est comme si elle était guidée par l'odeur de l'eau, une odeur verte et ferme, bonne, familière et naturelle comme la senteur de sa propre peau entre les draps.

Cette fois, puisqu'elle est seule et que la nuit suffit à la cacher, elle se dévêt entièrement, comme elle en avait coutume chez elle, dans la petite baie sous la villa du comte Rizzardi, qui ne franchissait les murs de sa propriété qu'aux moments où les cloches de l'église l'appelaient. Ici non plus, il n'y a personne. L'eau semble plus hardie, à présent qu'elle se glisse dans tous les plis de son corps, jusqu'aux plus secrets.

La lune a reparu et, vus d'en bas, les arbres dessinent un couloir rectiligne au-dessus du fossé, à peine bordé de quelques branches indociles, et la lumière nocturne imprime un tracé identique sur le noir de l'eau. Bianca, penchée en arrière, ancrée par les pieds à la molle vase du fond, regarde vers le haut, sans se laisser aller. Comme si elle ne voulait pas perdre le contrôle de soi, ne voulait pas s'abandonner. Elle inhale l'odeur mouillée et sauvage de la nuit dans la campagne, mêlée à celle de l'eau, veloutée. Elle se sent bien.

Sur la rive, sa main tendue effleure quelque chose, et elle tourne la tête pour regarder. Accrochée à une petite branche, c'est la guirlande de fleurs blanches de Pia, intacte. L'eau du fossé est trop lente pour l'avoir abîmée. Bianca détache la guirlande de la branche et la laisse partir au fil du courant. Puis elle la suit, agitant doucement les bras et les jambes, juste ce qu'il faut pour flotter. Et se permet enfin de revenir à cette pensée qu'elle avait mise de côté en hâte, mais qui est restée en elle, lui comprimant la tête, lancinante comme une migraine. Est-ce possible ? Allons donc. Mais la forme de ce visage… Oui, c'est possible. Car tout, dans l'histoire de Pia, le laisserait supposer. Mais l'avoir gardée là, si proche… C'est peut-être un hasard. Ou une perversité, ou la manière la plus hardie de défier le sort en mettant sous le nez de tous le fruit de la faute. Mais la faute de qui ? Sûrement pas de lui : ce n'est jamais la faute des hommes. De la mère, le cas échéant. Oui, la mère. Qui était-elle ? Existe-t-elle encore quelque part, ou a-t-elle été effacée comme un fragment d'histoire sans intérêt ? Et quand est-ce arrivé ? « Il est venu à Paris quand il avait vingt ans », a dit donna Clara. Et avant ? Entre l'enfant curieux du portrait à deux de la galerie et le jeune homme qui a rejoint sa mère à Paris, qu'y a-t-il eu, et qui ? Est-ce possible ?

Non, voyons, tout cela ressemble trop à un roman. Bianca s'efforce de revenir à la raison. Mais cette ressemblance ! Si les autres la remarquaient aussi, s'ils savaient… Elle s'arrangera pour que Pia n'ôte plus jamais sa coiffe. Personne ne doit imaginer.

Ou peut-être – la pensée la traverse, acérée dans son évidence – tout le monde sait-il déjà. Bien sûr qu'ils savent. Donna Clara, avec ses changements d'humeur inexplicables, Minna, qui a les yeux aussi affûtés que la langue, les femmes de la cuisine. Et le fantôme ? Et le curé ? Complice lui aussi ? Est-ce possible ?

Idées folles. Peut-être tout n'est-il clair que pour elle, parce que ses yeux d'étrangère sont plus pénétrants, qu'ils ont deviné les liens tissés entre les personnes comme des fils d'araignée. Alors que les autres ne se sont aperçus de rien.

Ou peut-être imagine-t-elle tout. L'émotion, la forte chaleur, les fillettes, les gens qu'il est si facile d'assimiler à des personnages tant qu'on ne les connaît pas, et cette manie qu'elle a d'assigner une cohérence aux coïncidences et aux hasards, de les enfermer dans un même cadre. Comme si classer et comprendre étaient la même chose.

Un bruit de brindilles cassées, de feuilles écrasées, un crissement venant du couvert des arbres.

« Qui est-ce ? murmure Bianca, et dans le silence sa voix est presque un cri. Qui est là ? »

Rien. Un lièvre, ou peut-être un des féroces animaux sauvages qui nourrissent les terreurs de Minna. Bianca se laisse aller en arrière, les oreilles envahies par l'eau. Elle n'entend plus rien hormis ce son, le ronronnement lointain d'une eau beaucoup plus vaste et profonde, comme un écho de l'océan, peut-être, le fracas qu'on entend quand on écoute une conque. Son corps aussi garde la mémoire du lac, qui se détache, nette, de l'enchevêtrement des souvenirs, redevient vive à chaque éclaboussement, tandis que ses membres trouvent leur espace dans un élément différent. L'eau verte, froide sur la peau. Au fond, les algues qui se meuvent comme des cheveux de morts. Cette mélancolie douce qui la saisit chaque fois qu'elle revoit ou se remémore sa terre.

Un autre craquement, plus fort et plus proche. Mais Bianca, qui maintenant n'écoute plus que l'eau, ne l'entend pas. Les yeux perdus du côté de la lune, elle ne peut distinguer l'ombre qui s'accroupit au milieu des buissons et la regarde, la regarde flotter, promène son regard sur les petites collines de ses seins, s'attarde sur ses cheveux épars à la façon d'un nuage autour de sa tête, sur ses pieds et ses genoux nus qui, tout blancs, émergent sans pudeur du liquide noir, vole des images d'intimité et les emporte sous sa chemise, dans son cœur, et plus bas.

DEUXIÈME PARTIE

Puis est arrivé l'hiver. Ou plutôt non, c'est encore l'automne, mais on ne le dirait pas, car soudain, après un octobre doux et plein de couleurs, le ciel s'est teinté de gris et gris il est resté, ne changeant que de nuance : étain, tempête avec des déchirures de bleu très bleu entre des ourlets de plomb, acier, argent, fer, platine, ou simplement eau de rinçage. La température est tombée en flèche et un matin, au réveil, Bianca a vu le grand pré à l'arrière de la villa tout blanchi, d'un blanc obtus et plat, reflété par la pâleur du ciel ; un blanc qui n'apportait pas la joie comme la neige, mais ne faisait penser qu'au froid qu'on ressentirait en sortant. Sur les mains délicates de Minna sont apparues des gerçures, et Bianca s'est chargée de les soigner avec une pâte blanche de la consistance du plâtre mouillé qu'elle a apportée avec elle de sa campagne dans un pot en céramique. « C'est la crème magique de Serafina, crois-moi, elle les fera passer. Il suffit que tu gardes les mains immobiles jusqu'à ce que la peau l'ait absorbée », a-t-elle dit, et Minna, d'abord soupçonneuse, a cru rêver en s'asseyant sur un des petits fauteuils à rayures roses de la nursery, à agiter les mains en l'air en étant priée de ne rien faire, pas même apporter le thé aux fillettes ; qui, du reste, amusées par la scène, ont tenu à le lui servir elles-mêmes, avec une profusion de cérémonies, de coquetteries et de dangereux cliquetis de porcelaine entrechoquée. Mais la guérison miraculeuse des gerçures de Minna et le rite inversé du thé ont été parmi les derniers épisodes de la vie à la campagne, sereins comme dans un conte, car ensuite les dames ont décidé, en un éclair et comme si le changement de saison était un accident fâcheux et non un événement inévitable et largement prévisible, qu'il fallait fermer la maison et s'en aller passer les mois suivants en ville. Le poète en a semblé mécontent, et pendant quelques jours il a opposé de la résistance ; mais ensuite, quand l'eau des fossés s'est transformée en pierre grise, il s'est rendu à l'évidence et aux plaintes ininterrompues sur ce qu'il en coûte de chauffer la vaste demeure, car en ville on est mieux équipé, les poêles et les cheminées tirent mieux, il y a moins de fenêtres, et ainsi de suite. Pourtant, il est resté encore quelque temps, avec le fidèle Tommaso, en invoquant l'excuse de terminer une certaine ode qu'on lui avait commandée et qui paierait bon nombre de factures ; et il a laissé la caravane de femmes, d'enfants et de bagages infinis prendre la route sans lui. Bianca suspecte – avec raison – qu'un peu de vraie solitude est un privilège trop grand pour que l'Ours soit disposé à y renoncer. C'est ainsi qu'elle a pris l'habitude de l'appeler en secret : en son for intérieur et dans les fragments de lettres qu'elle écrit dans sa tête à son père, selon un pli qu'elle n'a pas encore perdu (et seul le bon sens l'empêche de prendre la plume et de tout coucher par écrit). *Imaginez, cher père, un Ours après son hibernation, comme ceux que vous me montriez enfant sur les illustrations des* Fables de Russie, *le pelage malpropre et hérissé, le corps maigre, le museau émacié, les épaules tombantes : voilà l'homme qui m'emploie, toujours mal à l'aise dans ses manteaux qui semblent coupés pour un autre. Ce ne sera jamais un Ours d'une stature redoutable : il restera toujours maigre comme après son long sommeil d'hiver, en quête de quelque chose et inquiet, au point d'inspirer une sorte de compassion quand on le voit errer par les bois à la recherche de fruits ou de miel ; mais quand il se retournera vers vous, vous verrez la bête sauvage briller dans ses yeux sombres dont on ne distingue jamais le fond, et vous aurez peur, une peur mêlée de révérence qui ne vous quittera pas même quand vous le verrez jouer avec ses oursons par un jour ensoleillé d'été. Pour lui, ce n'est jamais l'été, c'est toujours le début du printemps, son sommeil vient à peine de se dissiper et il ne comprend ou ne se rappelle plus le sens du monde qui l'entoure ; et quand toutefois il est rassasié, il garde la même faim dans le regard.*

Quoi qu'il en soit, l'Ours a fait preuve d'une astuce de fauve en s'épargnant le chaos absolu de l'arrivée à Milan : bien que la domesticité fût sur le pied de guerre depuis des jours, et que les servantes personnelles eussent pris les devants pour préparer le terrain, tout s'est passé comme si l'on descendait par surprise dans une auberge peu fréquentée. Voyage presque trop court, impossibilité de regarder la route tant les enfants étaient agités : ils n'ont cessé de se disputer et de crier, et, comme d'habitude, Nanny n'a guère tardé à rendre les armes, laissant Bianca se charger de les distraire avec une nouvelle série de comptines et d'historiettes. Au demeurant, il y avait du brouillard, et donc fort peu à voir en traversant les larges espaces de la campagne alanguie par le froid jusqu'à la ville, qui, avant même de se montrer, s'est fait entendre par ses bruits de sabots et de harnais, de cloches et de marchands à la criée. La maison présente une façade sombre et close, qui donne sur une place pavée entourée de petits palais similaires, et la sensation de tristesse que, dès le premier regard, elle a fait naître en Bianca ne l'a pas quittée à l'intérieur, où la pompe très urbaine du grand escalier d'apparat éclairé d'un tapis rouge s'est presque aussitôt dissipée (le temps de monter les marches) dans la maussaderie des pièces, depuis longtemps inhabitées ou faites pour en avoir l'air. On pourrait parler de sobriété, mais tout cela est si morne… Seul le grand salon, avec ses fresques couleur de bonbon, a une apparence de faste ; les autres plafonds sont à caissons sombres, avec de minuscules décorations gravées qui se perdent dans l'ombre. Même les cris des enfants, quand ils ont reconnu de vieux jouets oubliés (ou peut-être les ombres d'eux-mêmes plus petits, restées à garder ces vestiges d'enfance), n'ont pas réussi à raviver l'atmosphère. Et dans les chambres fermées depuis trop longtemps, il fait aussi froid que dans les salons percés de trop de fenêtres de la villa de Brusuglio.

Puis, petit à petit, les choses se sont améliorées : le temps de prendre ses repères et de s'adapter à la qualité différente de la lumière, plus voilée, plus dense, lactée dans les matins gris, incertaine dans les matins clairs, et les pièces ont amolli leur résistance, pour enfin céder à l'intrusion accoutumée et, de jour en jour, se laisser revivre. La maison est beaucoup plus petite que celle de la campagne, moins mystérieuse ; un plafond de verre opaque juste au-dessus du grand escalier promet et ferme le ciel, qui au-dessus de la cour est carré, toujours trop petit, surtout quand il est serein. L'échappatoire pour les yeux, c'est le jardin, touffu, intéressant, où les palmiers, les bananiers et les liquidambars recréent un arrière-plan exotique ; deux vignes un peu éteintes rappellent la campagne, et deux très jeunes magnolias, plus près de la maison, se dressent dans leur fierté hivernale et osseuse. La chambre de donna Clara est la plus belle de toutes : au premier étage, elle donne sur le jardin qui, vu de haut, file entre les autres maisons comme un par-cours de fuite vers la nature ; les murs sont ornés d'un délicat motif de losanges roses et écarlate pâle ; les meubles sont d'une facture exquise. La dame n'a pas résisté à l'envie de tirer Bianca par le bras pour l'amener sous un cadre minuscule contenant une bro-derie, qui sans cela lui aurait échappé : il représente un *putto*, une ébauche d'enfant au petit point sous verre. « C'est la reine Marie-Antoinette qui l'a brodé en prison, avant qu'on lui coupe la tête, pauvre ché-rie, explique-t-elle. Ensuite, elle en a fait cadeau à une de ses gardiennes, et elle, qui n'avait rien à faire des souvenirs historiques, l'a vendu à une de mes amies de Paris, qui m'en a fait cadeau à moi. Est-ce que ça ne donne pas le frisson ? » Certes oui, cela fait frissonner de penser à une sombre cellule où le temps court à l'envers, jamais assez lent, et où l'on attend l'annonce du sang. Mais quel étrange présent de la part d'une amie. Que signifiait-il ? Pour autant, il n'y a pas d'autres reliques macabres dans cette chambre : seulement de gracieuses aquarelles de paysages inexistants, des flacons de cristal sur la coiffeuse, un vague parfum d'armoires ouvertes.

Au dernier étage se trouvent les chambres des domestiques : il suffit de franchir une double porte et la maison devient soudain plus étroite, plus sombre, comme si cet espace était sans aucun lien avec les salons élégants et les frivoles chambres à coucher. Bianca s'y est aventurée dans un de ses élans d'exploration, profitant de la confusion de l'arrivée, pour s'en échapper aussitôt, troublée par les plafonds incurvés au-dessus de petits lits de fer, le sol de bois rêche, l'humidité. Elle dort en dessous, dans les quartiers des maîtres : une petite chambre beige qui a l'apparence neutre des chambres d'amis. Tommaso et Innes ont les leurs au fond d'un couloir obscur, loin du remue-ménage familial, Nanny la sienne à côté de la nursery, aménagée avec du mobilier de récupération, mais elle ne se plaint pas, elle ne se plaint jamais. La pièce qui intrigue le plus Bianca est le bureau du maître de maison, et, bien qu'il soit toujours rigoureusement fermé à clef, elle parvient à l'observer du jardin, sur lequel il donne, en s'arrêtant sur le seuil de la porte-fenêtre ouverte. Il y fait sombre, bien que ce soit le matin ; les livres qui couvrent les murs, fermés sur leurs étagères protégées par de petites portes grillagées, semblent absorber la lumière, avec la poussière et l'humidité qu'ils rejettent en une odeur aiguë de papier conservé. La cheminée est un trou froid et noir ; un poêle cylindrique d'un modèle tout neuf, avec son gros tube qui coupe la pièce en deux, garantit une chaleur moderne ; mais en ce moment, en l'absence de l'occupant légitime, il est éteint et opaque, un peu lugubre. Sur le buvard du sous-main en maroquin s'étalent de grosses taches d'encre qui dessinent des cartes de pays inexistants ; à côté s'empilent de grands cahiers bleu foncé, que Bianca reconnaît pour avoir vu les mêmes dans le bureau de Brusuglio, et des porte-plumes s'alignent sur un plateau, avec un encrier plein. D'instinct, elle se penche en avant pour respirer l'arôme amer qui lui a toujours tant plu et cherche d'autres indices, mais les rares espaces de mur nu ne portent aucun tableau, aucune image ; seul un crucifix est suspendu tout en haut, au-dessus des livres, lui aussi dévoré par l'ombre, empreinte de douleur. Un grincement de pas se fait entendre sur le parquet du couloir et elle s'échappe par où elle est venue, s'arrêtant sur l'herbe qui, comme il arrive parfois en automne, est d'un vert intense aux endroits où les feuilles mortes n'y ont pas encore déposé leur brune couverture.

Ici, il n'y a pas de portes-fenêtres entrouvertes pour évacuer les tensions de la maison dans le jardin, qui maintenant végète sous le givre ; mais, comme pour compenser, il y a un grand fouillis de portes, qui s'ouvrent sur des pièces, qui s'ouvrent sur des portes. Bianca a mis quelque temps à comprendre comment s'organise cette maison concentrique, un labyrinthe, un casse-tête. Puis elle a commencé à savoir s'y déplacer, légère et silencieuse, profitant de tous ces entrebâillements. Elle écoute et se pardonne ses indiscrétions en se disant que les propos qu'elle entend n'étaient pas destinés à ses oreilles, mais que la porte était entrouverte au bon endroit et au bon moment. Par exemple :

« Tout le monde le sait, qu'elle était un peu putain dans sa jeunesse.

— Mais puisque maintenant elle ne fait qu'embrasser les bénitiers et parler de ses petits-enfants qui sont les étoiles de son ciel…

— Ma foi, ce genre de repentir, tout le monde en est capable, non ? Ce qu'il y a de beau dans la religion, c'est qu'on a toujours le recours du pardon, même au moment de rendre le dernier soupir. Et elle, pour plus de sûreté, on peut dire qu'elle a pris les devants et qu'elle a bien fait les choses : elle n'a pas attendu d'être sur son lit de mort pour enterrer le passé. Et elle a attiré dans le sens du devoir son grand niais de fils et sa belle-fille bien-aimée, qui a apporté en dot la sainteté et les écus en parts égales… Je suppose qu'elle obtiendra une remise sur son temps de purgatoire. Parce qu'on ne peut pas imaginer qu'elle se retrouve tout de suite à chanter avec les anges !

— Mais toi, dis-moi, comment es-tu si sûre de finir parmi eux ? Tu en as, de la chance !

— Je ne suis sûre de rien. À vrai dire, un peu d'expiation ne me déplairait pas. À ce qu'on dit, c'est là qu'on retrouve les gens les plus intéressants. La vertu, c'est tellement ennuyeux… »

En ville, la famille reçoit beaucoup plus et aux visiteurs familiers s'en sont ajoutés d'autres, d'une grande diversité. Au milieu de tous ces gens, Tommaso semble rentrer dans sa coquille comme un bernard-l'ermite irrité, mais avec Bianca il reste d'une gentillesse presque fastidieuse. Une fois, il s'est arrêté pour admirer son dessin des fillettes – celui du premier jour, achevé sur l'insistance de donna Clara – et lui a dit : « Vous avez du style et de la personnalité, miss. Mais ne vous perdez pas dans les attraits de la mode. »

Même si elle le voulait (et Bianca le voudrait beaucoup), elle ne pourrait pas, parce qu'elle n'a pas d'argent à dépenser et qu'elle est bien décidée à ne pas entamer ses économies qui croissent mois après mois, très lentement ; mais elle a bien compris que c'est une chose de vivre à la campagne, où ses tenues à la coupe désuète mais raffinée font encore leur petit effet, et une autre d'habiter la ville, où toutes, toutes les dames qu'elle a l'occasion de rencontrer affichent une élégance qui dit : de l'avant, nous allons de l'avant ; nous regardons Paris, mais parfois c'est Paris qui nous regarde. Même donna Clara et donna Julie, qui semblaient si à l'aise dans leurs uniformes (noir pour l'une, clair pour l'autre), se soucient ici beaucoup plus de leur apparence, et leur sobriété habituelle est corrigée – ou peut-être polluée – par certaines touches de hardiesse qui les font ressembler à deux étrangères quand elles descendent pour le dîner. Il suffit d'un turban noué d'une certaine façon, d'une cascatelle de volants sur les manches, et les enfants contemplent, perplexes, ces deux bizarres créatures en commentant leur mise à leur façon (porte-parole de tous, Enrico : « Mais le reste de l'oiseau, qu'est-ce que vous en avez fait ? » ; et les petites servantes de rire en regardant l'aigrette de plumes qui se dresse sur le couvre-chef de la grand-mère). Tout cela grâce aux bons offices de la signora Gandini, qui habite juste au coin de la place et s'est vu convoquer en hâte et précipitation dans la maison encore sens dessus dessous pour se mettre aussitôt au travail. Bianca n'a pu contenir sa déception quand les dames sont apparues portant les premières nouvelles créations de la couturière, et d'autres, et d'autres encore qu'elles ont exhibées soir après soir. Il semble que le dernier cri soit les manches « à l'éléphant », qui retombent sur les mains comme le bout d'une trompe, et « à la mamelouk », avec trois gonflements à l'horizontale de l'épaule au coude et qui s'arrêtent au poignet. Alors que sur les bras fins de donna Julie, l'effet de ces dernières est gracieusement frivole, elles enserrent ceux de donna Clara avec un résultat presque comique, même si personne n'a souri en la voyant et qu'elle a même reçu les compliments des invités. Mais on comprend que ni l'une ni l'autre ne penchent vraiment pour l'avant-garde vestimentaire, qu'elles se laissent quelque peu entraîner par la fantaisie de la couturière ou, plutôt, la tempèrent par de tardifs scrupules ; à moins que les adaptations de la mode française par la signora Gandini ne soient au fond pas si heureuses, car, lorsque dans le grand salon fait son entrée Carola Visconti di Aragona, en spencer vert orné de brandebourgs jaune d'œuf par-dessus sa robe longue et étroite, d'un vert à peine plus sombre – une flèche prête à être dardée, un héron au pas –, aussitôt le frais chemisier à ruches de donna Clara semble un feuillage d'acacia blanchi, et donna Julie, avec son fichu noué sur le décolleté carré d'une vieille robe Empire, a l'air d'une pensionnaire à peine sortie du couvent et habillée vaille que vaille avec les effets de sa mère défunte.

La ville, découvre Bianca avec délice et mortification, regorge de belles et bonnes choses à acheter ; et comme ses hôtesses sont généreuses, elles lui en offrent avec une joie sincère. Arrive ainsi un lourd flacon de cristal contenant l'eau d'essence de fraise de Giuseppe Hagy : un arôme délicat, à écouter le nez sur la bouteille, car une fois qu'on en a mis sur sa peau il se dissipe très vite et ne s'attarde que dans les plis du mouchoir sur lequel on en verse trois gouttes, comme les trois gouttes de sang de la reine, et pas plus, aussitôt bues par l'étoffe. Arrivent des boutonnières de violettes de serre pour adoucir le revers des jaquettes ; et les douceurs de chez Galli, des dattes incisées à la verticale et remplies de massepain rose et vert, et les pralines de chez Marchesi dans leur emballage marron, à savourer d'abord avec les yeux. Et enfin quatre robes neuves, déjà bâties de mémoire par la signora Gandini, surprise absolue, apportées pour l'essayage, puis retouchées aux mesures de Bianca. Qui aurait dû regarder autour d'elle, pour deviner combien l'ébahissement lui illuminait le visage quand la première main de l'atelier de couture est descendue de voiture suivie d'une servante qui portait les quatre modèles, et qu'elle a murmuré, un peu envieuse : « Encore ? » ; puis que Pia, qui se trouvait à son côté, lui a soufflé : « Je crois que celles-ci ne sont pas pour elles. » Regarder autour d'elle encore davantage au moment de l'essayage, quand les étoffes, avec leur odeur de neuf, sont tombées sur son corps svelte avec un frémissement qui était comme l'écho d'une chanson. Mais elle était trop occupée à s'observer dans le miroir, découvrant des détails d'elle-même dont elle ne soupçonnait même pas l'existence : son décolleté, extraordinairement mis en valeur par deux robes du soir ; sa taille minuscule (la couturière a dû replier et reprendre l'étoffe, non sans la complimenter : « Vous le savez, ma chère, que la silhouette en clepsydre est la plus appréciée ») ; son *derrière* bien arrondi, que la signora Gandini désigne en français, tant, curieusement, cette langue embellit le mot le plus trivial, et que le tailleur bleu ciel – « une couleur qui semble inventée pour vous » – drape et met en évidence, car la veste courte s'arrête juste au-dessus comme un signal explicite. Naturellement, donna Clara et donna Julie se sont assises aux premières loges pour assister à toute la séance, échangeant des commentaires à voix basse que Bianca a décidé d'ignorer ; et ce doit être pour cette raison que quelques jours plus tard sont arrivés, en même temps que les robes finies, trois séries de dessous de chez Ghidoli : des culottes longues, à l'anglaise, qui combinent pudeur et élégance, aux bustiers avec leurs exquis ornements de dentelle. Bianca a oublié son orgueil, vaincu par la vanité ou peut-être par la joie pure, et a remercié les deux dames, le cœur dans les yeux et dans la voix. « Allons, courez vous changer : vous voir jolie est le plus beau des mercis », l'a encouragée donna Clara. Et le soir, pour le dîner, elle s'est présentée dans la robe qu'elle préfère entre toutes : un fourreau de soie blanche et vert pâle qui lui fait penser aux tiges des narcisses et la fait se sentir aussi fragile. Dans le salon, vaste et un peu caverneux, il faisait froid malgré la cheminée allumée et donna Julie a couru lui chercher un de ses châles en cachemire blanc. C'est que la maison ne semble pas perdre son air de forteresse violée, qui lui allait bien voilà quelques semaines, quand elle était fermée, vide et solitaire, toute décorée de rouge, d'ocre et de brun comme pour plaire à un soldat en congé. La chambre de Bianca a un dallage rougeâtre et irrégulier sur lequel la pointe des pieds a tendance à buter, comme s'il lui tendait des pièges dans l'espoir de la voir tomber ; la tapisserie à losanges pâles ne fait rien pour l'éclairer, et même si la fenêtre est haute, la lumière qui pleut à l'intérieur est toujours grisâtre, comme sale. Sur le rebord roucoulent des pigeons. Bianca ne les aime pas : ils lui font l'effet de rats pourvus d'ailes, aussi bêtes et entêtés qu'eux. Et ils sont partout, ainsi qu'elle s'en aperçoit quand elle entreprend de découvrir Milan. La ville se dévoile à elle petit à petit, telle une dame qui joue avec son éventail, décochant des regards et des sourires avec une modestie qui n'est qu'apparence.

Au début, elle lui a paru hostile, trop silencieuse ou trop bruyante, déroutante. Elle ne garde pas de souvenirs précis d'autres grands centres urbains : Vérone, en comparaison, n'est qu'une bourgade avec son arc brisé de palais colorés qui borde l'anneau complet des arènes, et Londres, vu d'une infinité de fiacres, était un festonnage de blanc, de gris et de rouge en alternance éparse, sans les mystères, les effrois et les miracles de cette nouvelle cité qui lui révèle très peu d'elle-même à la fois, tel le poing d'un enfant qui recèle un petit secret et qu'on force à s'ouvrir, un doigt après l'autre. Il faut de la patience, et un peu de bienveillance dans le regard ; quand elle s'en munit, Bianca voit des choses qu'elle n'a jamais vues. Tout est plus grand, ici. Le marché mérite davantage le nom de marché, le Verziere qui déploie son innocence horticole sous la statue torturée du Christ debout ; et on dit de surcroît que c'est un lieu où des sorcières furent brûlées, en sorte que, chaque fois que Bianca s'y promène, elle s'amuse à reconnaître leurs traits dans ceux des marchandes des quatre-saisons, qui crient des cris gras et apparemment obs-cènes ; et il est très facile d'identifier les traces du mal réincarné sur ces visages défaits par une fatigue déjà longue de plus de sept vies. Les rues méritent davantage le nom de rues, avec leurs ornières creusées dans le crottin et la circulation incessante des voitures – fiacres ou carrosses privés, avec leurs insignes peints sur le côté –, qui propage dans l'air un roulement continu de mer agitée et, comme la mer, donne mal à la tête. Même les églises semblent mériter davantage le nom d'églises, dans leur variété infinie que Bianca découvre avec plus de curiosité instinctive que de piété : le Dôme avec ses dentelles, qui lui rappellent les jeux éphémères et compliqués du sable collé entre les doigts ; Santa Maria delle Grazie, avec, dehors, sa coupole bien plantée dans le monde et, dedans, un silence mystique, une sorte de torpeur froide, des moines – les chiens de Dieu, comme les appelait son père – qui glissent à pas mesurés sur les dalles sous lesquelles dorment peut-être d'autres moines, les mains cachées sous leur élégant habit crème et noir, enfermés dans des sourires distants, et, dans le cloître, des grenouilles de bronze qui crachent des fils d'eau contre la pierre émeraude de la fontaine ; San Lorenzo, colonnes dehors et colonnes dedans, une scénographie écorchée. C'est, comme dit lady Morgan, une ville de brique transformée en cité de marbre ; et pourtant, le mortier et la boue ont si tôt fait de reparaître : à peine a-t-on tourné le coin d'une rue ou traversé une place, qu'on se dit que la mue a été hâtive et incomplète, interrompue et jamais achevée ; en sorte que la grande bête se présente comme un être maculé et hybride, une licorne pâle à sabots et soies de sanglier.

Elle va et vient toute seule, Bianca, appliquant les petites astuces de l'indépendance, sachant bien que son comportement est à la limite de la légitimité, et pour cette raison même savourant les frissons qu'il procure : dans son petit sac en velours vert brodé de spirales au fil d'or qui est arrivé en même temps que le fourniment de robes neuves, elle emporte des pièces de monnaie, qui lui servent à se tirer d'embarras quand elle se perd et qu'il ne lui reste qu'à chercher des yeux un fiacre, puis le héler et l'arrêter, affrontant le regard inquisiteur du cocher qui se transforme en sourire quand il voit l'argent dans sa paume. Et elle se perd souvent : un peu parce qu'en suivant le fil de ses pensées elle regarde les choses sans les voir, et, quand elle reprend ses esprits, ne retrouve plus de point de repère – coin de rue, immeuble ou clocher – pour l'aider à rebrousser chemin, tel un Thésée sans fil d'Ariane à peine réveillé d'un somme ; et un peu aussi, peut-être, parce que se perdre lui plaît : cela lui rappelle ses vagabondages à pied avec son père dans les rues de Londres, l'excitation de se hasarder dans des quartiers comme Soho ou Bethnal Green en sachant qu'accrochée à ce bras, elle aurait pu se risquer n'importe où. Maintenant, c'est différent : le frisson se détache de la conscience et reste là, tentateur, donnant à la rue la plus ouverte le charme équivoque de l'aventure.

En famille, au début, ses promenades sont encouragées ; puis, quand elles deviennent plus fréquentes, on les considère avec un peu de soupçon : « Mais où va-t-elle, avec sa bougeotte ? – Chercher les ennuis, je te le dis ! » Et ce n'est que la voix des cuisines. Donna Clara se borne à lui demander, avec une curiosité non dissimulée : « Qu'avez-vous vu de beau aujourd'hui, miss ? » Et quand Bianca reste vague, ou ne se souvient pas bien et décrit une façade ou un coin de rue avec l'approximation de sa topographie distraite, la vieille dame secoue la tête et répond : « Ma petite fille chérie, vous êtes sûre ? Moi, je n'ai jamais rien vu de pareil. »

Forcément, voudrait lui répliquer Bianca : en ne faisant que monter et descendre de voiture, que peut-on espérer voir ? Sans compter que Milan doit avoir bien changé au cours des dix, vingt, trente dernières années, et qu'assurément donna Clara garde un souvenir plus précis de Paris, la ville de sa seconde jeunesse et de son dernier amour, qui s'insinue dans ses propos presque par traîtrise, une litanie fatiguée : Carlo, Claude, Sophie, la Maisonnette, encore Carlo… Puis le souvenir est remisé en hâte, comme une lettre compromettante qu'on croyait avoir brûlée avec les autres et qui resurgit, dangereuse, d'un monde de secrets.

C'est que Bianca a une mission. Apprendre la ville ainsi, à pied, en femme du peuple, correspond à un dessein précis qu'elle a mûri à la campagne au moment où l'automne s'adoucissait, et que le transfert à Milan a été rendu réalisable. Elle n'en a parlé à personne, pas même à Innes qui, du reste, semble plus que jamais absorbé par ses activités. « Est-ce qu'il écrirait un roman lui aussi ? », a suggéré plusieurs fois donna Clara, suscitant le rire léger de donna Julie : « Mais non, que dites-vous, belle-maman ? Son roman, c'est la vie et il ne l'écrit pas, il la vit ! » L'idée qu'Innes fasse concurrence au Poète fait aussi sourire Bianca, qui a clairement perçu entre les deux une complicité silencieuse, mais sans parvenir à en sonder la profondeur : alliance masculine contre le gynécée, ou passion sérieuse – le mot commençant par un *p*, imprononçable –, bien cachée sous les gilets et les facéties de salon ? C'est une question qu'il lui est impossible de poser, même si Innes l'a gentiment prise en confiance et, ce faisant, la fait se sentir elle aussi membre d'un complot contre la famille qui les a accueillis tous les deux entre ses bras généreux et, parfois, sans le vouloir, les serre un peu trop fort.

À mesure que le plan de la ville s'imprime lentement dans la tête de Bianca, quelques tesselles fondamentales lui sont fournies de bon gré par la famille elle-même. À la Scala, par exemple, il y a trois soirs se produisait la Sallé, et les trois dames, accompagnées d'Innes, sont allées l'applaudir. Bianca n'est pas restée bouche bée devant les velours et les ors, comme s'y attendait peut-être donna Clara, qui l'a regardée plus que le ballet, épiant ses réactions : elle est déjà allée à la Fenice, à Covent Garden et à l'Opéra de Paris, ainsi qu'elle le lui a dit en s'efforçant de ne point paraître présomptueuse ou blasée. Mais ce théâtre possède un charme bien à lui, et il est amusant de scruter les visages, de comprendre les élégances, d'écouter (fût-ce sans bien les démêler) les conversations sur les couples, les amours, les petits scandales. Bianca a pu arborer sa robe en velours bleu, avec son pendentif en brillants (cadeau de son père à sa mère et qui lui est revenu lors de la dernière répartition, malgré les regards rapaces de sa belle-sœur) : un flocon de neige étincelant à la base du cou, fait pour projeter des éclairs de lumière à chaque respiration. « Vous êtes enchanteresse », a murmuré Innes dans les camélias fixés à sa chevelure. Avant qu'elle eût le temps d'être embarrassée, le spectacle a commencé. Comme les dames étaient assises devant le parapet de la loge, Innes, pour mieux voir, est resté debout derrière elle et elle n'a cessé de sentir sur son cou et sur ses épaules la pression légère et continue de son regard. Au reste, qu'aurait-il pu contempler d'autre, à part la scène ? Certes pas l'échine cuirassée de donna Clara, parcourue d'une verticale de petits boutons de jais toujours sur le point de se transformer en meurtrières balles de fusil ; ni la blancheur de soie et de laine du dos étroit de donna Julie. Adoucie par sa propre vanité consciente, Bianca a néanmoins pris le plus grand plaisir à la représentation. Elle n'entend pas grand-chose à la danse (elle a plus souvent écouté et apprécié des opéras), mais les chaussons de forme nouvelle que la Sallé, paraît-il, aurait inventés toute seule confèrent à la danseuse étoile un pas aérien qui semble la promener en suspens au-dessus des choses, comme portée par un souffle. Ses voiles ne cachent pas ses beaux bras fuselés, nus presque jusqu'à l'indécence, mais une indécence heureuse, qui pousse à se demander pourquoi tous les bras du monde ne devraient pas être montrés ainsi, dans la gloire du corps juvénile. Et le long tutu accentue l'inconsistance physique de la ballerine, qui tourbillonne sur elle-même comme une poupée montée sur ressort : l'idée, de toute façon, est que l'artiste n'est pas une simple femme, vêtue de manière succincte et douée d'une grâce d'acrobate, mais ressemble toujours à quelque chose d'autre, une image, un désir, l'aspiration à une vie pure où les sylphides existent vraiment, âmes sans corps. À l'entracte, donna Clara a grommelé longuement sur les mœurs de ces femmes, « que tout le monde veut pour maîtresses, parce qu'elles sont belles, mais la beauté ne dure pas, quelques instants et c'est fini » ; et Bianca s'est demandé si c'était à elle-même qu'elle pensait en ces termes, et s'il n'était pas injuste de croire que les danseuses devaient nécessairement se montrer aussi légères dans leur vie privée que sur scène. Innes leur a offert à toutes les trois des cornets de bonbons au rosolis, de petits cristaux aux couleurs ténues que donna Julie a croqués avec une gourmandise enfantine, mais que donna Clara a refusés, demandant à la place de plus prosaïques graines de courge grillées et salées. Bianca, cependant, scrutait les autres loges à la recherche des beautés longuement décantées dans les salons, la signora Bongi, la signora Barbesino, la signora Carrara Stampa, se demandant s'il existe une façon typiquement lombarde d'avoir de la séduction et l'identifiant, peut-être, dans une certaine pâleur tendant à l'olivâtre, dans l'épaisseur des sourcils sombres au-dessus des grands yeux, sombres aussi et écartés, dans la floraison de larges bouches bien dessinées, gonflées comme des bourgeons ou comme des promesses. Elle aimerait faire leur portrait, à ces beautés sérieuses, l'une près de l'autre comme en un bouquet de fleurs de saison ; une saison qui d'ailleurs est la leur, pour le temps qu'elle durera. Mais ensuite, elle se prend à imaginer l'ennui, les caprices, les silences vides des interminables séances de pose, et se réjouit que ses sujets soient plus dociles et accommodants. À la fin du spectacle, elles sont restées bloquées dans le foyer du théâtre, si nombreuses étaient les dames qui voulaient saluer Clara et Julie, « revenues de la sauvagerie à la civilisation », comme l'a fait remarquer une vieille connaissance aux boucles blanches, étonnamment mince malgré son âge dans une robe de velours d'un gris presque noir. « Et cette demoiselle, c'est votre miss, je suppose ? Qu'elle est gracieuse… On ne dirait même pas qu'elle est étrangère. » Bianca n'a guère apprécié d'entendre parler d'elle comme si elle était absente, mais a caché son impatience sous un léger sourire qui, ensuite, lui a valu les compliments de donna Julie : « Vous avez été parfaite. Elles sont tellement agaçantes, parfois, ces vieilles bavardes ! » Sur quoi donna Clara l'a reprise : « Allons, Julie, on ne parle pas ainsi de ses amies », et Julie a murmuré, dans l'intimité de la voiture : « *Vos* amies, peut-être. » Une fois de plus, Bianca s'est étonnée des piques dont est capable cette petite dame timide, pour peu qu'elle ait envie de les laisser partir, c'est-à-dire presque jamais. Et elle a pensé que donna Julie, avec son ironie, pourrait être une redoutable adversaire dans les affrontements de salon, à condition qu'elle eût le désir d'y prendre part et que sa réserve de mère modèle ne fût pas une façade commode pour éviter l'ennui des obligations mondaines.

« Maintenant que vous êtes allée à la Scala, on peut dire que vous êtes une Milanaise patentée », a plaisanté donna Clara le lendemain au déjeuner (pas de petit déjeuner, ces dames ont dormi plus tard et les enfants, enfermés quelque part, n'ont pas fait de bruit). Bianca a souri, pensant qu'elle n'a pas plus envie d'être milanaise que turcomane ou barbare, car elle possède son monde à elle et n'a aucun besoin d'emprunter celui d'autrui ni d'y être généreusement admise. Mais elle a appris à tenir sa langue, sachant que le silence est la vertu la plus séante pour une demoiselle, etc., et que sa tendance à parler sans détour, qui au début suscitait la curiosité, risque maintenant de ne lui attirer que la réprobation. Donna Clara, si aventureuse qu'ait pu être sa vie passée, est pour l'heure (au moins en public) strictement conventionnelle. Autant s'y adapter si cela ne coûte qu'une bouche bien scellée et quelques pensées qui vont de travers.

Par moments, Bianca se demande si tout ce contrôle, cette retenue et ces silences n'expriment pas, plus que la courtoisie et le respect, une attitude de duplicité qui, loin d'être noble, relève surtout de la sournoiserie, comme le prouve du reste l'audace secrète de son plan. Jusqu'où doit-on renoncer à la sincérité pour le bénéfice des bonnes manières ? Et jusqu'où, jusqu'à quand se taire est-il une marque de soumission polie et non de fourbe opportunisme ? Elle s'interroge, s'interroge, Bianca, et plus elle s'interroge, plus ses pensées s'obscurcissent ; or, elle n'a personne à qui ouvrir son cœur, si bien qu'au lieu de s'en libérer, elle les laisse s'emmêler en elle.

Quelle fête pour tout le monde, quand Pia est arrivée de Brusuglio, voyageant seule en diligence comme une dame. La voiture est entrée dans la cour, un valet a ouvert la portière et elle est apparue en tendant les mains, les yeux pleins de rire ; et les enfants, qui l'attendaient depuis le matin, ont couru à sa rencontre comme une poignée de billes lancée sur une allée pour se pendre à ses bras et à son cou, tous, même les garçons. Elle était bien jolie, Pia, dans son petit manteau sévère sorti de Dieu sait quelle armoire de vêtements usagés, digne, déjà une authentique demoiselle : elle dégageait même une douce distinction, peut-être observée dans les gestes des dames croisées à la villa, mais sérieuse, sans nulle trace d'affectation. Bianca a attendu son tour pour l'embrasser et découvrir qu'elle a un peu grandi, au point que désormais elles se regardent presque dans les yeux ; mais Pia, malicieuse, lui a découvert un instant sa cheville pour lui montrer le talon bobine de sa chaussure, à peine égratignée au bout et fermée par un ruban de velours. « La jeune dame », a-t-elle murmuré.

En son absence, Bianca a eu tout le temps de réfléchir et d'assembler les pièces du puzzle, les déplaçant et les encastrant jusqu'à ce que l'ensemble formât une image claire. Certes, il reste de nombreuses zones d'ombre, des choses que nul n'a dites, que nul n'a sues, des détails incertains ; mais il lui semble avoir repéré trop de coïncidences et de faits troublants pour qu'il ne faille pas lire tout cela ensemble, et que ces éléments ne soient pas cousus les uns aux autres par des fils invisibles mais solides qui, à partir de fragments, recomposent un tout cohérent. En cela, Bianca a la fougue de la dilettante, et aussi son entrain : elle éprouve un plaisir immense et inépuisable à la classification systématique des inclinations et des sentiments d'autrui. Difficile de dire si cela vient de son habitude d'observer la vie végétale dans son ordre complexe, de se sentir rassurée par les divisions en familles et sous-familles qui rendent cet ordre évident au regard, ou s'il s'agit plutôt d'un caprice lié à son âge, d'un penchant de jeune donzelle qui croit en savoir long sur le monde tout en n'étant même pas capable de se reconnaître dans le miroir. Le fait est que la botanique des émotions est la science inexacte qui lui est le plus chère en ce moment. Peut-être tout cela passera-t-il un jour, supplanté et englouti par des passions de première main ; mais pour l'heure, c'est ce qui donne un rythme et un sens à ses journées. Inquiétant, c'est sûr, et non sans risque ; si seulement Bianca se connaissait assez pour s'en soucier !

À présent, devant le puzzle presque reconstitué, elle pourrait sourire, contente, avant de le ranger, satisfaite que ce divertissement se soit suffi à lui-même ; ou tenter de le faire voir à quelqu'un, pour savoir si ou jusqu'à quel point sa reconstruction est claire et déchiffrable pour autrui. Mais à qui ? Tout le monde est trop empêtré dans cette toile d'araignée, et Bianca craint, avec raison, qu'une réticence systématique en embrouille encore davantage les fils. Reste la troisième voie : aller au bout de sa démarche, enquêter encore, mais en dehors de la famille, toute seule. Dans quel but ? Oh, dans un premier temps, seulement pour savoir, se faire une certitude. Ensuite, elle décidera que faire. Que faudra-t-il ? Le courage de poser quelques questions, avec assez de confiance dans le sérieux des réponses. Les hôtes de la maison sont des gens intéressants, cultivés, et de bons citoyens, aussi, qui se réjouiront de satisfaire les curiosités d'une demoiselle si jolie et si vive du moment qu'elle n'outrepasse pas les bons usages. Déjà, il a suffi d'orienter comme il fallait la conversation avec un notaire, un fonctionnaire de justice, une dame à forte poitrine qui exerce avec enthousiasme la profession de bienfaitrice. Bianca s'y est appliquée avec le zèle d'un chercheur qui affronte pour la première fois un sujet inconnu et entend bien tirer des résultats brillants de son étude. Puis elle s'est adonnée à ses explorations, tantôt ici, tantôt là, et maintenant elle est presque prête. Si elle tarde encore, c'est pour prolonger – sage en cela seulement – le plaisir de l'attente. Et parce que parfois, qu'elle le veuille ou non, elle ne peut passer tout son temps en conjectures, mais doit aussi se retrousser les manches et travailler.

Loin des yeux jaloux de Minna et des sottes disputes de la cuisine, Pia s'épanouit et prospère. C'est comme si elle avait soudain fait un pas décisif en avant, se détachant pour toujours de la file des domestiques agglutinés dans la pénombre, réclamant sa place sur le devant de la scène, un rôle qui vaille mieux que les habituelles deux répliques. Ici, personne ne lui reproche de lire ; personne ne la gronde si elle est oisive, car tout le monde l'est en cet hiver qui semble si long. Et puis, à y bien regarder, ce n'est pas si souvent qu'elle lit ou qu'elle est oisive : elle passe le plus clair de son temps avec les enfants, plus gaie que Nanny, plus inventive quand il s'agit de leur trouver des jeux et des occupations qui entretiennent leur bonne humeur, confinés qu'ils sont dans leurs chambrettes. Car en ville les enfants ne sortent pas, c'est décidé, leur mère et leur grand-mère ne veulent pas : il y a les miasmes des fosses, la coqueluche qui menace et surtout les autres enfants, une horde armée de cerceaux et de poupées, aux aguets dans le parc, prête à passer à l'attaque. « Mais ils s'amuseraient tellement ! Sans compter qu'il y a la patinoire sur le petit lac gelé... », plaide Bianca ; mais c'est en vain, et ses petits prisonniers restent aux arrêts, sans d'ailleurs en souffrir tant que cela, car ils ne savent pas ce qu'ils perdent et ne peuvent donc le regretter ; et Pia se met en quatre pour adoucir leur captivité. Arrive Noël, annoncé par l'odeur de miel et de mort des jacinthes en croissance forcée sur les rebords des fenêtres ; il arrive et il passe, laissant dans son sillage toute une ribambelle de jouets neufs, en bois peint, venus d'Allemagne ; il s'en va dans le parfum médi-

cinal des mandarines, qui reste sur les doigts si longtemps qu'on n'en peut plus, même si sur le moment
elles étaient un vrai délice. On change d'année, mais
rien ne change : la ville reste gelée, fermée sous des
ciels qui semblent avoir oublié qu'ils possèdent une
couleur. On préfère rester à la maison : les cheminées
et les poêles brûlent à plein régime, et même donna
Clara ne se plaint pas des factures à régler aux four-
nisseurs qui apportent une fois par semaine assez de
bois et de charbon pour un bateau à vapeur.

Bianca travaille comme une damnée, s'il lui était
permis de le dire ; mais c'est une damnation bienheureuse, car elle la fait se sentir à sa place dans le
monde, digne d'une situation qui ne revient à personne d'autre ; sans compter qu'elle lui rapporte de
l'argent : des espèces sonnantes et trébuchantes dans
de doux sachets de damas et de velours.

Et dire qu'il y a seulement quelques mois, quand
l'hiver s'est soudain abattu, elle s'était convaincue
qu'elle n'y arriverait pas. Elle était comme obsédée par
les fleurs à la saison qui les renie, et durant quelques
semaines elle n'a fait que remplir des corolles de couleurs, comme un enfant à qui on a donné un devoir :
tiens, sois sage et remplis les espaces, sans faire de
bavures, courage. Et comme elle n'avait plus les vraies
couleurs sous les yeux, et que ses planches dans les
cahiers lui semblaient au fond pathétiques, elle finis-
sait toujours par s'emporter contre elle-même : que
faire pendant tout ce temps, en attendant le retour
du printemps ? Et s'il ne revenait jamais, plus jamais,
comme le suggéraient les jours lugubres, si courts,
gris, sinon noirs de pluie et de neige fondue et sale ?

« *If Winter comes, can Spring be far behind ?* », lui avait dit un jour Innes, pour la consoler, en la voyant suivre du doigt le tracé des gouttes de pluie sur les carreaux. « C'est joli. Qu'est-ce que c'est ? – Un vers d'un ami à moi. – Mais qu'en sait-il, qu'en savons-nous, de ce qui nous attend ? », avait-elle répondu, déprimée, sans même le regarder. Et elle s'était enveloppée d'une lente, dense mélancolie, d'une *dullness* profonde que même la vivacité mécanique des fillettes ne parvenait pas à dissiper. Non, mieux valait laisser tomber, tout abandonner, s'en aller, partir, se disait-elle en déchirant des pages à moitié dessinées qui venaient joncher le sol autour d'elle comme de pauvres feuilles mortes. Mais s'en aller où ? Partir pour où, quand on a les poches vides et quatre robes en tout et pour tout ? Alors, sa colère grandissait, puis venaient l'abattement, l'amertume. *Cher père, que vais-je faire de moi à présent ? Si même cela, je n'en suis pas capable, quelle place me trouverai-je dans le monde ?* Dans ces moments, elle aurait préféré une rangée de modèles humains, fussent-ils des enfants trop gras ou des dames ennuyées et incapables de garder la pose une demi-heure : ç'aurait été mieux, beaucoup mieux que ces sujets vains, fugaces et surtout absents, comme des hôtesses qui vous ont promis une conversation amusante mais se sont ensuite laissé distraire par autre chose et vous laissent seule sur le canapé avec tout votre temps à perdre.

Et puis, un matin, Pia lui a apporté un vase plein de branches nues. Pas la moindre feuille. Vides, et pourtant pleines. « Mais que… ? », a commencé Bianca. Puis elle s'est tue, a regardé avec attention, regardé, et cela a suffi. Elle a vu. Le vase haut et blanc, privé de motif ou de décoration, ne fût-ce qu'un filet doré, déniché Dieu sait sous quel escalier ; les branches avec leur grâce osseuse, tendues à la verticale comme pour saisir quelque chose avec leurs doigts arthritiques : l'ombre des feuilles, peut-être, qui les ont si amèrement trahies en partant sans prévenir, comme c'est leur habitude au début de l'automne, de tous les automnes de la terre.

Bianca a décidé : je vous dessinerai, pauvres mains mortes. Et advienne que pourra.

Étonnamment, il en est sorti une de ses meilleures œuvres. Plus encore : le début d'une nouvelle ère, d'une façon neuve de regarder autour d'elle qui exclut les couleurs et ouvre ses yeux aux formes. Maintenant, en feuilletant ses vieux albums, Bianca sourit d'elle-même. Il ne lui a fallu qu'un moment pour renier tout un bataillon de corolles colorées rendues par des nuances complexes et pour embrasser un style nouveau, fait de lignes droites, de courbes brisées, d'ombres contrastées, de silhouettes. Les feuilles et les fleurs réduites à de pures idées, ou plutôt non, pas réduites : élevées. L'intrication des rameaux dépouillés, cueillis ou ramassés dans le jardin de Milan, s'est révélée un sujet idéal pour cette manière nouvelle : des signes propres, nets ; les arbres comme des os de seiche, dénudés de leur sens et prêts à se revêtir d'un autre.

Les premiers résultats ont divisé son public. « Miss, vous n'avez plus de couleurs ? Si vous voulez, je peux vous prêter les miennes », a dit Giulietta, perplexe. « Moi, je préférais les roses », a ajouté Matilde, hochant sa petite tête pour donner plus de force à son affirmation. Et donna Clara, fronçant les sourcils : « Ces branches noires, c'est tellement… étrange ! – C'est vrai, Je n'ai jamais vu de végétaux aussi modernes », est intervenue donna Julie, surprenant tout le monde. Et son mari, si avare d'effusions d'habitude, lui a pris la main, l'a baisée et a dit : « Ma chère amie, vous avez compris l'essentiel. Comme notre Bianca, avec sa néobotanique. » Donna Julie a rougi, mais sans retirer sa main, pour goûter jusqu'au bout cet élan de tendresse sous le regard indéchiffrable de sa belle-mère. Compliments aussi d'Innes : « Courageux celui qui navigue sur des mers inconnues », a-t-il dit avec un clin d'œil pour atténuer l'emphase de la formule.

Ainsi, absoute et même encouragée, Bianca a-t-elle remisé son matériel d'aquarelle et enrichi sa collection de crayons et de fusains. Elle a passé une matinée entière à Brera, dans la boutique obscure de Barba Conti, un antre où flottait l'odeur des parfums et des poudres alignés sur de hauts rayonnages, attendant son tour derrière les étudiants de l'Académie dans leur ostensible et rieuse pauvreté. Elle est restée tranquillement dans un coin, car elle ne se sentait pas à sa place, sans trop savoir pourquoi d'ailleurs. Le même jour, dans l'après-midi, un commis en tablier noir lui a livré son paquet : quatre rames de papier neuf, lourd, et un assortiment de fusains. Contre toute logique, l'hiver tant détesté et redouté est devenu la saison de son renouveau, un printemps d'expériences et de tentatives. Joie, joie pure de se salir les doigts et de prolonger sa pensée par le crayon qui, telle la baguette d'un rhabdomancien, sent et saisit la vie des choses mortes ; joie pure de ne pas penser et de se borner à faire, faire et rien d'autre, et voir ce qui arrive quand l'instinct prend le dessus. Sa technique lui donne de la sûreté, et c'est le mouvement automatique de la main qui rend possible l'invention. Au reste, dans son cas, il n'y a rien à inventer : les feuilles et les fleurs existent, elles ne sont pas des mines de petites dames factices enfermées dans des poses absurdes dans l'ovale des miniatures, ni des paysages de ruines ordonnées où se meuvent des pastoureaux et des joueurs de luth et de musette déguisés en chevaliers. Les feuilles et les fleurs ont leurs traits impossibles à confondre. C'est seulement la façon de présenter ces traits, en renonçant aux couleurs pour le bénéfice des trames et en allant à l'essentiel, qui a changé et change le travail de la jeune artiste. Car c'est ce qu'elle est, maintenant qu'elle a trouvé sa voie : une artiste. *Cher père, si vous pouviez me voir, je sais que vous m'approuveriez, vous qui avez toujours défendu la nouveauté contre les vieux usages. Vous m'approuveriez et vous seriez le premier à vous doter d'une collection de mes feuilles vives et mortes, ou mortes et vives, comme vous préférez, et en réalité plus vives que jamais quand elles surgissent de mes doigts et sont placées sous verre... Mes conserves de nature, pour la gourmandise de l'œil et de lui seul. J'éprouve un plaisir profond à les distiller : c'est ma façon de les soustraire à la corruption du monde. Et, comme Daphné se transforme en branches et en frondaisons pour échapper à la convoitise d'Apollon, il me semble me transformer moi-même en ce que je dessine, sentir les veines et la lymphe qui y court, mêlée au sang... et*

*je sais aussi à quoi j'échappe : je crains plus que tout
la banalité.*

Comme tous les artistes, Bianca est consciente de devoir affronter les voix du monde. Conviés à exprimer leur avis devant la première série de quatre dessins en noir et blanc, encadrés avec soin par Grassi et exposés bien en vue au-dessus d'une console frisottée de l'entrée, les amis de la famille se sont montrés partagés. « Drôle de petite tête d'Anglaise, a commenté Bernocchi, plus que jamais pareil à une grosse grenouille dans son manteau hivernal vert bouteille. J'aimerais bien savoir ce qui se passe à l'intérieur… » Étonnamment enthousiastes les dames, qui ont attendu dans une sorte de suspens l'opinion définitive de la marquise Caravatti. Qui, après un long moment de silence absorbé, a penché de côté sa belle tête blanche et déclaré : « Je n'aurais jamais imaginé qu'une feuille puisse être aussi *expressive*. Moi aussi, j'en veux une série. Naturellement, si et quand vos occupations vous le permettront », a-t-elle ajouté, faisant allusion avec tact au contrat qui lie Bianca à la famille et dont nul ne parle jamais en termes explicites, car après tout Bianca n'est pas une domestique. (Même si définir son statut de manière à la fois courtoise et réaliste est difficile. Employée ? Oui, puisque pour vivre elle a besoin des subsides de son emploi ; mais elle est aussi entièrement maîtresse de son temps et de ses mains.) Donna Julie est aussitôt intervenue, en disant : « Je suis sûre que mon mari n'y verra aucun inconvénient » ; et Bianca s'est sentie légère, légère… Travailler aussi pour d'autres lui permettra de remplir davantage son bas de laine, et ce sera peut-être le premier pas vers l'indépendance. C'est seulement maintenant qu'elle comprend avec pleine lucidité toute l'ambiguïté de son occupation passée : une gouvernante masquée, voilà ce qu'elle était. Mais ce n'est plus vrai. À présent, elle est une professionnelle. Et à cette pensée, elle s'est mise à rêver, tandis que les autres dames, dans le sillage de la marquise, se répandaient en compliments et tentaient, avec un entrain presque comique, d'accaparer son temps et sa curiosité. « Peut-être un bouquet de roses, vous savez, les toutes petites, comment les appelle-t-on, mais peu importe, vous le savez mieux que moi. – Ah, la modestie du jasmin ! – Moi qui aime tant les jonquilles… » Laissez-les donc tranquilles, a failli laisser échapper Bianca, qui se rappelle l'enchantement des prairies anglaises au printemps, avec les petites têtes bicolores des *daffodils* secouées par le vent sous la course des nuages devant le soleil ; mais elle s'est tue : elle est une femme d'affaires, et les fleurs sont à qui les achète.

Ainsi s'est installé dans ses jours le sourd plaisir de l'habitude, et s'est renouvelé le désir de la fatigue. Faire ce qui est prévu et établi, se préparer à le faire, le faire bien jusqu'au bout, jouir du résultat, et tout cela dans l'ordre, avec ordre. Les ambitions de Bianca croissent à mesure qu'elle projette et réalise son jardin personnel en noir et blanc, comme croissent ses économies gardées dans des sachets de velours au fond de sa commode, comptées et recomptées avec une passion qui confine à l'avarice, à cela près qu'elle est capable de se regarder dans le miroir de la coiffeuse avec une pointe d'ironie, entourée de piles de pièces, princesse cupide d'une fable orientale qui a peut-être encore le temps de sauver son âme. Croissent aussi ses obligations à l'égard du monde, car, naturellement, elle doit se consacrer à la première, la principale, dont toutes les autres ne sont que la conséquence ; et c'est seulement dans le temps qui lui reste – hormis les réceptions mondaines, les visites obligatoires, les messes occasionnelles et inévitables – qu'elle peut s'adonner à l'art du commerce. En perfectionniste, Bianca s'applique corps et âme à son activité, dédaignant les raccourcis de la répétition : chaque œuvre doit être unique, ou du moins très différente des autres. Une fois épuisées les possibilités du jardin prisonnier, qui, aussi longtemps qu'il a pu, lui a offert des branches tordues de toute sorte avec la générosité instinctive des pauvres, elle a dû chercher ailleurs. Grâce à la complicité de donna Clara, elle a réussi à obtenir une visite hors saison au Jardin botanique, où les architectures végétales gelées de la fin de l'hiver lui ont fourni l'inspiration pour une de ses œuvres les plus heureuses : l'aubépine endormie.

Mais l'inspiration est partout quand l'âme est bien disposée. De sa bible reliée en maroquin rouge s'échappe un jour un fragment de feuille arrondie, fragile comme une relique, d'un jaune paille fatigué, à peine plus que de la poussière ; et Bianca se souvient.

Père, qu'elle était étonnante, votre capacité de découvrir des trèfles à quatre feuilles dans la moindre étendue d'herbe sauvage ! Vous disiez qu'il s'agissait seulement de lire l'anomalie : dans un schéma répété de trois, trois, trois jusqu'à l'infini, le quatre vous sautait aussitôt aux yeux ; et quand, au cours de nos promenades, vous vous penchiez d'un air absorbé, je savais que vous

vous redresseriez avec un trèfle à quatre feuilles pour moi. Une fois que nous étions restés dehors tout l'après-midi, quand j'étais encore petite, vous avez réussi à en faire tout un petit bouquet, que vous avez attaché avec un brin d'herbe avant de l'offrir à maman, à notre retour ; et elle vous a regardé, ravie, battant des mains en recevant ce cadeau avec la joie stupéfaite qu'on réserve au don d'un bijou précieux. Vous vous souvenez ? Vous vous souvenez ? Elle ne peut dire s'il s'en souvient, là où il se trouve, ni d'ailleurs, à supposer qu'il le puisse, s'il se rappelle exactement la même chose : la mémoire est si habile à recomposer les détails au bénéfice de l'utilité présente ! Mais c'est cet épisode remémoré par hasard qui donne vie à une de ses séries les plus applaudies. Maintenant, tout le monde veut une des prairies de trèfles de Bianca, longues et larges d'à peine un empan, où il faut chercher du regard ou avec une loupe, en suivant du doigt le dessin sous le verre, le seul spécimen à quatre feuilles, isolé, mêlé confusément aux autres. C'est un jeu, un casse-tête amusant, qui durera ce qu'il durera. Et Bianca, contrainte de répéter de multiples variations sur le même sujet, commence à comprendre le conseil de Tommaso, car il est vrai que l'art – s'il s'agit bien d'art – relève aussi de la mode, et que ses trèfles, assurément, sont à la mode.

« Je ne te remercierai jamais assez, Pia.

— De quoi, miss ?

— Mais de ton idée. De… » Et Bianca montre du geste les feuillets épars sur la table, les crayons anglais, les fusains, les ébauches, les branches dans les vases. « De tout cela.

— C'est seulement une fantaisie qui m'a prise, miss. Rien de plus.

— Mais pour avoir la fantaisie, il faut aussi avoir le cœur, et le cerveau.

— Je ne sais pas. J'ai plus facilement des idées qui sont en rapport avec le cœur. »

Pia est embarrassée : ce parler imprécis, indécis ne lui appartient pas. Mais Bianca a les yeux qui se mouillent.

« Je voudrais tellement… »

Elle ne parvient pas à finir, car Pia fait une rapide courbette, se retourne et s'en va, esquivant la reconnaissance qui la gêne. Bianca secoue la tête, stupéfaite encore une fois du tact inné de la petite servante. Peu importe : il y aura tout le temps d'équilibrer les comptes. Et tu verras, tu verras quelle surprise je te réserve.

Quelle merveille que les fleurs du marché, celles qu'on achète déjà coupées : elles arrivent deux fois par semaine de la côte ligure sur des charrettes, très colorées mais sans parfum, comme si, au cours du voyage, un douanier l'avait exigé à un péage ; mais peu importe, car Bianca n'a besoin que de leur forme, les lignes, les pleins et les vides. Elle s'est entendue presque tout de suite avec un homme courtaud et pansu, aux yeux gris pénétrants, Berto, qui désormais lui met de côté ses plus récentes fleurs de serre, devinant toujours ce qui lui plaira : les œillets aux petites têtes ébouriffées, les tubéreuses nobles et exsangues, et certaines roses, froides malgré leur couleur, juchées sur des tiges d'une longueur impossible dans la nature. Bianca manifeste de nombreuses préférences, et une seule aversion : elle ne peut même pas regarder les glaïeuls, avec leurs couleurs criardes, la rudesse de la tige verte et charnue d'où surgissent comme des langues les boutons gonflés avant qu'ils ne retombent en cloches molles, et chaque fois elle les repousse en tendant les mains devant elle, comme si leur seul aspect lui faisait mal. Berto n'essaie même plus ; au lieu de quoi, madré et sagace comme un bon commerçant, il lui offre les fruits d'une sous-production privée et soumise : de tout petits narcisses, des campanules blanches qui semblent condenser la pureté de la neige, les minuscules grappillons renversés des muscaris, blancs aussi, encore solidement attachés au bulbe qui est leur maison et leur nourriture. Bianca emporte les bidons en fer-blanc et les dispose loin du feu et près du courant d'air des fenêtres, pour que les fleurs puissent goûter l'air froid et se conserver plus longtemps ; et quand elles défleurissent, elle dépose dans le noir, comme on le lui a enseigné, à l'intérieur de petits sacs de jute, les tubercules rugueux qui sont restés, dans l'espérance confiante qu'ils redonnent le meilleur d'eux-mêmes sous forme de fleurs nouvelles, pour peu qu'elle ait la patience d'attendre un an, ce qui, à y bien réfléchir, n'est pas si long pour assister à un enchantement. Mais son cœur va tout entier aux hellébores. Ceux qu'elle connaissait, pour les avoir vus au bord des prairies givrées d'Angleterre, étaient tout blancs et simples, avec seulement quelques irisations vertes et roses ; ceux que lui apporte Berto sont doubles, triples, opulents, d'un violet intense et presque bleu nuit qui contraste avec le crème des étamines, ou blancs et ourlés de mauve comme des voiles de veuves frivoles, ou résolument verts, d'un vert presque acide, veiné de pourpre, ou tachetés comme des bêtes sauvages, rose pâle piqueté de violet. « Ils sont résistants, mais délicats quand même, lui dit-il, exactement comme vous. » Car au bout de quelques semaines de fréquentation, la confiance entre eux s'est développée comme une plante rampante. « Il faut les planter en terre. Dans les vases, ils souffrent. » Aussi Bianca s'accorde-t-elle avec lui pour qu'il lui apporte un plus grand nombre de plants quand viendra le moment de retourner à la campagne, où l'on a tout l'espace qu'on désire et où le Poète se réjouira d'ajouter des expériences aux expériences. En attendant, elle se contente de petits pots en terre cuite qu'elle dispose sur le balcon du grand salon au premier étage ; quant à l'ombre, le jardin, bien que dépouillé, en fournit en suffisance, car c'est un jardin de ville, tout en murs, en barrières et en frontières ; or, ce sont des fleurs qui apprécient la pénombre, et de toute façon c'est l'hiver. Elle attend que la floraison soit à son apogée, puis, non sans regret, coupe les tiges, en prenant garde de se laver les mains ensuite, car toute cette beauté est vénéneuse. Elle place ses fleurs dans un vase haut et étroit, où elles se dressent, la tête à peine inclinée, comme si elles regardaient autour d'elles, intriguées par cette nouvelle installation. Ensuite, le portrait. Une gamme infinie de gris pour remplacer les roses, les violets, les pourpres ; la minutie des pistils, différents d'une espèce à l'autre, tels de petits yeux de jais ; le lacis léger des veinures sur les pétales, joues rougies d'enfants qui ont joué trop longtemps en plein air.

Le succès est grand : toutes les dames réclament un hellébore de Bianca, ou deux, ou trois, à pendre au-dessus de leurs commodes, ou de leurs secrétaires, pour les regarder, pensives, en écrivant leurs lettres d'amour. « Et dire que dans la nature ils sont si modestes, presque invisibles ! », commente une d'entre elles avant d'emporter chez elle son portrait de fleur. Et Bernocchi lui fait écho : « Jamais fleur ne vous ressembla davantage, madame. » La dame en question se retourne avec un demi-sourire et s'en va, convaincue qu'il s'agit d'un hommage codé. « Vous savez, Bianca, continue Bernocchi en clignant de l'œil, ce que signifie l'hellébore dans le langage des fleurs ? Il veut dire scandale. » Et il ricane. Innes hausse les épaules et cherche le regard de Bianca, qui n'a pas envie de comprendre et soupire. Désormais, c'est un portemanteau, un couvre-théière, un pare-feu brodé, ce Bernocchi : un objet domestique d'usage commun, prêt à prendre vie quand on s'y attend le moins. Ce qu'il y a de bien, c'est que plus personne ne fait attention à lui. Ce qu'il y a de mal, c'est qu'il est toujours là.

Et si elle abandonnait ? Si elle se contentait de jouir du présent, puisqu'il a pris un tour si favorable ? De temps en temps, cette pensée affleure, mais elle est comme une punaise aux premiers froids, une chose à identifier et à chasser avant qu'elle libère son odeur de peur. Convaincue qu'elle est d'agir dans la justice et pour le bien d'autrui, Bianca cesse de s'interroger et s'obstine à affirmer. Pia en aura le légitime bénéfice ; Pia sera restaurée dans ses droits ; Pia obtiendra un futur. Et elle ? Oh, elle se contentera de sourire dans l'ombre.

Maintenant que d'une façon ou d'une autre (surtout d'une autre) elle est devenue une jeune artiste à succès, Bianca peut mettre un moment ses travaux entre parenthèses et s'adonner à la chasse. Elle y a tant réfléchi, dans les moments bienheureux où l'inspiration s'envole et où la main court toute seule sur le papier, qu'à présent son plan lui semble parfait dans sa simplicité. Certes, si elle pouvait en faire part à quelqu'un, elle se sentirait plus sûre d'elle ; mais somme toute, elle a ses certitudes : il lui semble que le tableau d'ensemble ne manque ni de détails ni de précision ; et elle sent qu'elle le doit à Pia, la petite bienfaitrice qui lui a montré la voie du blanc et noir. Ce qui la poussait naguère était surtout une folle curiosité, mais maintenant, se dit-elle, c'est la gratitude qui renforce son audace. Au reste, à quoi se résume l'objet de sa démarche ? À une adresse ; à une porte ; à une question. Le pire qui puisse arriver est que la porte ne s'ouvre pas et que la question ne reçoive pas de réponse. Mais pour l'éviter, elle saura se démener. Elle s'est préparée avec beaucoup de soin : elle a choisi la robe grise à passementerie de soie qui, opportunément, la vieillit quelque peu, un petit chapeau avec un grand ruban noué sous le menton, et enfilé la paire de gants de chevreau gris fermés par une rangée de petits boutons ; puis elle a glissé dans son sac vert la précieuse relique et quelques pièces de monnaie, avant de sortir en prenant bien garde de ne croiser personne pour ne pas devoir mentir et, dans la rue du Jardin botanique, d'arrêter un fiacre, pensant avec raison qu'une dame qui arrive en voiture est plus crédible que si elle se présente à pied, même si la route n'est pas longue et qu'elle pourrait très bien la faire en marchant, car la journée est grise, mais il ne fait pas froid.

Déposée devant Santa Caterina alla Ruota, sous le regard vaguement désapprobateur du cocher (ou du moins c'est ce qu'il lui a semblé), elle observe maintenant, à la distance qui convient et avec une curiosité mêlée d'effroi, l'étrange mécanisme, qui d'ailleurs n'est pas si étrange que cela, car il ressemble à un grossier berceau en bois. Elle se le représentait différemment, davantage comme un objet de torture, ce qu'il est en réalité. Elle frappe à la porte et attend. Derrière le petit guichet carré apparaît le visage d'une vieille, presque un masque, avec le fichu des femmes pauvres sur la tête.

« Vous désirez ?

— Je cherche des renseignements sur une petite fille, dit Bianca.

— Nous ne pouvons parler qu'aux personnes de la famille. Vous êtes de la famille ? demande la vieille d'un ton mécanique.

— Non. Mais j'ai son agnus. »

Et de son sac, elle fait apparaître le coin du coussinet brodé.

Le guichet se referme et la porte s'ouvre dans un

fracas de verrous. La vieille la laisse entrer par l'entre-bâillement, referme aussitôt derrière elle, se retourne et s'éloigne sans dire un mot. Bianca hésite un instant, puis la suit dans un long couloir éclairé par de hautes fenêtres grillagées. Vue de près, sa guide n'est pas vraiment vieille, et ses façons ne sont pas dépourvues d'une sobre distinction ; sa robe noire à la coupe désuète conserve un reste d'élégance dans les manches ajustées, et son fichu est replié avec grâce et noué derrière la nuque, non sous le menton à la manière des femmes du peuple. Sans cesser de marcher vite, elle se retourne un instant pour observer Bianca, embrassant d'un bref regard le petit chapeau à la dernière mode, les yeux vifs, l'expression intense ; celle-ci espère ne pas avoir l'air trop frivole, avoir choisi la tenue qu'il fallait, et, d'instinct, baisse la tête et joint les mains comme à l'église. Elles parcourent le périmètre d'un cloître endormi par le froid. Dans ses mouvements, la femme semble gauche et précautionneuse, comme si elle souffrait des articulations, mais ses pieds silencieux se déplacent rapidement et Bianca a à peine le temps de remarquer les plaques de marbre sur les murs, les profils ronds d'hommes et de femmes de temps défunts, les inscriptions latines incisées dans la pierre ; puis sa guide s'arrête devant une porte minuscule, qui l'oblige à se baisser pour la franchir. Bianca s'apprête à la suivre, mais la femme lève la main : « Vous, attendez ici. » La petite porte se referme avec un grincement. Bianca se retourne, déconcertée, et frappe des pieds sur le sol pour les réchauffer. Le gel semble plus glacé maintenant : un effet de son malaise, ou de l'humidité des siècles retenue par les murs épais pour être déversée sans pitié sur les intrus. On n'entend aucune voix, ni aucun pleur. Un autre grincement, et la femme reparaît : « Madame vous attend. » Elle tient la porte à Bianca, puis la referme aussitôt derrière elle.

La pièce est petite, avec un plafond très haut et une minuscule fenêtre inaccessible : un compromis entre la cellule et le bureau. Une table à écrire, sombre, de facture monacale, est surmontée du buste d'une femme vêtue de noir ; deux bandeaux d'un blanc lumineux encadrent son visage sévère, presque intact, et le contraste entre ce blanc et l'absence de rides est surprenant. La femme ne se lève pas ; elle se borne à la scruter, puis indique en face d'elle une chaise à haut dossier et déclare d'un ton autoritaire :

« Biagina m'a transmis votre requête. Puis-je vous demander qui vous êtes, à quel titre vous êtes ici et dans quel but, si vous voulez bien m'en donner la permission ? demande-t-elle, laissant entendre que cette permission est plus qu'obligatoire. Et enfin, pour quelle raison vous êtes en possession d'un agnus ? »

Bianca soutient l'examen de ces tranquilles yeux bruns et, s'efforçant de s'exprimer avec clarté, raconte toute l'histoire, ou du moins sa version, constituée à partir de commérages, de récits emportés, et de quelques conjectures tenues pour exactes et répétées à voix haute parce qu'elles paraissent solides et, si elles ne sont pas totalement la vérité, doivent s'en approcher beaucoup. C'est l'histoire d'une enfant abandonnée, confiée à un couple âgé : la femme est la sœur du curé d'un petit village, et les deux époux vivent au domicile de ce prêtre, le soutenant autant qu'il les soutient. La fillette apporte un rayon de soleil dans cette maison de vieux ; elle est vive, gaie, et, à la différence de ses pareilles, condamnées aux travaux forcés dans des familles qui profitent d'elles, elle est élevée avec tous les avantages possibles compte tenu de la situation : autrement dit, elle est bien habillée, bien nourrie, elle a tout loisir de jouer et reçoit l'affection de ses tuteurs ; son oncle prêtre lui apprend même à lire et à écrire, et d'autres choses encore. Puis ses parents d'adoption meurent l'un après l'autre, en peu de temps ; la fillette, bien qu'elle ait grandi, est encore trop jeune pour s'occuper seule de l'ecclésiastique, et plus assez petite pour pouvoir le faire sans susciter les bavardages ; aussi le vieil homme l'envoie-t-il servir dans la maison du principal propriétaire terrien de la région, avec quelques privilèges par rapport aux autres domestiques, soit en raison de sa vive intelligence, soit de la protection du prêtre, qui, de loin, continue à veiller sur elle. Et jusqu'ici, dit Bianca, tout devrait être enregistré.

La femme prend des notes en griffant le papier avec son porte-plume ; à la fin de l'exposé de Bianca, elle le pose et soupire.

« Convaincant, je ne peux pas dire le contraire, commente-t-elle. Mais ce pourrait être l'histoire de dizaines, de centaines d'enfants trouvées de la région au cours, disons, des deux derniers siècles. Vous ne vous êtes sûrement pas dérangée pour venir me raconter une fable et je présume que vous avez vos raisons. Soyons franches, mademoiselle. » Et Bianca a l'impression qu'elle appuie presque avec insolence sur ce mot, « mademoiselle » ; du reste, ce n'est pas qu'une impression, vu la question qui suit : « Vous êtes la mère ?

— Oh, non. Non, non, non, non ! », se hâte de répondre Bianca. Elle n'aurait jamais cru pouvoir être aussi grossièrement mal comprise. « Je suis… trop jeune, de toute façon. Je suis seulement une amie.

— Une amie de qui, si je ne vous en demande pas trop ?

— De la petite. De la jeune fille. De la fille, en somme. » Bianca se reprend. « Et pour preuve de ce que je vous ai dit, je vous ai apporté ceci. »

C'est son coup de théâtre : elle glisse la main dans son sac et en extrait un mouchoir blanc dont elle libère, en le faisant rouler, le petit agnus de velours. Elle le pose sur la table, exactement au centre, entre la femme et elle. La femme le prend, le retourne entre ses doigts, le tâte, le renifle délicatement. C'est tout juste si elle ne le mord pas. Puis elle le pose devant elle et se tait, levant de nouveau sur Bianca un regard impénétrable.

« Il a été trouvé aux limites de la propriété où vit la jeune fille en question », explique celle-ci. Ce n'est pas un mensonge, seulement une vérité un peu corrigée. « J'ai des raisons de croire que la personne qui l'y a laissé est une femme qui apparaît à cet endroit de temps à autre. Une femme qui, plus que toute autre, doit vouloir connaître le sort de cette petite. Je pense qu'il s'agit de sa mère. »

Bianca laisse tomber ces derniers mots, puis ne dit plus rien. La femme aussi se tait, gardant son expression insondable ; elle prend son porte-plume, dont ses doigts jouent quelques instants, puis le repose.

« Nous allons voir », dit-elle enfin.

Elle s'excuse et se lève, laissant Bianca seule dans la pièce. Sans conteste, c'est une vraie dame : cela se voit à la forme de ses mains, à la façon dont elle se tient droite, à la coupe élégante de sa robe. Ce qui est plus difficile, c'est de comprendre ce qu'elle fait dans cette cellule de couvent, et comment elle passe ses journées : pourquoi ici, plutôt qu'à se promener en carrosse ? Peut-être est-elle fraîchement veuve, ce qui, plus que son rôle, expliquerait le noir de ses vêtements ; peut-être est-ce une de ces âmes généreuses qui, non contentes de vivre leur petite vie, prennent en charge celle des autres. Pour le savoir, il suffirait bien sûr d'interroger donna Clara ; mais il va de soi que Bianca ne le peut pas, et, malgré toute son ingéniosité, elle ne saurait comment faire pour glisser ce nom dans une conversation générale sans risquer de découvrir son jeu.

Entre-temps, la dame est rentrée par une porte latérale, tenant à deux mains un grand livre vert, étrangement gonflé, dans lequel elle a glissé son index. De la couverture marbrée pendent deux cordons dénoués. « Ce devrait être là-dedans. » Elle pose le livre sur la table, l'ouvre et fait courir son doigt de ligne en ligne. Bianca s'efforce de lire à l'envers, en vain : la graphie est minuscule, oblique et même un peu décolorée ; une tache d'humidité s'étale sur le feuillet, mangeant plusieurs lignes. « Voilà, nous y sommes. » La dame prend l'agnus, le palpe, le retourne. « La description correspond. » Elle lit : « Un agnus vert et rose, brodé d'un angelot – non, non, d'un agnelet – en fil d'or et d'argent. Chemise de lin fin, initiales découpées aux ciseaux. L'enfant, en bonne santé, paraît avoir un mois, et c'est l'âge qui est déclaré. Elle est accueillie et donnée en nourrice à Bernice A. à la date du, etc. Puis passe aux soins de la famille M. à la date du, etc., avec un trousseau comportant, etc. » Elle tourne la page, et le voilà. Cette fois, le coup de théâtre est son œuvre.

L'agnus. Un autre. Le jumeau de celui que Bianca a apporté, mais vieilli, peut-être par manque d'air, à moins que ce soit la poussière qui l'ait déteint. Identique. Le même carré de rose dans le vert, les mêmes broderies de roses dorées. Bianca tend la main en avant, mais, prestement, la dame referme le livre, dont les pages sont toutes bosselées parce que, selon toute vraisemblance, il contient plusieurs autres de ces encombrantes et étranges reliques.

« Alors ? demande Bianca après un bref silence.

— Alors quoi ? »

Le regard de la dame est pénétrant, précis.

« Les deux agnus sont identiques. Ce qui prouve que mon histoire est vraie. »

Et Bianca pose les mains sur la table, comme pour s'appuyer.

« Cela prouve seulement l'évidence : qu'il existe deux agnus identiques, objecte la dame en la regardant dans les yeux. L'histoire dont vous avez eu l'obligeance de me faire part peut être vraie comme elle peut être fausse. Comprenez-moi : je n'ai aucune raison de douter de votre bonne foi, vous me faites l'effet d'une jeune personne honnête, poussée par le désir d'aider votre prochain et aussi par une curiosité naturelle, qui en soi n'est pas un mal, mais peut cependant le devenir. Et j'en reste à me demander quels desseins cachés nourrissent en leur sein les personnes qui vous ont raconté tout cela pour vous inciter à agir. Vous-même ne le savez probablement pas. Quoi qu'il en soit, nous avons des règles. Être en possession de cet agnus ne vous donne pas plus de droits que si vous étiez venue les poches vides. »

Et elle fixe Bianca d'un regard aigu, d'admonestation. Celle-ci ignore l'allusion contenue dans sa harangue – non, il est impossible que quelqu'un se soit servi d'elle, elle a tout entrepris de sa propre initiative –, mais saisit clairement le dernier message. Et se dit qu'elle n'est pas là pour acheter la vérité : l'idée qu'elle pût être en vente ne l'a même pas effleurée.

« Je ne peux pas en savoir davantage, alors ? Ma jeune amie a atteint un âge où elle voudrait apprendre certaines choses sur elle-même, sur ses origines… Et de toute façon, je suis venue ici par ma volonté spontanée.

— Ah, ma chère, vous aurez le temps de découvrir que la volonté est un étrange animal. » La dame semble sur le point de développer, puis serre les lèvres, comme si elle en avait déjà trop dit. « Et votre jeune amie, poursuit-elle, n'a le droit de rien savoir sur ses origines. Ce sont les règles. Vous ne le saviez pas ?

— Non, vraiment », dit Bianca, redressant le dos. Si elle pouvait, elle laisserait échapper un soupir d'impatience : comme ils font traîner les choses en longueur, tous ces gens, avec leurs réticences, leurs résistances, leurs oppositions. La femme reprend :

« Les parents légitimes, ou le père naturel, comme c'est le cas de votre protégée – et je m'avance déjà beaucoup en vous le révélant –, ont pleinement le droit de renouer avec les enfants qu'ils ont confiés aux bons soins de cette précieuse institution. Mais les enfants n'ont pas le droit de connaître leurs parents si ce ne sont pas ceux-ci qui le demandent expressément. Pensez aux dommages qui pourraient en résulter. Nous devons nous dire que si ces parents se sont séparés de leurs enfants, ce doit être pour une bonne raison. Même si à mon avis il n'y a jamais de raison assez bonne », ajoute-t-elle presque à voix basse. Puis elle poursuit, plus fort : « Une raison raisonnable, disons. De toute façon, qu'il se soit agi d'indigence ou de peur du scandale, que nos pupilles soient issues des familles les plus en vue ou des plus déshéritées, elles deviennent toutes égales à nos yeux à partir du moment où elles sont déposées dans la roue. Vous le comprendrez facilement, nous ne pouvons nous permettre d'établir des distinctions. Je vous dirai encore ceci, même si rien ne m'y oblige : au vu de son agnus et de son linge, il semble que votre protégée soit née dans un milieu aisé. Ce qui, vous me l'accorderez, complique encore la situation. Peut-être sa mère a-t-elle eu cette enfant hors des liens du mariage. Ou bien elle était mariée, mais elle l'a conçue avec un homme qui n'était pas son époux légitime. » La dame égrène les hypothèses en comptant sur ses doigts ; mais elle en a oublié une, pense Bianca : un petit monsieur qui aurait pris le large. « Et nous risquons de soulever le couvercle d'une marmite de boue si nous nous obstinons à aller au fond des choses. C'est tout ce que je peux vous dire, ma chère demoiselle. Si, comme j'en ai le sentiment, vous êtes animée des meilleures intentions, le mieux que vous puissiez faire pour votre protégée est de l'assister dans sa croissance physique et spirituelle, de vous assurer qu'elle devienne une jeune fille bonne et dévote, et, quand le temps sera venu et si vous en avez la possibilité, de l'aider à faire un bon mariage.

— Mais… »

L'objection de Bianca reste en suspens : la femme est déjà debout et lui fait signe de se lever à son tour.

« Je vous raccompagne », dit-elle.

Bianca reprend l'agnus, le glisse dans son sac et la suit. Elles refont le tour du cloître, plus lentement qu'à l'arrivée. Bianca voudrait invoquer une excuse pour s'attarder, chercher d'autres arguments, paraître convaincante, claire, crédible, sérieuse comme il sied à une généreuse protectrice engagée dans une recherche légitime, mais la voilà mise à la porte, sans appel.

« Dieu soit avec vous et avec votre protégée, lui dit la dame en guise de congé tandis que la tourière se lève pour s'avancer vers la porte, et confiez-vous à l'Agneau, qui enlève les péchés du monde. Ou du moins, dans son immense miséricorde, fait en sorte de les ignorer », conclut-elle.

Bianca n'a d'autre choix que de s'incliner et de franchir le seuil, presque suspendue à ce regard calme et pesant. Et c'est la dame qui, de ses propres mains, referme la porte dans son dos.

Sur la route, en contraste avec le silence qu'elle vient de laisser derrière elle, le fracas des fiacres, des carrosses, des charrettes, des cris et des gens est assourdissant. Bianca se sent déconfite, mais elle redresse les épaules et rentre à pied, du pas résolu que lui a enseigné donna Julie, « parce qu'en ville il faut toujours donner l'impression qu'on a une destination ». Ainsi, les yeux baissés, perdue dans ses pensées – le souvenir de la scène qu'elle vient de vivre, des détails, de la large tache d'humidité sur la page, du regard pénétrant de la dame –, est-elle à deux doigts de ne pas s'apercevoir que quelqu'un s'est arrêté devant elle. Elle s'immobilise brusquement pour éviter la collision et son regard se pose sur une paire de godillots éculés ; puis voilà les mollets tachés de boue, la culotte loqueteuse, deux vestes larges enfilées l'une sur l'autre, le cou gris de crasse et une éraflure toute fraîche sur la joue. Le tableau est complété par un béret de travers qui a oublié le temps où il avait une couleur.

« Va-t'en », dit Bianca au gamin.

Et elle le contourne en accélérant le pas. Mais lui se plante de nouveau devant elle, avec son regard noir brillant et un demi-sourire.

« Mademoiselle, mademoiselle, vous avez besoin d'aide ?

— Sûrement pas, répond sèchement Bianca, poursuivant son chemin.

— Mais si. Vous ne venez pas de la roue ? Et vous ne vouliez pas savoir des choses qu'on ne vous a pas dites ? »

Bien sûr. Les entrées et les sorties de gens qui, comme elle, cherchent des informations ensevelies ne doivent pas être nouvelles dans le quartier. Et certains doivent en profiter, avec méthode et savoir-faire. Le garçon (il doit avoir treize, quatorze ans) marche à sa hauteur et continue, comme s'il récitait sa leçon :

« Il y a une femme qui y travaille. Une amie à moi. Elle peut chercher ce qui vous intéresse.

— Mais on m'a déjà tout dit… », proteste Bianca, ralentissant malgré elle.

Le garçon poursuit, sûr de lui :

« Mais non. Il y a le registre public et l'autre, le secret, celui qu'on ne fait pas voir. Mais c'est là qu'on écrit ce qui est important, comme les noms. Les noms vrais, et si quelqu'un est venu réclamer un enfant, et qui c'était, et quand, et pourquoi… Mon amie est habile à trouver ce qu'on lui demande, qu'est-ce que vous croyez ? » Et il conclut, clignant de l'œil : « Deux écus. Un pour elle, un pour moi. »

Bianca hésite. Acheter des secrets, quelle honte ! Puis, impulsivement, elle décide que ce gamin lui plaît, sans compter que deux écus ne sont pas une grosse somme et qu'elle s'attendait à devoir payer quelque péage, bien que dans un autre cadre.

« Tu sais lire ? lui demande-t-elle.

— Non madame, pas moi, mais mon amie, si. Et de toute façon, j'ai bonne mémoire. Je garde tout là-dedans », dit le garçon en se tapotant la tempe.

En un rien de temps, la transaction est conclue : nom et date, moitié du salaire maintenant, moitié à la délivrance des informations, dans quinze jours précisément, même endroit, à midi. Au fond, se dit Bianca en posant la pièce dans la paume curieusement propre, qu'ai-je à y perdre, hormis un peu d'argent ? Si seulement il pouvait coûter si peu, le bonheur de Pia…

« Mais toi, qui es-tu ? demande-t-elle enfin.

— Girolamo, répond le garçon en se découvrant. Pour vous servir, miss. »

Et il s'échappe avant que Bianca ait le temps de lui demander comment il se fait qu'il l'appelle ainsi. Elle le suit du regard, le voit disparaître dans une venelle obscure qui l'engloutit aussitôt comme s'ils étaient faits de la même matière ; puis, malgré elle, elle s'échappe aussi, car elle se sent envahie par la hâte de l'inachevé, une frénésie qui presse son pas et la fait avancer presque à l'aveuglette, tandis que sa tête se repasse cette étrange rencontre, s'attarde sur une phrase, brode sur un détail, et que ses pieds se déplacent tout seuls. C'est comme au réveil d'une transe qu'elle se retrouve assise sur un banc de pierre, derrière une grande église rouge où elle est arrivée sans le savoir. Voilà, elle se reprend, remarque le froid qui pénètre sous sa robe et les regards lourds des hommes qui entrent et sortent des boutiques de tanneurs, portant et posant des rouleaux de cuir ; ce ne sont pas des messieurs, mais des portefaix malpropres, comme est malpropre l'air marécageux, comme l'est le petit canal d'où s'élève une odeur diabolique, affreuse, qui, finalement, la réveille. Je dois partir d'ici, se dit Bianca, et en un instant elle est debout ; résolument, elle rajuste le ruban sous son menton, et, sautant par-dessus les flaques d'un liquide qui n'est pas de l'eau, elle cherche en hauteur la Madonnina d'or, qui est comme un phare pour ceux qui naviguent par la ville. « Miss, où êtes-vous allée crotter vos jupes, dans les canaux ? », lui demandera plus tard, effrontée, une des nombreuses domestiques aux noms semblables, Carlina, Titina, Annina, qui passent leur vie dans l'ombre et n'en émergent que pour quelques boutades grossières avant de se faire oublier comme les autres. Elle ne répondra pas, de même qu'elle ne répond pas à la question qu'elle entend à cet instant dans son dos et qui la fait sursauter :

« Vous ne vous êtes pas perdue, j'espère ? Miss Bianca ? Miss ? »

Elle n'a pas le temps de se retourner qu'elle est déjà dépassée, et que Tommaso la salue en enlevant son chapeau, puis lui offre son bras. Comme il est différent ici, hors du cadre habituel qui lui assigne un rôle de comparse timide : il semble tellement plus sûr de lui, désinvolte. Bianca hésite un instant, puis passe son bras sous le sien, sans cacher son soulagement.

« Je comprends le charme sombre de nos bas-fonds, comme je comprends aussi ce qui vous y mène : l'ennui est le plus puissant des moteurs », dit-il.

Bianca garde un instant le silence, puis retrouve le contrôle d'elle-même.

« Oh, mais je ne m'ennuie jamais, dit-elle d'un ton léger. Vous si, peut-être, si vous vous êtes échappé de la maison. Ou c'est votre muse qui vous a donné une permission de sortie ? »

Il lui semble que ce ton soit celui qui convient avec lui, le ton badin et tendre qu'on réserve aux petits frères.

« La muse, la muse, réplique-t-il en la guidant rapidement vers une étendue herbeuse au-delà de laquelle se dresse, lumineuse, une enfilade de colonnes de temple grec. C'est une despote, à n'en pas douter. Mais c'est aussi ma seule compagne fidèle. Ni avec elle, ni sans elle. Je ne vous demanderai pas ce que vous faisiez dans cette soue à ciel ouvert. » Et il lui jette un regard en dessous, qui veut dire le contraire. Bianca décide de le prendre à la lettre : elle se tait et attend. « Vous êtes mystérieuse, miss.

— Moi ? Comme une feuille de papier blanc, répond-elle, joueuse.

— Bonne comparaison. Parce que tout peut y fleurir. Peut-être la vérité y est-elle déjà écrite, mais avec l'encre des conspirateurs, qui ne se révèle qu'à l'œil le plus sagace…

— Allons, taisez-vous. N'avons-nous pas assez de conspirateurs dans la maison pour nous abstenir d'en imaginer où il n'y en a pas ? »

Remarque heureuse : l'attention de Tommaso est déviée vers la pressante actualité du foyer domestique.

« Ne faites pas comme donna Clara, je vous en prie. Elle voit des ombres partout.

— C'est parce qu'elle a peur pour vous tous, réplique Bianca avec promptitude.

— Et pour elle-même. Elle ne pourrait supporter de perdre ce qu'elle a construit avec tant de ténacité. C'est sa citadelle d'aisance et de respectabilité qui risque de s'écrouler, si ses familiers et même son fils chéri s'acharnent à jouer à la politique.

— Est-ce qu'elle n'a pas raison ? C'est une femme : elle défend ce qu'elle a et protège ce qu'elle est. Son horizon, ce sont la maison et le jardin.

— En effet, et elle ne voit pas plus loin que la porte fermée. Mais le jour est proche où les femmes marcheront à nos côtés, et non plus un pas en arrière.

— Comme au bal ? demande Bianca, pour plaisanter.

— Oui. Au grand bal du monde nouveau. »

Sans s'en rendre compte, Tommaso accélère le pas et Bianca est presque obligée de courir.

« Doucement, doucement », proteste-t-elle.

Il ralentit.

« Excusez-moi, mais ce sont des sujets qui me touchent au plus profond.

— Plus que la poésie ?

— Plus, oui. Nous devrions tous avoir le courage de suspendre nos lyres aux saules ; le cœur ne sait pas chanter s'il n'est pas libre. »

Bianca se tait, frappée. Ce Tommaso-là est vraiment très différent de l'autre : tellement plus intense, tellement plus vivant. Au point qu'elle en oublie presque ce qui lui est arrivé plus tôt dans la journée, tandis qu'en amical silence ils s'avancent au pas de marche vers la maison, qui n'est celle ni de l'un ni de l'autre, mais en tient lieu ; la maison qui les abrite en donnant un sens provisoire à deux jeunesses qui en sont encore à chercher le vrai, le sens profond.

« Si vous saviez quelque chose… si vous aviez un soupçon, mais un bon soupçon, qui puisse faire le bien d'une personne chère, changer sa vie… qu'en feriez-vous ?

— Du soupçon ? Rien du tout, ma chère. Je le garderais pour moi et, le cas échéant, je m'efforcerais de l'échanger contre une certitude. »

Voilà, c'est dit. Innes ferait comme elle. Alors ? Pourquoi ne pas tout lui confier, trouver en lui un allié, un complice ? Il est si sûr de lui, si capable.

« Mais changer la vie des autres relève de la

présomption, Bianca. À votre place, je m'en garderais. »

Si inflexible, aussi. Droit comme un cyprès. Un homme de raison.

« Je vous connais, Bianca. Vous tramez quelque chose. Je vous connais, et ça ne me plaît pas. »

Ils sont seuls dans le salon, attendant l'annonce du repas. Les longs entre-temps vides d'une grande maison.

« Allons, ne soyez pas si sévère. Je ne parlais pas sérieusement. » Mieux vaut paraître légère, laisser passer, le distraire. Qu'il ne sache rien tant que son aide ne sera pas nécessaire. Alors, quand toutes les preuves seront réunies, ce sera justement l'homme de raison qui ne pourra que lui donner raison. En attendant, mieux vaut se défendre par l'attaque : « Vous deux aussi, vous tramez toujours des choses. Don Titta et vous. Parfois, je vous entends. Non, non, ne craignez rien : j'entends, mais je n'écoute pas. Mais on le devine même quand on est derrière la porte, quand vous parlez de choses graves et secrètes.

— Ce qu'on ne sait pas est moins dangereux, Bianca. »

Il est si sérieux qu'il lui fait presque peur ; et pourtant, c'est un homme à qui le sérieux va bien, peut-être parce que, par contraste, il le rend plus beau les rares fois où il rit, ou sourit seulement. Comme en ce moment : le sourire change son visage et produit son effet, la distrait.

« Je suis contente que vous trouviez en moi une source d'amusement », dit Bianca avec condescendance.

Mais c'est une feinte, et il le sait : il lui saisit la main, la serre, la laisse retomber avant qu'elle réagisse, et réplique :

« Moi aussi, je voudrais en être une pour vous, mais je crains de ne pas être aussi enclin au comique.

— Si je voulais m'amuser, j'irais au théâtre, où tout est feint, même les passions. Mais ce sont les vraies passions qui m'intéressent le plus. » Bianca enfonce le clou, tenace : « Je veux dire les vôtres. »

Lui fait mine de ne pas comprendre :

« Les miennes ? Elles sont peu de chose. Les chevaux, mais je ne peux pas me permettre d'en avoir à moi. La littérature, qui coûte moins cher. » Innes la regarde et soupire. « Et la vie, avec tout ce qu'elle réserve : surprises et débordements, virages, retournements.

— En un mot, révolutions. »

Bianca est contente de son à-propos, mais n'en laisse rien voir. Qu'il le reconnaisse lui-même. Et de fait, avec le cadeau d'un autre sourire :

« C'est aussi pour cela que vous me plaisez, Bianca. Vous ne lâchez jamais prise. »

Depuis quand la connaît-il aussi bien ? L'idée qu'on lise en elle comme dans un livre la déconcerte. Ou est-ce autre chose qu'elle ressent, un étrange réconfort en train de naître ? Elle n'en sait rien ; aussi préfère-t-elle se taire. C'est ainsi qu'entre eux ne passent plus que des regards, et c'est une erreur de les croire inoffensifs, comme elle le fait, par confusion, légèreté, ignorance de soi.

« Ça ne va pas, Titta. Ça ne va pas du tout. » Que donna Clara fût de méchante humeur, on l'a compris tout de suite, dès qu'elle a commencé à se plaindre des plis sur la nappe (un seul en réalité, presque imperceptible et en grande partie caché par le vase en étain débordant de tulipes), du consommé tiède et insipide, du pain trop mou. Quand la nourriture ne lui plaît pas, cela veut dire que rien ne lui plaît. Et de fait, elle est passée à l'attaque presque tout de suite, dans un silence chargé d'embarras : « On me dit que les Viganò ont reçu la visite des gendarmes autrichiens. Et ce n'était pas une visite de courtoisie.

— Oui, j'en ai entendu parler, dit don Titta, placide.

— On me dit que le comte Eugenio a eu la peur de sa vie, avec raison, continue donna Clara. Et on me dit surtout – et elle tire une lettre que jusqu'ici elle avait gardée dans son giron – qu'ils pourraient bien faire un petit tour jusque dans cette maison. Alors, c'est moi qui dis : ça suffit, Titta. Ça suffit ! Finissons-en avec ces extravagances. On me dit encore – et elle hausse le ton en agitant la lettre – que tu as refusé de composer une ode pour l'installation du nouveau général, dont je ne te dirai pas le nom, parce que tous ces noms étrangers pleins de *h*, moi, je n'y comprends rien. Qu'on te l'a demandée en premier, que tu as dit non et qu'ils sont allés trouver Monti, qui a dit oui et s'est fait grassement payer, sans compter qu'il a reçu les éloges du gouverneur. C'est vrai ?

— Bien sûr que c'est vrai, maman. Douteriez-vous de l'honnêteté de vos informateurs ?

— Il n'y a pas de quoi plaisanter, Titta. Tu ne nous

as rien dit. » Dans la fougue de son discours, la voilà qui traite son fils comme un enfant turbulent. « Je te rappelle que nous avons besoin d'argent pour vivre. Et de paix, aussi. Or, la paix se cultive, comme les pommes de terre.

— Ce que vous appelez paix, maman, je l'appelle connivence. Complicité.

— Voilà, c'est bien ce que je pensais. Comment se fait-il que nous ne donnions jamais le même sens aux mots ? Allons-y, jouons tous aux rebelles, pour tous finir décapités comme la reine.

— Maman, n'exagérons pas. Les Autrichiens n'ont-ils pas la réputation d'être des gouvernants éclairés ? »

Donna Clara ne saisit pas son ironie, ou fait le choix de l'ignorer.

« Tais-toi donc ! Je le sais aussi, qu'est-ce que tu crois, qu'il est fini et bien fini, le temps de Marie-Thérèse ? Aujourd'hui, ils ne font plus dans la dentelle. Mais tu m'embrouilles comme d'habitude. Je ne veux pas me lancer dans une discussion *politique*. » Et elle prononce le mot avec une grimace. « Je veux seulement dire qu'avec tes belles idées sur l'amour de la patrie, tu enlèves le pain de la bouche de tes enfants. »

Et elle regarde autour d'elle, cherchant dans l'expression des autres l'effet produit par sa phrase. Tommaso semble très intéressé par la coupole pâle du gratin de navets. Bianca observe le jeune homme : il est clair qu'il n'a aucune intention d'intervenir. Innes ne quitte pas des yeux un merle qui sautille dans l'herbe de l'autre côté de la fenêtre. Il bruine.

« Mieux vaut jeûner que de manger dans la main de l'étranger, dit don Titta, toujours tranquille. Et puis, ils ne risquent pas de mourir de faim, mes enfants. Nous avons la campagne avec ses fruits.

— Oui, et les créanciers qui font la queue devant la porte !

— Si nous cessions ce genre de scène devant… devant tout le monde ? intervient donna Julie, les pommettes empourprées, une note acidulée dans la voix.

— Devant qui ? rétorque donna Clara, donnant à Bianca le sentiment d'être un ornement posé sur un meuble. Ce n'est pas en cachant la réalité derrière les bonnes manières que nous éviterons la misère. Je n'ai plus rien à vous donner, plus rien. J'ai vendu jusqu'à mes bijoux les plus chers… »

Bianca ne peut s'empêcher de regarder ses mains, comme toujours chargées de bagues, elles-mêmes chargées de brillants et de gemmes. Ce doivent être des bijoux moins chers, pense-t-elle, pour se soustraire à la tension du moment.

« Personne ne vous a rien demandé, ma chère maman, observe don Titta. Vous nous avez déjà donné votre maison et votre affection, qui est le cadeau le plus précieux. Ne vous inquiétez pas, nous nous débrouillerons toujours. Mon roman…

— Ton roman, ton roman, il y a dix ans que tu y travailles. Dix ! Et tous ces beaux poèmes qui t'apportaient le pain et la gloire ? Je ne parle pas de poèmes dans le genre autrichien, par pitié, ne nous salissons pas les mains si nous voulons vraiment jouer aux héros. Mais au moins les autres. Les innocents. Qu'est-ce que tu leur reprochais ?

« — Ils étaient inutiles, maman. D'inutiles petits jeux littéraires pour des gens inutiles qui restent assis dans leur salon, à boire du rosolis et à glousser derrière leur main. Je me suis lassé de faire des choses inutiles. Ayez confiance et vous verrez.

— La confiance, je l'ai, mais dans le Seigneur tout-puissant, et certainement pas dans tes pages barbouillées…

— Madame, je peux servir le soufflé ? »

Béni soit-il, Ruggiero, qui, au cours de ses longues années d'expérience, a appris comment dissiper les nuages au-dessus de la table du dîner. Aussi soudainement qu'il était arrivé, l'orage s'évanouit, réclamant son tribut de corolles maltraitées : le visage de donna Julie, exsangue, des ombres couleur crocus sous les yeux. Bianca, qui, un instant plus tôt, serait volontiers rentrée sous terre, échange un regard furtif avec Innes et plonge sa fourchette dans la petite montagne dorée qui est apparue devant elle. Une fois encore, tout s'est réduit à une petite, pathétique algarade familiale, comme si toutes les batailles importantes à livrer à table étaient celles de l'argent et de l'orgueil, les petites rétorsions exercées sans tactique, les accusations qui gonflent et se dégonflent. Des batailles ? Allons donc : des parties de cartes où tout le monde bluffe. Le soufflé, au moins, a tenu bon. Et par la miséricorde de Dieu, le dîner est terminé. Plus tard, au salon, Bianca soupire, ouvre la porte-fenêtre, et l'air froid qui lui pique la peau lui paraît le seul élément propre autour d'elle. Le jardin hivernal semble s'être contracté, mais la densité des arbres qui se fraient un chemin vers les maisons – ces arbres qui ne redeviendront jamais forêt, mais s'y efforcent – procure une sensation de refuge et de soulagement : plus la vie en ville se révèle compliquée, plus il est pesant d'être entrée dans l'intimité de cette famille qui n'est pas la sienne et de commencer d'en partager les fardeaux, et plus il lui semble pouvoir trouver la délivrance dans la simplicité de la nature, même encadrée et prisonnière. C'est mieux que rien, pense Bianca ; et, enveloppée dans son châle, elle se glisse dans l'obscurité, aspirant l'odeur mouillée des feuilles mortes. Le froid lui éclaircit l'esprit, et elle réfléchit : qui a raison, les femmes de la maison ou lui, courageux, peut-être inconsidéré, et seul ? Est-il plus important de protéger son nid, de le défendre contre toutes les nouveautés et toutes les perturbations, ou de naviguer vers l'inconnu, en oubliant les liens qui, si puissants soient-ils, pèsent comme des ancres et accrochent à la vase ? Ce sont des questions d'homme, se dit-elle non sans un brin d'ironie. Mais elle est fière d'y avoir pensé, même si elle ne connaît pas les réponses, elle qui n'a pas de lien pour la retenir ni même de grandes idées prêtes à s'enfler comme des voiles et à l'emmener au loin, mais seulement un peu d'intelligence, un peu de talent et ce frémissement d'imagination qui suffit à nourrir l'une et l'autre.

« Tapageurs comme d'habitude, pas vrai ? »

L'apparition soudaine d'Innes à son côté la fait tressaillir.

« Vous m'avez fait peur. »

Ils se promènent côte à côte.

« Je ne vous crois pas. Même devant les fureurs de donna Clara, vous ne cillez pas.

— Parce que je n'en suis pas la cible. Et elles me donnent quand même la sensation d'être… mise en pièces. Ou plutôt non : d'être comme un oiseau en cage, avec un chat qui passe sa patte entre les barreaux.

— Je comprends. Mais vous vous y habituerez. Les Italiens sont toujours un peu théâtraux. Mais ce sont des tempêtes dans un verre d'eau. Don Titta fera ce qu'il veut, comme toujours.

— Vous l'admirez.

— Plus que cela et moins que cela : j'ai de l'affection pour lui, ce qui fait que je lui pardonnerais n'importe quoi. » Impossible de déchiffrer l'expression d'Innes, il fait trop sombre. « Mais pour vous aussi, j'ai de l'affection, Bianca. Et je vous dis : ne vous alarmez pas. Tout passe, dans cette famille, même les reproches qui semblent lourds comme des pierres. Il n'y a que l'art qui soit destiné à rester. Il n'y a que lui qui compte. »

C'est une enveloppe de damas à fleurs minuscules sur fond pâle, une petite prairie de Botticelli, lourde dans la paume de la main, fermée par un cordon de soie vert vif. Bianca s'assied sur son lit, la pose sur ses genoux et tire sur les deux brins de ce cordon, impatiente. De l'étoffe s'échappe un caillou tout blanc, rond et plat comme un disque, si régulier qu'il n'en peut exister de tels dans la nature. Ce pourrait être l'œuvre d'un ciseau de sculpteur. Mais en le retournant entre ses mains, Bianca remarque une veinure pâle, légèrement creusée. Non, cela, personne n'est capable de le faire, sinon le temps immense de la création. Le billet, minuscule, écrit en caractères d'imprimerie, dit NIVEA LAPIS. Bianca sourit. L'erreur délibérée dans le jeu sur son nom (mais qui sait que de son nom complet, elle s'appelle Bianca Pietra ?) la flatte : un hommage qui maltraite la grammaire pour être plus approprié. Elle soupèse la pierre qui est le portrait de son nom, passe sur sa surface la pointe de son index, appréciant sa consistance hermétique et pourtant poreuse, et s'interroge sur l'identité de l'expéditeur ; puis écarte cette pensée avec impatience, car elle ne la conduit nulle part. Pouvoir être pierre, de temps en temps ; impénétrable, imperméable. *Semper Firma*, disait la devise que son père avait inscrite sous le faux blason qu'il lui avait offert une fois : là aussi, il y avait une pierre blanche, une *bianca pietra* sur champ bleu nuit, pressant une feuille de marronnier. Ce doit être quelqu'un qui connaît cette plaisanterie intime, se dit-elle ; mais non, impossible, elle était restée absolument secrète, elle remonte à des années et le dessin doit s'être effacé avec le temps. Alors, quelqu'un qui a eu la même idée que son père, à grande distance dans le temps et dans l'espace. Et elle se demande si elle doit y voir un cadeau ou plutôt un avertissement ; mais c'est une pensée fugace, car mieux vaut ne pas savoir que s'interroger sur le vrai message enfermé dans ce caillou blanc, ou sur qui le lui a envoyé, et pourquoi. Ce caillou n'est pas un œuf, il ne s'ouvrira jamais ; il gardera son mystère, d'autant plus beau qu'il n'est pas révélé, et d'autant plus dangereux.

Bianca ne parvient pas à dormir, elle a lu tous les livres. L'ennui la taraude, un ennui qui l'agite et n'a trouvé aucun soulagement dans les rites du sommeil. Elle se lève et sort de sa chambre, décidée à choisir un, deux des ouvrages nouveaux arrivés dans la bibliothèque, qui à cette heure absurde sera certainement vide. Ces messieurs devaient sortir, de toute façon. Vue du haut de l'escalier, la maison semble toute grise ; un ongle de lune suspendu au-dessus de la lucarne permet de se déplacer sans s'encombrer d'un bougeoir. Le temps de descendre deux, trois volées de marches et Bianca, soudain, n'est plus seule. Deux hautes silhouettes jumelles montent la garde à l'entrée. Même ainsi, dans le mystère de leurs longs manteaux pesants, elles sont bien reconnaissables et la jeune fille n'éprouve pas la moindre crainte. De la curiosité, peut-être. Cela, oui. Remonter, en faisant semblant de n'avoir rien vu ? Non. Bianca continue à descendre. Elle ne fait rien de mal, pour sa part. Un bref échange de regards, une tête qui s'incline, un signe du menton. Innes qui se tourne vers elle.

« Vous voulez venir ?

— Où ? »

Un doigt sur les lèvres.

« Venez. »

Près de la porte, don Titta arpente le dallage avec une impatience d'enfant ; se retourne, s'arrête, recommence à marcher. Son manteau danse autour de lui, retombe, oscille au rythme de ses pas. Innes disparaît dans le vestiaire et, en revenant, tend à Bianca une cape semblable aux leurs, qui pèse sur ses épaules comme un joug. À son regard interrogateur, il ne répond que par un éclair de malice dans les yeux, qui ne lui ressemble pas et attise encore son envie de savoir. Son hésitation ne dure qu'un instant : il n'y a pas moyen de dire non. Il agrafe le manteau sur son cou, plein de sollicitude comme un père, et la prend par la main. L'intimité de ce geste la fait tressaillir. Un bruit à la porte : le signal convenu. Ils sont dehors, et maintenant on tremble vraiment ; glacée, la nuit de février est limpide comme du verre, et sur les pavés de la place s'est déposée une pellicule diaphane qui brille doucement à la clarté des rares réverbères. Le temps de faire quelques pas, et la voiture s'avance. L'odeur forte de l'étoffe humide, les volutes du souffle dans la faible lumière qui ne se répand que par intermittence dans la grosse boîte fermée, puis se retire en toute hâte. On part. Don Titta regarde la ville qu'il ne peut voir, cachée dans l'ombre, et vide. Innes, assis à côté d'elle, lui parle avec les yeux ; mais que veut-il lui dire ? Bianca sent monter en elle une agitation qu'elle ne connaît pas ; elle est trop peu vêtue, la cape ne suffira pas, elle ne porte pas les chaussures qui conviennent, ni de gants, ni de veste : grand Dieu, c'est l'hiver ! Oui, mais est-ce important ? La fenêtre encadre des murs, des persiennes closes, quelques arbres, des murs de nouveau. Où va-t-on par une nuit d'hiver, vêtus de noir, deux hommes et une jeune fille, sans chaperon ? Cette nuit, la demoiselle est restée à la maison ; ou plutôt non, elle les a suivis un moment, présence pétulante, mais maintenant la voilà poussée en bas de la voiture et abandonnée sur le trottoir : elle ne sert à rien, personne ne veut d'elle, adieu, rentre toute seule, va dormir avec tes livres, car ici nous sommes occupés à vivre. L'autre Bianca, cependant, celle qui s'est vu convier à cette aventure de brigands, se lèche les lèvres et se redresse, rejetant les épaules en arrière. Lui est si près qu'il suffirait d'allonger le bras pour le frôler, mais quelle idée, pourquoi faudrait-il le toucher ? Parce que. La chaleur d'Innes qui filtre à travers l'étoffe. Bianca n'a plus froid, ou si, peut-être : la fièvre, ce doit être la fièvre que cette espèce de feu qui se répand en elle, du côté du cœur et un peu plus bas.

La voiture ralentit, s'arrête. On est arrivé. Don Titta est déjà descendu, sans même tendre la main pour l'aider, et c'est Innes qui s'en charge, mais il n'y a pas de marchepied déplié, on n'a pas le temps ; alors, il la soulève par la taille, et en avant. Tabac, épices, sang qui court, puis de nouveau ce froid, sec, qui coupe le souffle. Il n'y a personne. Ils sont au-dessus de l'eau : un petit pont de pierre qui enjambe un canal, une église juste à côté, à deux portes, ou plutôt non, deux églises épaule contre épaule comme de vieilles amies. Le silence, coupé par un bruit de pas ; un autre manteau qui danse, des boucles en bataille, l'éclair d'un sourire connu. Tommaso.

« Alors, vous êtes venu, dit Innes, sans cacher son dépit.

— Pouvais-je laisser faire sans moi cette folie ? » Un sourire plus large, qui se transforme en grimace. « Et elle ? »

Elle ? Moi ? Un paquet, un objet ? D'instinct, Bianca fait un pas en avant, pour réclamer la place qui lui est due. Innes coupe court :

« Et pourquoi pas ? Mais commençons, il n'y a pas de temps à perdre. »

Le cocher est déjà descendu avec une malle, qu'il pose sur le sol et ouvre.

« Le feu ?

— Le voilà. »

Du briquet jaillissent des étincelles, la mèche s'allume et éclaire le visage rond de Ruggiero, qui, à l'incrédulité de Bianca, serre les lèvres et regarde ailleurs : ce que je ne vois pas, je l'ignore. À quoi joue-t-on ? Maintenant, le froid s'est de nouveau dissipé, et Innes et don Titta, à tour de rôle, prennent dans la malle de fragiles constructions de toile cirée et de bois, les enflamment à la base, y glissent des feuillets roulés et les lancent vers le ciel, accompagnant d'une poussée celles qui, plus incertaines, retombent aussitôt et ont besoin d'être encouragées. Ayant compris le rythme, Bianca prend sa part de la tâche et tend les lanternes – si frêles entre ses mains – à celui des trois hommes qui est libre d'en allumer une autre, une autre, une autre encore. Certaines planent vers l'eau et s'éteignent dans un bref crissement, aussitôt molles, défaites. Mais à la fin, un petit essaim s'élève devant eux, que le canal noir reflète. Quelques-unes prennent feu, un embrasement d'un instant, puis plus rien ; les autres résistent et s'envolent.

Il y a plus de feuillets que de lanternes et, le lancer terminé, Bianca en récupère un au fond de la malle et le déroule : « Milanais, amis, inconnus, amis inconnus, c'est le moment de prendre courage, même celui qu'on n'a peut-être pas… » Tommaso lit par-dessus son épaule, très proche, trop proche, présence presque douloureuse. « Bien dit, Titta. Maintenant, à moi. J'ai une méthode peut-être plus efficace que la vôtre... » Innes secoue la tête tandis que le jeune homme, ayant saisi une poignée de feuillets, descend les marches qui mènent au canal, s'agenouille sur la plus basse et tire de sa besace un, deux, trois petits bateaux de bois et de toile cirée, qu'il lance en tendant son corps au-dessus de l'eau. Il marmonne : « Ç'aurait été mieux dans des bouteilles, comme les naufragés que nous sommes... » Don Titta, qui jusqu'ici a gardé le silence en regardant son courrier aérien, appuie les coudes sur la balustrade du pont et murmure quelque chose, d'abord indistinctement, comme s'il mesurait ses paroles, puis à voix un peu plus forte, un peu plus claire :

Joue à tes jeux doux-amers, mon enfant,
Et confie tes barques au courant,
Ignorant et plein de sourires,
Heureux de leur navigation d'étoiles
Dans la petite mer de tes yeux.

« Titta, Titta, notre troubadour personnel ! plaisante Tommaso d'en bas. Vous avez des vers pour toutes les occasions. Deux rimes, un sou. Mais en général, vous me faites terriblement envie. »

Il se relève, s'essuie les mains à son mouchoir et remonte pour rejoindre le groupe. Le froid est plus mordant, maintenant. Les petites lumières s'éloignent lentement sur l'eau et dans les airs, la malle est vide, le briquet sec, et Ruggiero est redevenu invisible :

un fagot d'homme sans visage, déjà à sa place dans la caisse à bois.

« Vous rentrez chez vous ? demande Innes à Tommaso, dans un effort de courtoisie.

— Chez moi ? Allons donc ! Vous devriez savoir que je n'ai pas de domicile. Mais il y a une fête chez les Crivelli et j'y ferais volontiers un petit tour. Ils ont invité quelques amies françaises. »

Il fait claquer sa langue avec gourmandise, agaçant. Innes se rembrunit :

« Don Titta a raison. Pour vous, tout n'est que jeu.

— Quel mal y a-t-il, mon ami ? Il fait nuit, nous nous sommes livrés à une noble et civique folie, un beau geste audacieux qui ne donnera rien de rien. Ici, en plein faubourg… Laissez-moi vous le dire : il aurait mieux valu prendre un vrai risque. »

Il s'incline dans une courbette narquoise devant Bianca, trop profonde, comme à un bal masqué, et lui souffle un baiser qui tombe dans le vide. Puis il se retourne, lève un bras en signe d'au revoir et s'en va.

Don Titta n'a rien dit. Il s'est redressé et continue de contempler les lumières des lanternes, de plus en plus petites, de plus en plus hautes et lointaines.

« Il a raison. Nos messages ne serviront qu'à instruire les lavandières, commente-t-il maintenant, à voix basse. Nous aurions dû nous montrer plus téméraires, Innes. C'est le cœur de la ville qu'il faut réveiller. Ce qui coûte le plus porte le plus de fruits.

— Ce n'est qu'un début, Titta. La prochaine fois. Nous sommes des amateurs, de simples écoliers. Nous apprendrons à mieux faire. Il y a le lac, il y a la mer, et tout le ciel que nous voulons. À présent, il est tard. Rentrons. »

Au mot lac, Bianca tressaille. Une flotte de petites barques sur son lac ; mais par pitié, pas de proclamations, seulement de la poésie. Innes se tourne vers elle, comme si c'était seulement maintenant qu'il voulait la faire redevenir visible : un être humain véritable entre eux deux.

« Allons-y. Ici, il fait trop noir pour vous. »

Il la prend par le coude et la guide vers la voiture. Elle trébuche, les jambes raides de froid. Preste, il l'accueille entre ses bras et l'aide à se redresser. La prend par la taille, comme pour un pas de danse, et la hisse dans l'habitacle ; puis il y monte à son tour. Le dernier à s'asseoir est don Titta. Ruggiero encourage les chevaux sans donner de la voix, au seul son des rênes secouées.

À l'intérieur, tout semble plus petit, à présent. Don Titta s'abandonne contre le dossier de la banquette ; son corps cherche de l'espace et glisse un peu en avant, les jambes longues, si longues dans son pantalon étroit, une main posée sur le genou, la paume vers le haut, comme s'il demandait quelque chose. Y déposer la sienne, un cadeau, en silence. Puis étudier les conséquences de ce geste : la surprise, le contact presque douloureux de la peau contre la peau, l'hypothétique étreinte. Innes, assis à côté de son ami, la regarde par en dessous, sans la quitter des yeux ne fût-ce qu'un instant. Il sait, et à trois on est trop. Mais ils sont déjà arrivés. Un léger bruit de pas sur les marches, et chacun regagne ses quartiers. Pas de bonne nuit : la nuit n'est pas bonne si, au lieu du repos, elle apporte des yeux grands ouverts et des pensées de choses non advenues.

Les bottines, le lendemain matin, semblent en papier mâché ; leur semelle est déchirée, l'empeigne raidie d'humidité, si bien qu'elles finissent cachées au fond de l'armoire : que personne ne sache, pas même les servantes curieuses qui ont toujours quelque chose à redire et parfois devinent ce qui n'est pas. Comme Alcina, qui, quelques jours plus tard, y va de son commentaire en balançant au bout de ses deux mains les pauvres chaussures racornies :

« Si elle veut sortir faire la folle pendant la nuit, qu'elle mette au moins des caoutchoucs, ou une bonne paire de sabots, tu ne crois pas ?

— Si, mais tu sais bien que les demoiselles ont le cœur dans les pieds. Elles sont bâties à l'envers !

— Jusqu'à ce que quelqu'un les remette dans le bon sens… »

Rires gras. Bianca apparaît dans l'encadrement de la porte, tressaille en voyant la scène, s'avance, arrache ses bottines des grosses mains d'Alcina et s'en va, vexée, incomprise. Par chance, elle n'a rien entendu ; ou peut-être que si.

Est-ce l'hiver, si long et rigoureux, qui semble ne vouloir jamais finir, sont-ce les petites maladies qui frappent les enfants à tour de rôle (quand l'un guérit, voilà qu'elles en attaquent un autre) ? Le fait est que sur la maison de la via Morone s'est déposé un voile gris, qui semble couvrir non seulement les fenêtres et le ciel, mais aussi les esprits. On ne sort plus, par crainte de la contagion ; on ne reçoit plus, pour la même raison ; à moins que ce ne soit l'affreux ennui de février, car dans les maisons amies c'est la même situation, et à quoi bon aller en visite si c'est pour n'entendre parler que de catarrhe et de phlegme ? Cela se produit même dans les lieux les plus célébrés, comme le salon de la signora Trivulzio ; mais Bianca se prend à penser que tout cela, en somme, est bien bizarre : il semble qu'il n'existe plus une seule demeure alentour, que la vie se concentre comme un bouillon trop réduit dans quatre pièces damassées de jaune, suspendues sur un coussin d'air qui les isole du reste du monde, avec une profusion de chandelles disposées sur des plateaux et non dans les candélabres habituels, et des domestiques, jaunâtres eux aussi, qui se confondent avec les tapisseries. Une maison sans cuisines, sans chambres, sans armoires ; une scène, avec quelques accessoires nécessaires cachés en coulisse : les costumes des dames accrochées à des cintres, les chaussures alignées sur un bout de tapis, et naturellement une coiffeuse élégante et chargée de flacons derrière une tenture, pour se préparer aux représentations. Il serait amusant de partager cette pensée avec quelqu'un, mais Innes n'est pas là : il est parti pour Magenta, dans le but de s'entretenir de pédagogie nouvelle avec un collègue précepteur, un certain Pellico souvent cité et jamais vu, donc peut-être inexistant comme la maison de la signora Trivulzio. Don Titta l'a autorisé, et même exhorté à partir, et les a rejoints déjà à deux reprises : c'est un ami de longue date du maître de maison, le comte Porro Lambertenghi, et Bianca n'a pas de mal à les imaginer tous quatre, confondant les rangs sociaux comme il plaît à ces patriciens libéraux, et beaucoup moins, il faut le dire, à donna Clara. Qui pourtant, dans l'état où elle est, n'a pas réussi à opposer de résistance. Elle est fatiguée, la vieille dame, fatiguée et grise comme tout le reste ; pour la première fois, il semble que sa robustesse soit moindre. Les signes en sont sa curieuse docilité et, pense Bianca, sa tendance nouvelle à s'abandonner à des confidences qu'il y a seulement quelque temps elle n'aurait jamais accordées à une étrangère. Mais une fois son fils parti et sa bru reléguée dans sa chambre à cause d'un accès de la maladie dont tout le monde est informé sans que personne en parle jamais, elle n'a plus personne devant qui se mettre à nu. Aussi Bianca, malgré elle, assiste-t-elle au spectacle d'une âme qui se dévêt et, en chemise, s'égare.

« C'est que le monde change, les choses changent. Et quand il commence à ne plus vous plaire, cela veut dire que vous ne le comprenez plus. Que vous vieillissez. Moi, je n'y comprends rien, à toute cette *po-lé-mique*, dit la vieille dame, s'échauffant et scandant les syllabes, sur le bon gouvernement et le reste. Qui sommes-nous pour dire que celui-ci est bon et que celui-là ne l'est pas ? Les rois sont tous les mêmes, croyez-moi. Et le peuple sans roi est comme un canard sans tête.

— Mais vous, vous n'êtes pas le peuple. Nous ne sommes pas le peuple », ose Bianca.

Elles sont assises dans le boudoir contigu à la chambre de donna Clara, une pièce intime, d'habitude lumineuse mais aujourd'hui sombre comme tout le reste. Elles prennent le café, un mélange spécial qu'on fait venir de chez le Turc qui tient boutique au bout de la Corsia dei Servi et qui est aussi turc que vous et moi ; mais ni l'arôme ni la chaleur de la boisson adoucie par un nuage de crème ne parviennent à égayer l'humeur de la vieille dame, qui dit, en remuant le sucre avec sa cuiller :

« Nous ne sommes pas le peuple, non. Nous sommes des femmes, et nous flottons au gré du vent, attachées à des cordes comme des bouées. » Bianca sourit en pensant à une flottille de dames prisonnières à dix pieds de la côte, attachées par une cheville et agitées par la brise. « C'est comme si on nous avait construit une espèce de limbe, rien que pour nous : quand nous prenons nos aises, pour faire l'amour, pour les enfants, pour la maison, on nous attache aux cordes et on nous tire vers le bas. Sinon, on nous laisse à mi-chemin, pour que nous ne gênions pas, sous prétexte que nous sommes des créatures légères et que nous ne comprenons pas. Il y a trente ans, c'était la même chose, rien n'a changé. Les têtes roulent, le sang inonde les rues, il semble que la vie entière doive être chambardée, mais ensuite c'est pour revenir au point de départ. Le seul pouvoir que nous avons est la beauté, tant qu'elle dure. Et justement, elle ne dure pas. Moi, je suis encore celle qui était dans ce buste, là. » Et elle désigne du menton un mannequin demi-nu, couvert seulement d'une subtile architecture de baleines, de dentelle et de soie, un monument à l'impossible. « Je suis celle qui riait et buvait du champagne, en causant avec les intellectuels les plus brillants du monde, dans la ville qui est la capitale du monde. Et maintenant, tu vois à quoi je suis réduite ? Je ne peux même plus me regarder dans le miroir, de peur de voir cette autre femme que je suis devenue : grosse comme une paysanne, bigote, enterrée à la campagne huit mois par an et le reste du temps ici, dans cette prison milanaise, affairée autour des maux de ventre des enfants et des crachements de sang de cette malheureuse. » Bianca tressaille, comme chaque fois que donna Clara passe sans s'en apercevoir du vous au tu : elle ne sait jamais si elle doit y voir une marque de confiance ou de léger mépris. La vieille dame, sans se rendre compte de rien, continue de parler, et Bianca a la perception très aiguë que si elle n'était pas là, à l'écouter et à hocher la tête, elle poursuivrait de la même façon. « Crois-moi, elle ne survivra pas longtemps.

— La beauté ? demande Bianca, déconcertée.

— Mais non, mais non, répond donna Clara. Je te parle de ma bru. Trop fragile pour ce monde. Elle est comme cette porcelaine. » Et elle soulève sa tasse d'une infinie finesse, presque transparente, au point qu'à contrejour, avec le reflet du feu qui joue à sa surface, on croirait une coquille d'œuf qui laisse transparaître le rose de ses doigts. Elle la pose et se lèche les lèvres. « Et quand elle ne sera plus là, comment ferons-nous, avec toute cette marmaille ? »

Bianca se sent le devoir de tempérer son pessimisme.

« Allons, que dites-vous ? C'est seulement ce long hiver qui est pénible pour tout le monde. Avec la belle saison, donna Julie se remettra. Don Titta ne resterait pas éloigné de la maison si elle était vraiment malade. »

Mais elle est la première à ne pas croire à ce qu'elle dit. Comment se fait-il que cet homme préfère rester à la campagne, à discuter de ses affaires avec d'autres hommes, au lieu d'être ici, aux côtés de la femme qu'il a épousée et qui souffre ? Comment peut-il ne pas se rendre compte que chaque jour pourrait être le dernier ? Est-ce un monstre ? Est-il simplement résigné ? Ou sait-il quelque chose que tous les autres ignorent ? Et si oui, quoi ? Elle les a bien vues, les fuites de donna Julie, secouée par la toux, avec les enfants qui inventaient des caprices pour déguiser leur effroi. Elle a vu l'alarme dans les regards des domestiques, la calèche du médecin dans la cour, les mouchoirs fleuris de rouge que la lavandière doit lessiver cent fois pour qu'ils retrouvent leur blancheur. Trop d'enfants, trop de vie. Pourtant, malgré tout cela, donna Julie reste toujours sereine, irradiant une paix souveraine qui n'est qu'à elle et semble atténuer les effets de la douleur, les transformer en une sourde et douce nostalgie anticipée, comme si elle était déjà partie très loin et ne revenait que pour de brèves visites à ce monde qui l'épuise. Même en ce moment, son absence est plus forte que celle de son mari : les enfants ne cessent de la réclamer, ne sont admis à son chevet que pour de très courts moments, à tour de rôle, et font la queue devant sa chambre ; Bianca les a vus assis dans le couloir, patients, silencieux, les pieds pendants et martelant ceux, dorés, du petit divan, les yeux fixés sur la poignée de la porte pour anticiper l'instant où elle se baissera. Si la vieille dame a raison, le temps, bientôt, ne sera plus à l'attente, et ce qui la remplacera aura besoin d'être rempli de l'eau amère de l'absence.

Les deux semaines se sont envolées ; et maintenant, après avoir achevé une nouvelle série de travaux, les avoir bien rangés dans leurs chemises cartonnées et envoyé le message qu'on pouvait venir les prendre, Bianca se retrouve libre. Aussi, après le thé du matin, n'enfile-t-elle pas son tablier comme à l'accoutumée, mais des gants, un chapeau et une redingote. « Je sors », annonce-t-elle, sans s'adresser à personne en particulier, mais pour que tout le monde le sache ; et elle s'élance dans l'escalier avec la fougue d'un écolier libéré en avance par son précepteur. « Elle est folle comme une pouliche, mais c'est pour ça que nous l'aimons », commente donna Clara avant de se concentrer sur l'œuf au vin qu'elle a commandé comme petit déjeuner renforcé, car ces jours-ci elle se sent faible : le changement de saison, peut-être, et quoi qu'il en soit il faut soutenir l'estomac. Donna Julie, en revanche, va mieux : une de ses rémissions miraculeuses qui la ramènent au milieu du monde, à sa maison, à ses enfants ; en sorte qu'à l'atmosphère morose des derniers jours a aussitôt succédé un optimisme au moins de façade. Bianca n'a pas entendu la remarque de donna Clara, et d'ailleurs que lui importe, elle est déjà dehors : dans la cour, le rectangle de ciel délimité par les murs est d'un bleu pur et intense, qui donne tout de suite le sourire. Rossetti, le portier, sourit aussi en entendant les dernières recommandations de la demoiselle : surtout, ne pas plier les chemises cartonnées, et que les domestiques envoyés pour les prendre les traitent avec soin, il devra y veiller. La via Morone est sombre et grise comme d'habitude, c'est pareil en toute saison, mais une traînée turquoise est suspendue en l'air, comme une passerelle à l'envers, et il suffit de la suivre pour se trouver dans les espaces amples et risqués de la Corsia del Giardino, avec son va-et-vient de voitures. À droite, la colonnade saillante de la Scala, qui s'avance sur la place, solide et rigide comme le siège d'un géant ; mais Bianca part du côté opposé, vers les arcs de vieille pierre percés de deux petites fenêtres où l'on dit qu'est morte prisonnière une jeune fille au vilain nom, coupable d'un amour défendu. Elle les traverse en hâte, comme s'ils étaient l'entrée d'un autre monde, pour longer les jardins de l'Acqualunga et regarder les canetons qui lui rappellent tant son lac. Aujourd'hui, la botanique ne l'intéresse plus, même pas les tout jeunes, minuscules éventails du grand gingko biloba qui, agités par la brise, flottent comme des fanions, car elle marche vers une destination précise. Autour du grand bassin, des enfants sous la garde de leur gouvernante lancent des bateaux en bois qui ont attendu tout l'hiver en cale sèche sous leurs petits lits ; les fillettes sautent à la corde ou courent derrière des cerceaux ; deux hommes à cheval regardent la scène de haut, avec un sourire bienveillant ; une dame seule en bleu est un faisceau de lumière mobile. Tout semble en ordre parfait : un tableau vivant préparé avec art pour ce premier jour de soleil, qui n'est pas encore le printemps mais lui ressemble. Attentive d'instinct à la composition, Bianca, du coin de l'œil, remarque la femme du peuple qui s'avance vers la dame ; elle est nu-tête, fagotée dans des hardes sombres, et se déplace comme une vieille. Faut-il l'effacer de l'image ? Oui. Pourtant, la vieille ne s'en va pas : elle parle, gesticule, et pour finir tend la main. La dame en bleu se raidit, fait mine de se retourner, mais reste sur place, immobile, cherche quelque chose dans son sac, le donne à la femme, puis se retourne pour de bon et s'éloigne en hâte. Le tableau est gâché, mais l'épisode est intéressant : que voulait-elle, la vieille femme ? Et pourquoi tant d'insistance ? Peut-être avait-elle un secret à vendre, un secret comme celui que je vais acheter moi-même, se dit Bianca. Le soleil se voile à l'improviste ; ce n'est pas un nuage passager, mais un banc de brouillard qui tombe, et toute la lumière de la scène disparaît, comme aspirée dans un trou. Ce n'est qu'un matin acerbe de mars, et il fait de nouveau froid, il faut marcher d'un pas rapide. Bianca sent peu à peu la froidure se dissiper sous l'effet de sa démarche vive. Elle se regarde comme d'un œil extérieur, et ce qu'elle voit lui plaît : une jeune femme indépendante qui avance à grands pas dans le monde, toute seule. Devenir cette femme a été facile, en somme. Non, facile, pas tout à fait ; mais à vrai dire, pas si difficile, et l'important est d'y être arrivée. Tel est le tour qu'ont pris les choses. Pouvaient-elles en prendre un autre ? Et lequel ? Peut-elle être autrement qu'heureuse, ou tout au moins contente et à son aise dans le monde ? Bianca fait la grimace pour ne pas se répondre, et un monsieur qui la croise porte la main à son chapeau, comme pour lui rendre un salut qu'elle ne lui a pas adressé. Elle sourit de ce malentendu, et se retourne ; le monsieur aussi s'est retourné, et il ralentit, lui sourit. Alors, Bianca presse encore le pas : elle ne connaît pas cet homme et se sent d'un coup très gênée ; elle craint qu'il ne la suive, non sans l'espérer un peu ; au bout d'un instant, elle se retourne de nouveau et voit qu'il est loin.

Mais à présent, il n'y a plus rien qui lui donne envie de sourire, car la ville s'est faite sombre et laide, à cause des rues qui se rétrécissent pour se réduire à des venelles sans lumière, des maisons adossées négligemment les unes aux autres, de l'odeur âcre, bestiale, qui s'élève du ruisseau noir au milieu de la chaussée. Qu'est-ce que je fais ici ? se demande Bianca ; et elle se répond : je cherche la solution d'un mystère. Forcément obscur et confus, comme ce quartier qui paraît une autre ville, si différent de la grandeur aérée des larges avenues bordées d'arbres, des places où des églises légères comme de la dentelle se sont posées après un long voyage aérien ? Les secrets sont-ils toujours sales ? C'est peut-être leur nature, songe Bianca, s'efforçant de regarder droit devant elle, de chasser de son regard ce qui ressemble à une femme affalée dans ses guenilles sur l'escalier d'une maison, avec des enfants nus au-dessous de la ceinture qui sautent, sans chaussures, dans le caniveau puant en projetant des éclaboussures de boue, sous l'enseigne rouillée d'une auberge qui grince dans la brise, seule musique possible en pareil lieu et pareilles circonstances.

Pourtant, elle n'a pas peur. Pas la moindre crainte. Avant elle, des dizaines d'héroïnes se sont aventurées dans des bas-fonds encore plus ténébreux, armées de leur courage, protégées par des boucliers de sincérité, et elles ont débusqué le mensonge pour faire triompher le juste et le vrai. Elle est un peu exaltée, et c'est pourquoi elle n'a pas peur ; mais elle a froid : dans ces ruelles, le soleil n'entre que de biais, et certainement pas à cette heure du jour ; et les murs ébréchés dégagent une haleine de dragon. Des petites fenêtres des caves, ouvertes sur le noir, montent des flammes froides qui lui entourent les chevilles, et elle ne s'étonnerait pas d'en voir sortir des mains pourvues de griffes. Elle presse le pas ; la ruelle est un long serpent, et il faut marcher en restant en équilibre sur son dos visqueux. Finalement, là-bas, les maisons se séparent, le ciel redevient visible et très grand, et un jeune garçon tout marron l'attend, appuyé à une fontaine, les bras croisés, les pieds chaussés de sabots bien plantés dans le sol, une grimace sur les lèvres, ou plutôt non : un sourire.

Les troncs des micocouliers craquèlent les pierres. Quel nom peu sérieux pour ces arbres si vrais, si beaux, verticaux et sensibles, bras puissants de journaliers avec leur jeu de veines et de muscles sous la peau, leur écorce fine et grise sous laquelle on devine la course de la lymphe. L'air est une poussière de pollens qui rougissent les yeux, et prennent à la gorge, et serrent et suffoquent et irritent ; mais on ne gratte pas le printemps comme un prurit, pour chasser la démangeaison : il est impérieux, capricieux comme un enfant qui trépigne. Le bleu tout neuf des ciels, qui n'ont jamais été ainsi, qui ont toujours été ainsi, mais la mémoire rend les armes devant la joie et le soulagement : le printemps arrive toujours pour la première fois. Sentir la campagne cachée sous le pavé, sous la pruine des rues prêtes à se libérer de leur croûte comme des échines d'animaux se débarrassant d'un pelage trop épais : des marguerites entre les pierres, la vie qui revient, bénie et attendue. Des yeux d'hommes, fuyants, insolents, possessifs : en rire, parce qu'ils font du bien et qu'il suffit de presser le pas pour échapper au péril. L'air est un vin jeune qui échauffe et rafraîchit à la fois, et on le boit par la peau, par les cheveux, par tout le corps ; on le boit en allant, simplement. L'expédition a été un succès ; la journée est magnifique. Bianca décide de rentrer à pied : la route est brève quand on a tant de choses à quoi penser. Les dessins, les projets, et cette magnifique saison qui pulse et palpite, dedans, dehors, partout. Maintenant qu'elle sait, tout est si simple, si possible.

« Ma petite. Viens ici, montre-toi. Je peux te serrer dans mes bras ?

— Et moi, je peux vous appeler maman ? »

Le mot, si beau, tombe dans le silence et l'émiette. Le mot puissant qui annule les frontières et les scrupules et confond toutes choses en une étreinte. Tout est si simple, maintenant que tout le monde peut reprendre sa place dans l'ordre du monde, sa vraie place, de droit. Pia s'avance, incertaine, nu-tête, les cheveux brillants comme des châtaignes, et quel bonheur qu'elle ait pour une fois abandonné sa hardiesse pour se montrer telle qu'elle est, tendre et pure derrière ses défenses de hérisson. Pâle, certes, mais plus belle, réduite, ou plutôt élevée, à l'essence d'elle-même pour ce moment si précieux. Et la femme – la mère, maintenant qu'elle a de nouveau le droit de s'appeler ainsi –, rajeunie par sa joie contenue, ou peut-être vieillie, parce qu'il y a des ombres sous ses yeux, qui parlent d'innombrables nuits de tourment ; mais la lumière dont elle rayonne lisse les plis de son visage, et ses lèvres s'entrouvrent dans un mot sérieux et parfait : « Ma fille. » Les mains cherchent les mains, qui serrent les avant-bras pour une première étreinte amicale ; puis l'embrassade qui bannit tous les doutes, grande, large, dans laquelle on peut enfin se reposer.

Alors, Bianca fait un pas en arrière, par pudeur : elle ne parvient pas à en imaginer davantage. Oh, elle est sûre que cette scène adviendra. Peut-être pas exactement de cette façon, mais elle adviendra.

Ce sera si beau de les voir ensemble…

Oui, mais il faut s'y employer. Comment ? Qui pourra être son complice, sinon lui ? Le moment est venu de parler, sans plus de réticences, en rejetant tout subterfuge. Et c'est si facile, au fond. « Maintenant, j'ai tout compris. Maintenant, je vois tout clairement. Vous saviez, n'est-ce pas ? Vous auriez pu me le dire. Mais non, bien sûr que non : la loyauté, le sens de l'honneur, le devoir, etc. Épargnez-moi ce genre de prédication. Mais maintenant que je sais, et que vous savez que je sais, j'ai besoin de votre aide. Il faut faire quelque chose. Cette pauvre petite a le droit… quel droit, dites-vous ? Une telle question, de vous ? Oh, bien sûr, devant votre ami tous les principes s'inclinent et reculent comme des serviteurs. Ou peut-être savez-vous des choses que j'ignore ? Donnez-moi seulement un peu de temps : ne suis-je pas arrivée toute seule au bout de cette énigme ? Comment dites-vous ? Aucune énigme ? Ma foi, vous avez raison. Il n'y a pas de mystère, c'est la vieille histoire habituelle. Non. Je ne peux pas. Ne me demandez pas d'ignorer la question. C'est pour son bien, vous comprenez ? Ne voulez-vous pas lui donner au moins une lueur d'espoir ? Vous la condamnez à un sort qu'elle n'a ni demandé ni voulu. Elle, justement elle, qui aurait tant de possibilités. Il lui suffirait de si peu : elle a tout pour ressaisir sa vie, pour en faire ce qu'elle veut. Comment dites-vous ? Comme moi ? Vraiment, vous me flattez. Mais je suis un bien pauvre modèle, recon-naissez-le. J'ai tout eu, et plus encore, et je n'ai rien fait pour mériter ce qui lui est refusé. Le talent, dites-vous ? Croyez-vous vraiment qu'il fasse la moindre différence ? Qu'il compte plus que la fortune ou la chance ? Et puis, qui vous dit qu'elle ne possède pas des talents inexprimés, des trésors à mettre au jour ? Elle n'est encore qu'une enfant… »

C'est ce que Bianca dit à Innes, un Innes convoqué pour l'occasion de l'autre côté du miroir, complai-sant dans son silence. Et ce qu'elle dirait au vrai si elle en avait le courage. Mais comme elle ne peut le trouver, ce courage, comme elle redoute que lui, sachant qu'elle sait, lui fasse obstacle pour une foule d'excellentes raisons, elle se tait et se contente de le contredire dans sa tête. Ce n'est qu'une question de temps et de patience. Un secret qui dure depuis quatorze ans peut bien attendre encore quelques semaines pour se muer en vérité. Et Bianca attend encore, convaincue qu'elle est de pouvoir déplacer les pièces sur l'échiquier par la seule force de sa volonté et de quelques encouragements, sans comprendre que la partie ne lui appartient pas et qu'elle n'a donc aucun droit sur le moindre pion.

La fresque de Bianca, ou plutôt sa miniature, si grande est l'attention avec laquelle elle se figure et hachure jusqu'aux ombres, manque encore de quelques détails. Il faut imaginer le Poète avant qu'il fût le Poète, quand il n'était encore qu'un jeune sacripant, un des mirliflores les plus en vue de la ville, un des nombreux petits messieurs du monde au nom à rallonge et à la tête vide ; avant que les Muses le ravissent, et bien avant que l'aspiration à la vertu domestique le poussât à la recherche d'une petite épouse sur mesure. Et pour en savoir davantage, il suffit de tarabuster donna Clara. Celle-ci se prend aussitôt au jeu, comme un chat devant une pelote, et ne sait quel enchevêtrement de conjectures elle va nourrir. Bianca a presque honte de l'avoir fait si facilement tomber dans son piège ; mais elle doit, elle doit comprendre.

Dommage que le cœur de mère de donna Clara soit très attentif à expurger le récit de ses parties inopportunes, ou simplement banales, pour ne mettre en lumière que ce qui l'enorgueillit le plus et la montre dans toute la gloire de son amour maternel. Le reste pourrait aussi bien n'être jamais advenu : don Titta est vraiment né quand elle l'a décidé, c'est-à-dire vingt bonnes années après son apparition en ce monde sous l'aspect ordinaire d'un nouveau-né. Mais Bianca réussit quand même à obtenir quelques indices importants : « Je me le rappelle très bien, il est arrivé le dix avril. Plus tôt, vous savez, la saison n'était pas bonne pour voyager, j'ai attendu la première diligence sûre, je n'étais pas tranquille de le savoir dans les Alpes au milieu des loups et des avalanches. » Bianca laisse échapper un petit sourire compréhensif, tandis que donna Clara saisit l'occasion de savourer de vieux souvenirs : « Et ils se sont entendus et aimés tout de suite, mon Carlo et mon Titta. Père et fils par l'esprit, comme je disais. Ah, ces premières promenades au parc Monceau, notre jardin des délices… Nous avions besoin de faire connaissance. Mais je peux bien le dire, nous nous sommes reconnus. Re-connus, vous comprenez ? Entre mère et fils, ce ne pouvait pas être autrement. »

Bianca hoche la tête, mais ne l'écoute déjà plus : sans se faire voir, elle compte sur ses doigts croisés sur ses genoux. Pia est née en décembre de la même année. C'est plausible, c'est possible, donc c'est vrai. Il suffirait d'une petite preuve, d'une confirmation. En attendant, donna Clara est lancée et ne s'arrête plus : « La plus belle période de ma vie. En ce temps-là, ma chère, ce n'était pas comme maintenant, où tout le monde est obsédé par sa progéniture. Mon fils, je l'avais envoyé au collège des prêtres, parce que c'était ce qu'il fallait faire et que monsieur son père le voulait. Ensuite, la vie m'a réservé ce qu'elle m'a réservé, monsieur son père est allé retrouver le Créateur et je suis partie pour Paris avec mon Carlo, pendant que le petit restait ici, à Milan, pour compléter son instruction comme il se devait. Et le bon Dieu a voulu que nous nous réunissions, mais plus tard, entre adultes égaux. D'ailleurs, je ne sais pas s'ils ont un si grand besoin de leur maman, les enfants, quand ils sont tout petits et qu'ils ne savent rien, même pas qu'ils sont au monde. Vous savez comment je vois les choses ? Plus la maman se soucie d'eux, plus ils deviennent des enfants gâtés. Et ils finissent par oublier son nom. » On dirait qu'elle cherche à se justifier, ou que, comparant son comportement à celui, si dissemblable, de sa bru, elle doit nécessairement en tirer certaines conclusions générales, pour ne pas douter qu'elle s'est trompée ou, au contraire, pour être sûre d'avoir pris le bon parti. Il est vrai que les temps ont changé ; c'est leur habitude, du reste. Mais il est vrai aussi que les conventions sont parfois bien commodes : elles décident à votre place et vous évitent de choisir, de vous débattre dans la pratique compliquée et toujours risquée des sentiments. Bianca pense à Fanny, sa seule amie, quand son cœur semblait se briser pour Zeno, le beau Zeno ; puis on lui avait annoncé qu'elle était promise au chevalier Gazzoli : quarante-cinq ans, soit vingt de plus qu'elle, un homme qu'elle n'avait jamais vu, un patrimoine immense dans les rizières de la Bassa. Elle avait pleuré treize jours durant ; elle avait pleuré encore plus le quatorzième, après avoir rencontré son fiancé, rondouillard et emperruqué, un lacis de veinules rouges sur le nez : un vieillard. Puis, emmenée en visite à la villa Salamandra, elle était revenue ahurie par le nombre de pièces – « assez pour jouer à cache-cache pendant des heures, Bianca, je te jure ! » – et par l'immensité ordonnée des jardins ; elle n'avait plus pleuré, et même, tout était devenu beau, jusqu'aux brumes et aux moustiques. Zeno, du reste, n'avait jamais daigné lui accorder un regard. « Parce que pour mon Carlo j'étais tout, vous comprenez ? La confidente, la sœur, la mère, la seule compagne… Je sais que j'ai de la chance, j'ai trouvé mon âme jumelle. Ou plutôt mes âmes jumelles : Carlo d'abord, et puis Titta, quand il est venu me rejoindre. » Donna Clara continue son monologue, énumère les gloires et les joies de sa vie, comme elle a plaisir à le faire ; et Bianca se dit qu'elle a vraiment eu de la chance, parce qu'elle a tout eu, et su prendre ce qu'elle n'avait pas. D'abord un solide mari de convenance, puis un amant riche et intellectuel, puis, défleurie de sa jeunesse, un fils poète à la mode et le reflet de son renom. Bianca n'a eu aucun effort à faire pour reconstruire le passé allègre de la maîtresse de maison : tout le monde sait que son Carlo, qu'elle a suivi à Paris alors que son mari était encore tiède dans son cercueil, était son amant dès avant son mariage ; et il n'est pas jusqu'aux murs qui ne sachent que son Titta et son Carlo (qui en était peut-être le père, mais cela, on n'en sait rien, et si on le sait on ne le dit pas) ne s'entendaient pas aussi bien qu'elle le prétend, et qu'elle a été soulagée, quand son Carlo a rendu l'âme, de ne plus devoir apaiser les querelles entre les deux hommes de la maison, et, une fois finie son idylle française, de pouvoir poursuivre une vie d'aisance avec l'argent du défunt dans sa villa à la campagne, héritée avec tout le reste, selon le vouloir de Titta qui, entre-temps, s'était lassé de Paris. Pas elle ; car elle, à vrai dire, y serait volontiers restée, pour s'employer à devenir la reine d'un nouveau salon, et y retournerait demain si elle pouvait. Mais donna Clara est une femme astucieuse, elle a l'usage du monde et sait que, vue du dehors, sa parabole s'est empreinte d'une élégance que les prévisibles et même banals dévergondages de sa vie parisienne ne lui auraient jamais garantie ; et qu'à mesure que se fanait sa beauté venait – au bon moment – le temps sanctifié de la piété familiale. En somme, tout a bien tourné. Et tant pis si maintenant elle ne peut invoquer la mémoire de son Carlo que lorsque son Titta n'est pas dans les parages, et si toutes les traces de lui, dans ce qui a jadis été son domaine agreste – ses écrits, ses dessins, ses collections –, ont fini au fond du grenier de Brusuglio, dans une rangée de malles couvertes de vieux tapis, qu'une des domestiques, sans qu'elle le lui eût demandé, a un jour montrées à Bianca. Quoi qu'il en soit, celle-ci sait maintenant ce qu'elle voulait, et puisé à la source ; tout s'imbrique, et elle peut prendre congé avec l'excuse d'un dessin à finir, tandis que la vieille dame continue d'égrener toute seule et pour elle seule sa litanie de souvenirs et de regrets. Du reste, ce n'est même pas une excuse : dehors, les viornes ont fleuri et Bianca doit se hâter avant que leurs rondes lanternes blanches ne s'éteignent. Viorne : le mot lui roule sur la langue comme une baie mûre, et, prenant papier et crayon, elle se demande ce qui est le plus beau, de la plante ou de son nom. En cela, réfléchit-elle, peut-être la poésie est-elle un art supérieur, car elle nomme les choses par leur son et, une fois écrite, par le signe ; alors que son art à elle est muet : il n'interpelle qu'un seul sens, et ne sonne jamais. Sauf quand je déchire un feuillet en mille morceaux, se dit-elle, écoutant en esprit le sifflement du papier gaspillé. Il lui plairait de partager avec quelqu'un cette pensée compliquée, de vérifier si, une fois énoncée à haute voix, elle est absurde ou conserve son sens. Voire d'étonner son interlocuteur. Mais ne vient-elle pas d'échapper à donna Clara ? Et dans la maison, il n'y a personne d'autre qui puisse prêter l'oreille à des propos de ce genre. Mieux vaut se taire et dessiner, ce qui, après tout, est ce qu'elle fait le mieux.

Se taire et dessiner, se taire et se promener, mais surtout se taire. La maison est un cocon de paix forcée. Les hommes ont de nouveau disparu, pour des questions de sériciculture, semble-t-il, et, quand Bianca a arqué les sourcils en regardant Innes, celui-ci a haussé les épaules sans même essayer de répondre à sa question muette. Le traître. Donna Julie se repose beaucoup et donna Clara la veille, supportant la consigne de silence qui doit lui être insupportable ; les enfants ont l'ordre d'être sages. Pia est absorbée, pensive ; elle reste sur son quant-à-soi, comme si elle sentait quelque chose vibrer dans l'air, les signes avant-coureurs d'une tempête ; et Bianca la laisse en paix. Mais parfois, elle a l'impression que sa voix ne répond plus tant elle s'en sert peu : bonjour, bonsoir, encore un peu de soupe, merci, pas de dessert ; et elle se surprend à parler toute seule avec les volutes aqueuses du convolvulus dont elle fait le portrait de mémoire. Le soir, elle n'en peut plus et s'échappe dans le jardin qui, grâce à des pluies insistantes suivies d'une semaine de douceur, s'est épanoui et mué en un champ de délices négligé. Elle aime cette saison, l'élégance bleu nuit rétractile des lombrics qui se tordent pour humer l'air avec leur absence de nez avant de retourner sous terre, prêts à dévorer le monde. Et l'émouvante fidélité des bulbes, les chiens des fleurs, résolus à reparaître au même endroit d'année en année. Mais ici, dans l'étendue de vert confinée entre les murs des maisons, leurs petites mains généreuses se sont fermées trop tôt ; personne, personne n'a pris le temps de les regarder, et à présent tout est déjà fini. Quel gâchis, pense Bianca en caressant les pointes vibrantes des palmiers, les cornets des bananiers dont la verdeur semble brûler ; quel gâchis, pense-t-elle en tournant vers elle-même sa pensée, acérée comme une esquille de verre qu'on ramasse de crainte que quelqu'un ne marche dessus et qui, vindicative, vous fait saigner les doigts. Quand finissent les printemps ? Quand les voit-on filer sur le calendrier, sans qu'ils vous accordent un regard ? Et l'été est-il plus beau, quand tout est advenu ou advient sous vos yeux et que l'imagination perd toute nécessité, car tout est déjà décidé ? Pour la première fois, Bianca sent que l'aujourd'hui ne durera pas toujours, que toute fioriture n'est qu'une délicate tromperie. Il n'y a pas de projet dans l'idée de l'accomplissement, car il n'y a pas de surprise ; il est prévu, donc prévisible ; donc, c'est comme s'il était déjà arrivé. Où serai-je, quand cet arbre se couvrira de fruits ? Et comment serai-je ? Quelque chose aura-t-il changé, ou la vie sera-t-elle ici tout entière, un effeuillement de pages sur lesquelles j'essaie d'inscrire mon signe ? Bianca jouit de cette pensée, s'abandonne à cette mélancolie qui la fait se sentir tellement adulte et sérieuse, pour une fois ; et ne se rend pas compte qu'elle a parlé à haute voix.

« Je n'ai jamais entendu invoquer l'automne avec tant de grâce. »

La voix masculine la prend par surprise, la fait sursauter. Bianca se retourne vers le creux d'ombre d'où elle vient.

« Vous ? »

Elle se sent mal à l'aise, et ne sait pourquoi.

« Je suis revenu tout seul. Les vers à soie ne font pas mon affaire, figurez-vous. Ils exigent trop de patience. Mais quelle frayeur de trouver la maison si sombre et silencieuse ! Les domestiques ne veulent pas ouvrir la bouche, on dirait qu'ils gardent un secret. Il se passe quelque chose que je ne sais pas ?

— Oh, les drames habituels. »

Bianca s'efforce de rester légère, mais sa phrase sonne impudente, ou peut-être seulement trop sincère. Au demeurant, c'est vrai : quoi de plus normal que les malaises sempiternels de donna Julie ? Tommaso complète sa pensée :

« Si c'était si grave, on nous l'aurait fait savoir. Et je suis sûr que demain, au petit déjeuner, je serai informé de tout dans le détail, et je peux bien attendre. Mais vous, si solitaire dans ce jardin humide… Vous allez prendre froid. À moins que vous ne cherchiez à obtenir votre part d'attention ? »

Bianca est désorientée. Qu'a-t-elle fait, qu'a-t-elle dit, maintenant ou avant, ou encore avant, pour qu'il la connaisse si bien ? Est-il devin ? Ou s'agit-il seulement d'une pique inoffensive, d'une de ces choses qu'on dit en badinant, pour vaincre l'ennui par un peu de provocation ? Depuis combien de temps est-il là, à l'épier et à l'écouter divaguer ? Elle n'est pas assez rapide à répondre, et il enfonce le clou :

« Ne craignez rien. Si vous êtes si avide de mordre dans le fruit, vous l'attirerez fatalement à vous. » Quelle intimité dans ces mots. Une intimité qu'elle ne lui a pas accordée, volée sans le moindre égard. Bianca s'enveloppe plus étroitement dans son châle, s'efforçant d'éviter ces yeux brûlants qui, même dans le noir, la distinguent si bien. « Rentrons, miss, s'amuse-t-il. Il fait nuit et nous sommes seuls, ce qui ne convient pas à une demoiselle comme il faut. Mais qu'avons-nous à faire des convenances ? Auriez-vous peur de moi ? Regardez-moi : je suis un demi-poète enchaîné au grand chêne qui m'ignore, un insignifiant lichen accroché à l'écorce qui me nourrit. Alors que vous, si intrépide, si libre, une femme qui travaille… »

Bianca se reprend, piquée dans son orgueil ; elle n'aime pas cette désinvolture, qu'elle sent offensive de manière secrète, subtile.

« Vous ne savez rien de moi.

— Vous avez raison. Du reste, vous prenez le plus grand soin de ne pas découvrir vos cartes. Avec moi, au moins. Et puis, on ne sait jamais rien de personne, surtout quand on a la présomption d'avoir tout compris. Voilà pourquoi vous aussi, vous vous trompez peut-être sur mon compte.

— Comment le pourrais-je, si c'est vous-même qui vous définissez avec tant de précision ? C'est à votre autoportrait que je m'attache. Et de toute façon, je ne vous juge pas, je n'en ai ni l'envie ni même l'idée. »

Tommaso se tait ; il soupire.

« Voilà, j'ai encore dit des bêtises. Miss, miss, vous avez le pouvoir de me jeter dans la confusion. Servez-vous-en avec parcimonie ; soyez généreuse, et gentille. Mon pauvre cœur ne supporte pas de tels supplices.

— Maintenant, vous vous moquez de moi.

— Moi ? Jamais de la vie. Je, je...

— Il fait froid. Bonne nuit. »

Et Bianca sort de scène en se glissant par la porte-fenêtre grande ouverte, sans attendre de réponse. Bien vu : elle l'a laissé sans voix. À y repenser, tandis qu'elle monte les marches sans regarder derrière elle, elle est exaspérée et fatiguée ; elle ne sait à quoi a pu servir un tel échange, et il lui semble sentir au fond d'elle-même la brûlure d'une occasion gâchée. On était dans le jardin, et il faisait nuit : un bon moment pour parler. Elle se le répète, pour s'en convaincre : il ne me plaît pas, il ne me plaît pas. Puis entre dans sa chambre et ne veut plus y penser. Mais la fenêtre entrouverte l'attire, comme si elle ne pouvait faire autrement que de se pencher, par une nuit si belle et inutile, pour demander une confirmation à l'obscurité. Tommaso est encore là, visible à la braise d'un cigare allumé ; il semble qu'il toussote ; non, c'est un son plus liquide : il rit, ou il pleure. Pleure ? Bianca a le soupçon qu'il sait qu'elle le regarde, et recule ; mais elle reste près des rideaux, curieuse. Est-ce qu'il pleure ?

Elle n'est pas sotte, Bianca. On peut la dire téméraire ; impulsive ; dotée d'une imagination féroce ; tumultueuse et passionnée ; mais aussi timide, dédaigneuse et altière, dans une alternance commode. Sotte, non.

Alors, d'où lui vient, maintenant que tout est clair, d'où lui vient cette indulgence pour don Titta, coupable et bientôt contraint de passer aux aveux pour un crime qui, dans son horreur, n'en reste pas moins banal, le crime de la vie donnée au hasard ?

Bien sûr : il ne sait pas. Ou plutôt, il ne savait pas : c'est à peine s'il vient de comprendre, et il en est encore à tenter d'admettre l'idée. Il suffit de se rappeler son ébahissement dans la nursery, ce fameux après-midi, quand, pour la première fois peut-être, la vérité lui a sauté au visage. Au vrai, comment aurait-il pu savoir, alors qu'il est resté si longtemps éloigné de Milan ? C'est arrivé et la vie a continué, impérieuse ; cette femme s'est tue et la famille, si elle savait, a gardé le silence et fait semblant de rien, comme on fait dans le beau monde devant les embarras. Ce sont les autres qui savent ; lui, non. Il fallait une enquêtrice sagace comme elle, Bianca, une parfaite étrangère au regard assez clairvoyant pour considérer les événements dans leur juste perspective. Comme il sera content, quand il comprendra quel rôle précieux elle a joué dans le dévoilement – car une âme droite comme la sienne ne pourra que se réjouir de réparer une injustice qui dure depuis si longtemps –, et comme il lui sera reconnaissant d'avoir enfin l'occasion de la sincérité. Et comme elle se plaît, Bianca, à s'imaginer ainsi. Elle ne comprend pas que certaines vérités ne sont pas faites pour flotter au vent comme des bannières, mais doivent plutôt rester repliées au fond de malles oubliées. Et son ignorance est bien pardonnable, car elle tient à son jeune âge et à l'ingénuité d'une artiste débutante qui, à force de dessiner le monde en noir et blanc, le voit de la même façon.

Mais le vase au couvercle soulevé commence à libérer des vents de tempête.

« Titta, Titta… »

L'appel tourne au bredouillement sur les lèvres de donna Clara, qui cherche du regard son fils déjà perdu parmi les invités. Donna Julie, à son côté, montre un sourire tendu, des yeux brillants et deux taches d'un rouge trop vif sur les pommettes : un masque. Il semble qu'elle ne se rappelle qu'au dernier moment la présence de Bianca, et c'est alors qu'elle se tourne vers elle :

« C'est un des salons les plus brillants de Milan, vous savez, dit-elle, avec trop de hâte, en guise d'explication. Il s'y passe toujours une foule de choses. »

Je le vois bien, pense Bianca, suivant le regard de son accompagnatrice qui cherche et trouve son mari au milieu de la petite foule. Il est de dos, Bernocchi pendu à son bras avec les deux mains, comme un mendiant, et, même de loin, on voit qu'il parle trop vite, agité par on ne sait quoi. Puis il se tait longuement, le visage levé, attentif. De toute évidence, il écoute la réponse. Ses mains lâchent le bras de don Titta et il fait mine de s'éloigner, mais cette fois c'est Titta qui le retient, en lui posant une main sur l'épaule. Au cours de cet échange, ils se sont légèrement déplacés : maintenant, ils se font face. La discussion continue. Puis don Titta, sans cesser de parler, jette un coup d'œil de côté, sans avoir l'air d'y réfléchir, regarde de nouveau Bernocchi, puis sa tête se tourne encore, de manière lente et délibérée. Bianca suit la direction de son regard : il est dirigé vers l'entrée, où la maîtresse de maison accueille en ce moment quelqu'un, et ses épaules et sa coiffure vibrent dans le ballet de la bienvenue, cachant l'invitée dont on ne distingue encore qu'une ample jupe brillante, couleur gris fumée. Donna Clara et donna Julie observent aussi la scène, et l'expression de leur visage est sombre : donna Clara semble excitée, donna Julie rembrunie. Dans le dos de la nouvelle venue, un couple s'avance avec insistance, décidé à prendre sa place. Bianca fixe de nouveau don Titta et Bernocchi : à présent, ils se sont tus et semblent hypnotisés. Eux aussi regardent l'invitée. Bianca est interdite. C'est elle, c'est bien elle : le fantôme, mais plus concrète que jamais. Elle regarde autour d'elle en s'avançant, cherchant un groupe auquel s'agréger, puis s'immobilise ; son sourire mécanique se craquèle, elle hésite, embrassant du regard toute la salle. Puis elle se reprend et continue d'avancer, plus décidée, vers une porte-fenêtre gardée par deux vieilles dames en noir. Entre-temps, don Titta et Bernocchi, toujours face à face, se sont pris par l'avant-bras, dans un ostensible salut viril, ou peut-être dans un début de lutte. Bianca ne voit pas leur visage : seulement ce geste insolite qui les unit. Qui partira ? Où ? Et pourquoi ? Qui retient qui ? Et pourquoi ? Donna Clara, qui jusqu'ici a gardé le silence, pépie : « Il y a quelque chose à boire ? » Mais sa voix rend un son fêlé. Elle toussote, comme pour insister : vous voyez bien que j'ai la gorge sèche. « J'y vais, belle-maman », répond donna Julie, et elle s'éloigne dans un bruissement d'étoffe. Ce n'est qu'un instant : la maîtresse de maison apparaît près de Bianca et la pilote avec fermeté vers un groupe de dames qui veulent absolument la connaître, et tout de suite. On parle de fleurs, naturellement ; de fleurs et de rétributions, et Bianca doit se concentrer, se montrer aimable, écouter des compliments, faire des promesses, accepter des commandes. L'hôtesse, Viola Visconti, suit cette conversation avec un petit sourire fanfaron, comme si Bianca était sa création ; celle-ci, par automatisme, le lui rend. Quand enfin elle est libérée, don Titta semble mis au coin par sa mère et sa femme, qui forment un paravent de chair et d'étoffe ; Bernocchi a disparu, et le fantôme aussi. Rien d'étonnant. Mais peut-être Bianca l'a-t-elle seulement imaginé, à moins qu'il ne se soit agi que d'une forte ressemblance. Aussi se dirige-t-elle, solitaire, vers la pièce du fond, où on lui a dit qu'était exposé un Luini d'une rare beauté. Mais elle n'y arrivera pas, arrêtée qu'elle est par la vision d'un long dos gris, une colonne vertébrale de boutons. Le dos est légèrement incliné, car sa propriétaire est penchée sur la balustrade d'un petit balcon et regarde en contrebas la rue obscure, où résonne un grincement de voiture. Tandis que le bruit s'éloigne, le dos se redresse. La dame en gris se retourne et tressaille en trouvant Bianca devant elle, qui se sent rougir sans savoir pourquoi. Ce n'est pas à elle d'avoir honte.

Les deux femmes se taisent et s'observent, juste assez loin des autres invités pour n'avoir pas à feindre une conversation. D'un seul regard pénétrant, Bianca remarque la peau ambrée qui commence à s'affaisser le long de la mâchoire ; les bandeaux de cheveux, d'un châtain si sombre qu'il ne semble pas naturel, et peut-être ne l'est-il pas ; l'excès de fard sur les joues ; le médaillon d'exquise facture, grand, ovale, entouré de petites perles pareilles à des semences, déposé exactement au centre du décolleté. Et continue de fixer la femme, en silence.

L'autre répond à son regard par un sourire incertain, et, faisant inutilement bruisser son éventail, articule :

« Belle soirée, n'est-ce pas ?

— Belle soirée, oui, répond Bianca, qui n'a pas envie de parler du temps qu'il fait, ni d'autre chose, d'ailleurs.

— Est-ce que nous… nous connaissons ?

— Non. Mais c'est seulement parce que personne ne nous a présentées. »

La femme rejette les épaules en arrière, dans un effort de volonté.

« Oui, bien sûr. Ne faisons pas semblant. À quoi bon ? dit-elle, sérieuse et sincère.

— En effet. C'est inutile. »

Si Bianca pouvait observer la scène du dehors,

elle remarquerait la position circonspecte de deux insectes combattants : l'un qui avance et l'autre qui recule, mouvements imperceptibles qui, à un œil distrait, pourraient sembler de pure convenance, ou n'être que la défense préventive d'un territoire. Mais en dessous, il y a beaucoup plus. Et toutes deux ont assez l'usage de la société pour savoir que ce n'est pas le moment d'attirer l'attention.

« Voyons-nous demain matin, près du grand bassin des Giardini, propose Bianca, déjà écœurée de ce jeu furtif. Nous nous dirons ce que nous avons à nous dire. Bonsoir. »

Et, sans attendre de réponse, elle s'éloigne. Son cœur bat la chamade ; sa témérité soudaine lui donne un léger vertige. Rien ne lui assure que l'autre viendra.

Donna Clara se plante devant elle, brandissant un petit verre.

« Vous avez fait de nouvelles connaissances, à ce que je vois. Alors ? »

Et elle la regarde en dessous, attendant un commentaire.

« La dame en gris, vous voulez dire ? Je l'avais prise pour une autre. Et de toute façon, les salons ne sont pas le meilleur endroit pour connaître les gens.

— Ah oui, ma belle ? Et pourquoi pas ? C'est ici qu'on a les meilleures occasions de causer avec brio. Quand on en est capable, évidemment, conclut donna Clara, d'un ton sec.

— Évidemment », fait écho Bianca, indifférente à son ironie et suivant son regard qui s'est posé sur la dame en gris et la transperce comme une flèche.

La trajectoire est déviée par l'arrivée inattendue de donna Julie. Elle est fiévreuse, ses joues sont roses et elle parle trop vite :

« Vous voilà. Belle soirée, n'est-ce pas ? Il y a longtemps que je ne m'étais pas autant amusée. Viola Visconti maîtrise comme personne l'art de recevoir. Et vous ? Vous aussi, vous vous amusez, miss Bianca ? »

Cette excitation détonne dans la bouche de cette créature d'habitude silencieuse. Même ses yeux brûlent, fébriles, papillotant çà et là comme si elle voulait tout arrêter, tout saisir. Puis, d'un coup, donna Julie se raidit et son visage blêmit. Bianca suit son regard et découvre don Titta en conversation avec le fantôme. Eux aussi sont pâles, concentrés, plus sérieux que les circonstances ne le demandent ; ils se regardent dans les yeux ; au surplus, ils se permettent maintenant de se taire tout en continuant à se considérer, même si à distance on ne comprend pas le sens de leur regard. La petite preuve, la confirmation : la voilà.

Du reste, le rapport de son jeune complice Girolamo était des plus clairs. Bianca, à vrai dire, n'en attendait pas grand-chose : seulement quelques mots confus chuchotés à l'oreille ; mais lui, tenant sa promesse jusqu'au bout et contre toute attente, lui a apporté un nom, et, outre ce nom, une histoire, notée d'une écriture presque trop sûre sur un feuillet de lourd papier, portant, voyantes sur les bords, plusieurs traces de doigts sales.

Costanza A., sans profession, de famille aisée, céliba-
taire, âgée de vingt ans, confie à la charité de l'Hôpital
et aux services d'Alberta Tonolli, sage-femme, un bébé
de sexe féminin, en bonne santé, âgé apparemment et
selon ses dires d'un mois, non encore sevré. L'enfant a
été baptisée sous le prénom de Luce, mais reçoit celui
de Devota Colombo. Elle ne pleure pas. Elle porte : une
chemise de fine batiste blanche, brodée de clochettes ;
une brassière blanche, sans broderies, avec des ruches
au col et aux poignets ; aucun lange ; des chaussettes
en coton blanc ; des chaussures en cuir fin et blanc, fer-
mées par un ruban de velours blanc ; un bonnet portant
les mêmes broderies de clochettes que la chemise. Elle
est attachée à un « portanfan » de fabrication française,
garni de langes de lin très fin, ainsi que de trois autres
chemises, de trois autres blouses et de trois bonnets
moins fins. Elle est enveloppée dans une couverture de
laine légère. En signe de reconnaissance, la mère nous
remet un agnus de velours rose et vert, avec un agneau
brodé en fil d'or et en soie et une clochette d'argent.
Elle a déclaré que sa ferme intention était de reprendre
l'enfant dès que les circonstances le lui permettront.

Le souvenir de ce jour récent est vif, et Bianca y
revient en assemblant une fois de plus les détails, les
imbriquant avec soin, encore et encore, comme si
elle tentait de reconstituer une tasse brisée. Quelle
horreur elle a éprouvée, quelle horreur elle éprouve
encore devant cette sèche évocation d'un adieu, du
moins à ce qu'elle en comprend. La comptabilité du
catalogue, la chronique du passage de consignes, et,
d'une part, l'autorité de celui qui prend des notes,

de l'autre, les larmes publiques : Bianca se figure le scepticisme de l'employé, à moins que par délicatesse ce genre de tâche soit confié à des femmes, et au-delà de la table une indicible peine. *L'enfant ne pleure pas.* Quelqu'un d'autre si, sûrement. Pour résumer : quatorze ans plus tôt, une fillette prénommée Devota, ou plutôt Luce puis Devota, a été apportée à Santa Caterina alla Ruota et laissée aux soins de l'institution. Le reste est évident : Devota, Pia ; le même prénom sous deux formes, un vilain nom d'enfant trouvée, pour qu'elle n'oublie jamais ses origines misérables, mais qui peut devenir beau grâce à l'imagination. Sans compter que les agneaux parlent haut et clair, même si le fait qu'il en existe deux, et identiques, est une extravagance qu'on ne peut cataloguer en fonction des usages stricts de l'Hôpital. En somme, tout est si limpide, si évident. *Costanza A., sans profession…* Si elle avait alors vingt ans, maintenant elle en a trente-quatre. Mais comment chercher dans l'immensité de Milan et de ses faubourgs, une ville qui compte la foule inimaginable de cent cinquante mille habitants, une femme de trente-quatre ans, de milieu assez aisé pour doter sa fillette d'un trousseau de première qualité, seule au point de devoir confier la nouveau-née aux soins de la charité publique, et si sûre de venir la reprendre qu'elle l'a laissé adopter par un curé de campagne ? À ce stade, Bianca s'est trouvée désarmée, faute de pouvoir prédire que ce serait le destin, à la faveur d'une soirée mondaine, qui placerait devant elle l'objet embarrassé de son enquête.

Embarrassé, non affligé. Et à présent, Bianca s'interroge : se peut-il que le temps soigne vraiment toute blessure, comme l'affirment les vieux quand ils veulent passer pour sages ? Et si cette femme est vraiment la mère de Pia, si elle a été assez téméraire pour se mettre en quête de la petite abandonnée, pourquoi s'est-elle arrêtée tant et tant de fois à la grille ? Si elle a réussi à arriver jusque-là, quelle force l'a retenue d'abattre de ses mains tous les obstacles ? Si tout le monde sait, comme il semble, pourquoi personne, jamais, n'a-t-il pris le parti d'agir, pourquoi ce pathétique menuet de regards et de dos tournés ? Des questions et encore des questions.

Non, Bianca ne s'attend pas à ce qu'elle vienne au rendez-vous, Costanza A., sans profession. Aussi camoufle-t-elle sa sortie, pour ne pas se sentir trop sotte quand viendra la déception : la saison est si douce que les enfants, une fois dissipées par la force de l'évidence les réticences de leur mère et de leur grand-mère, ont enfin reçu la permission de sortir, pourvu que ce fût avec mille précautions. Ils sont trop couverts, engoncés dans leurs manteaux à l'épaisse doublure ; mais, pour une fois, Nanny cède au bon sens et les laisse s'en débarrasser sitôt tourné le coin de la rue, devenant une douce porteuse de défroques, reléguée à fermer le cortège. Bianca guide le petit groupe, tenant les deux cadettes par la main ; les trois autres marchent derrière, Enrico bras dessus bras dessous avec Giulietta, Pietro tout seul, les mains dans les poches et le béret de travers comme un gamin des rues. Le trajet n'est pas long mais très lent, avec tout ce qu'il y a à regarder : une vieille qui vend des bouquets de fleurs des champs ; trois gamins en bleu, identiques, qui font rouler trois cerceaux sans jamais les faire tomber ; un chien errant au long museau de furet, qui esquive les caresses et s'enfuit au galop au gré de son flair. Et puis il y a les maisons, les voitures, les boutiques ; et le jeu de découvrir ensemble une ville qui est tout entière un mystère. Enfin, enfin, le vert tumescent du parc, l'odeur sauvage de l'herbe qui annonce le plaisir d'y marcher. Dans le grand bassin, les bateaux des autres enfants ; des couples de foulques tranquilles dans les fossés.

« Comment ça se fait, qu'un ait des couleurs et l'autre non ?

— Celui qui n'a pas de couleurs est la femelle. Le mâle porte un uniforme de parade, comme un soldat qui va au bal. Elle, on dirait qu'elle est sortie en courant, sans avoir eu le temps de se changer. »

Rires.

« Nous les garçons, nous sommes mieux habillés », dit Enrico, qui cherche d'un regard en coin l'approbation de son frère.

Pour une fois, le grand semble en désaccord :

« Moi, les soldats, je ne les aime pas. Papa dit qu'ils sont l'oppresseur. »

Grimace de Nanny, encombrée de son fardeau de manteaux. Bianca ne relève pas. Elle regarde autour d'elle, comme pour observer le paysage. Elle ne viendra pas.

Mais si, la voilà. Bianca la reconnaît à sa démarche, qu'elle a observée tant de fois sans se faire voir. Elle est encore en gris, un gris éteint, presque contrit. Bianca murmure quelques mots à Nanny par-dessus la tête des enfants, qui, envieux et sans comprendre, suivent des yeux le lancer des magnifiques canots ; puis elle s'éloigne. La voyant, la femme en gris la suit. Elles sont sous une enfilade de tilleuls taillés en cube, si proches que leurs chevelures s'entremêlent pour créer une galerie géométrique. Si quelqu'un les regardait à distance, il ne verrait que des ombres.

« Finalement, je suis venue, dit la femme, comme si elle n'y croyait pas elle-même.

— Je vois. »

Bianca soupire, hésite, puis se lance dans le discours qu'elle a tenu tant de fois aux vitres de la fenêtre, au feu dans la cheminée, à elle-même, à personne. Des mots répétés à maintes reprises, si bien qu'ils sortent sans peine, en une longue, lourde chaîne. Ils raisonnent ; ils accusent ; ils attaquent. La femme, d'instinct, fait un pas en arrière, comme si Bianca pouvait la frapper ; elle se tord les mains, rougit laidement, par taches qui affleurent à son cou et à ses joues, signes infâmes de la honte. Puis, quand enfin Bianca se tait, elle courbe la tête, la secoue. Il semble qu'elle se parle à elle-même :

« Tout cela est vrai. Mais tout cela est du passé. Je ne veux plus y penser.

— Mais puisqu'il y a à peine quelques mois, vous jouiez les fantômes dans tout Brusuglio… Vous vous en souvenez, au moins ? », demande Bianca.

À présent, elle est convaincue de se trouver en présence d'une vraie folle, à la tête remplie d'air. Et c'est peut-être mieux ainsi.

« Bien sûr que je m'en souviens. Et je le regrette, dit la femme à voix basse. Mais voyez-vous, les choses ont changé. Je… je vais me marier. Vous allez rire de moi. » Mais c'est elle qui le fait, un rire sec, sourd, amer. « Une vieille fille fanée qui a enfin trouvé un accommodement. Ce sont mes parents qui se sont occupés de tout, je n'ai rien demandé, je n'ai pas le droit de demander quoi que ce soit. Mais qui suis-je pour refuser ? » Elle lève les yeux, rencontre le regard indigné de Bianca, les baisse de nouveau. « Et puis, que voulez-vous savoir, vous qui êtes jeune, belle et indépendante ? Tout le monde parle de vous, à Milan. L'astre naissant de la botanique illustrée, récite-t-elle en regardant Bianca dans les yeux, comme si elle lisait le titre d'une gazette. Vous avez tout. Vous savez vous débrouiller toute seule. J'ai toujours fait ce que voulaient les autres. Toujours. Depuis la première fois où… et puis, j'ai donné le bébé et je n'ai plus cessé de m'en vouloir pour cette erreur après l'erreur. Je ne savais rien. »

Bianca n'est nullement émue ou apitoyée.

« Le bébé, comme vous dites, était une petite fille. L'auriez-vous oublié aussi ? Je, je… n'arrive pas à comprendre. » Elle s'efforce de rester calme, mais la colère la saisit et affûte ses paroles. « Comment pouvez-vous la renier ainsi ? Enterrer le passé, et advienne que pourra ? Vous sembliez tenir tant à elle. À croire que l'envie de la revoir vous rendait folle. Et maintenant… Je vous aiderais », ajoute-t-elle précipitamment, et sans même le vouloir.

Ce n'est pas vrai. Elle aiderait Pia, pour le bien de Pia, non cette femme qui nie et se défile alors même qu'elle ne le peut plus. Mais cela ne reviendrait-il pas au même, pour la même fin ?

La femme semble n'avoir pas entendu, et suit le fil de ses pensées :

« Ils ont raison, tous. À quoi sert de fouiller dans le passé ? Autant retourner une pierre et s'amuser à regarder les vers qui grouillent sous la lumière. Je ne peux lui faire que du mal, maintenant. »

Parce que vous ne lui en avez pas fait assez ? Avec vos stupides apparitions, et le double agnus abandonné tout exprès, et tout le reste ? C'est ce que Bianca est sur le point de dire, mais non : à présent, elle se tait. L'autre regarde au loin, les yeux vagues :

« Je ne savais rien », répète-t-elle.

Si elle pouvait, Bianca la frapperait, maintenant, tout de suite. Mais elle le peut, bien sûr qu'elle le peut. Qu'est-ce qui l'en empêche ? Et elle le fait. Une gifle, une seule, comme peut en donner une main fine et menue, mais bien claquante, et qui lui laisse le bout des doigts brûlants. L'autre porte les siens à sa joue, frôle sa peau avec stupéfaction, les baisse et les regarde avec horreur, comme si elle s'attendait à les voir tachés de sang. Une enfant qui pousse un cerceau a tout vu, s'immobilise et détourne les yeux de son jouet, qui poursuit sa course avant de tomber dans l'herbe. Bianca tourne la tête pour la regarder, très lentement ; la gamine se reprend et s'enfuit. Qu'est-ce qu'une gifle, une petite gifle, à côté des coups de pied et de poing, des cheveux arrachés et de la peau griffée qui s'imposeraient là, tout de suite, pour ramener un peu de justice dans le monde ? Oui, mais quelle justice ? Le mal est fait ; le tort, immense. Bianca a devant elle cette petite dame repentante, cette pauvre femme qui cherche à refaire sa vie en tournant le dos au passé. Et elle a honte. Honte de se voir réfléchie en elle, de voir dédoublée et finalement mise à nu sa sotte passion pour les trames obscures, les mystères, les coups de théâtre et les fins heureuses postiches. Elle se sent stupide, tout à coup, de contempler la face luisante d'une pièce de monnaie folle qui ne vaut rien, rien du tout, à part le prix d'une nouvelle à bon marché, imprimée sur du papier pauvre, qui servira demain à envelopper la salade. Costanza A. se mariera à un barbon fortuné ; peut-être aura-t-elle la bénédiction tardive d'un enfant, un autre, pour remplacer l'ombre de la petite abandonnée ; à moins qu'elle ne vive une vie ternie pour toujours, une existence de seconde main. De vrai, dans tout cela, il n'y a que la douleur de Pia, son illusion que les choses pourraient changer. Et cela aussi, peut-être, est guérissable, à condition de ne pas s'en mêler. L'erreur est de bercer ces sentiments comme une chose précieuse. L'erreur est de ne pas vivre la vie qu'on a sous prétexte qu'on aurait droit à une autre.

Ah, mais Bianca n'y pense pas en ce moment, debout devant le fantôme qu'elle a poursuivi si longtemps et qui, à présent, n'est qu'une femme pâle, avec trois marques rouges sur la joue et de grands yeux sans fond qui évitent les siens ; une femme qui, peut-être, n'a pas d'estime pour elle-même, mais, pour compenser, s'est absoute et attend avec impatience le moment de partir et d'oublier. Tout cela, elle y pense après, quand elle est seule et que la femme a fait volte-face et s'est éloignée sans prononcer un mot de plus : il ne restait plus rien à dire, rien à se dire. Bianca repère un banc, s'assied et réfléchit, s'efforçant de calmer les battements de son cœur ; mais à la fin, c'en est assez : rejetant la tête en arrière, elle laisse son regard se perdre dans le bleu du ciel, dans son honnête insensibilité. La petite fille de tout à l'heure revient et l'observe avec circonspection, récupère son cerceau abandonné et s'en va en courant. Maintenant, il est temps de quitter le couvert des tilleuls ; on entend jusqu'ici les autres enfants, les siens : il suffit de suivre leurs voix pour les trouver au milieu d'un grand pré, faisant des cabrioles et déjà tout tachés de vert, un indice impossible à dissimuler qui lui vaudra de vibrantes remontrances. Mais le mal est fait, à présent ; alors, autant se verdir davantage en jouant à saute-mouton et en se roulant dans le tapis d'herbe, avec sa bonne odeur d'humus. Bianca frappe dans ses mains et organise impromptu un jeu de dames et de chevaliers : elle fait le chevalier ; Nanny, comme d'habitude, ne fait rien ; mais on rit, on trébuche, on prend du plaisir, on tombe.

Le soir, Giulietta a de la fièvre.

Le tumulte passé, ses pensées remises en place, Bianca doit se rendre à l'évidence. Elle n'est qu'une sotte, une pauvre sotte présomptueuse, la copie terne et provinciale d'une Emma Woodhouse, infiniment moins astucieuse et infiniment moins armée, qui cherche à ordonner un monde désordonné pour le composer à son gré comme elle fait de ses dessins. Mais il lui manque la vision d'ensemble et celle de la perspective : elle ne sait prendre en compte que des efflorescences isolées, scrutées comme si elle les regardait à la loupe, de près, de très près, et le mieux serait qu'elle s'en contentât. Que lui a dit le fantôme dans le parc ? *Tout le monde parle de vous.* Grâce au Ciel, ce n'est pas en raison de sa folle inclination à régler la vie des autres. Personne – presque personne – ne connaît ses théories, hormis une poignée d'inconnus qui n'ont aucun intérêt à en parler ou ont été payés pour ne le faire qu'une fois, et, par conséquent, se tairont. Mais le réconfort de savoir que personne ne dira rien ne la rend pas moins honteuse. Elle a compris la leçon ; ou du moins, elle le croit. Ce qu'elle ignore c'est qu'une leçon n'en remplace pas une autre et qu'elle aura encore une foule de choses à apprendre : des choses qui ne s'enseignent pas, mais qu'on découvre peu à peu, en vivant. Mais comment pourrait-elle le savoir ? Petite vie que la sienne, enfermée dans une boîte transparente comme ses plus beaux sujets, scellée et sans protection, d'où elle regarde les événements advenir à travers les parois de verre, attendant la tempête qui les fracassera comme elle fracassera le reste, et sans moyen de se défendre ou même de s'échapper. Tout ce qu'on peut espérer, c'est que les nuages passent et se déchirent ailleurs, mais c'est un bien pauvre espoir que d'augurer l'improbable, et mieux vaudrait y renoncer et se réfugier à l'abri, ou sortir à ciel ouvert et s'offrir au fouet de la pluie froide : risquer pour se sentir vivante, risquer de se sentir vivante.

Il suffit de bien peu pour consoler une jeune fille qui ne se plaît pas à elle-même : se convaincre qu'elle plaît à un autre. À la manière de la pierre blanche,

Bianca reçoit d'autres objets, déposés sur le seuil de sa chambre, glissés sous la vaisselle du plateau du petit déjeuner, placés avec impudence sur son bureau bien en ordre. Un châle blanc et vert, en cachemire très léger, tiède comme une étreinte, emballé dans un tissu délicat à petites fleurs ; un vers, peut-être le début d'un poème inachevé, ou plutôt sa conclusion – *C'est ici que mon cœur repose* –, sur le papier qui enveloppe une petite boîte en argent, pleine de semences et de sens ; une fausse grenade, qui semble vraie jusque dans le détail d'un défaut de son écorce parsemée de petits points bruns. C'est clair : quelqu'un lui fait la cour, à sa manière discrète et ingénieuse. Quelqu'un qui la connaît bien mais ne veut pas l'effrayer. Et préfère rester dans l'ombre, tout au moins pour le moment, et, de l'ombre, lui envoie des messages. Il sait qu'il serait banal de lui offrir des fleurs et choisit plutôt des objets. Bianca adore ne pas savoir qui c'est : ainsi, elle n'a pas besoin de prendre de décisions, de réagir comme on l'attend. En ce moment, même le choix entre une phrase cinglante et une courbette allègre lui serait des plus difficiles. Parce qu'elle est ainsi : résolue jusqu'à la témérité quand il s'agit des autres, mais incertaine comme une enfant quand elle est concernée elle, et le nœud confus de ce qu'elle éprouve. Autant il lui est facile de reconnaître les sentiments d'autrui, de les classifier avec la froideur d'un chercheur, autant elle est démunie pour se déchiffrer elle-même ; et d'ailleurs, elle n'essaie même pas. Se peut-il que l'admirateur inconnu ait compris cela aussi, et en tire avantage à sa façon élégante et malicieuse ? Ce n'est pas à exclure. Mais Bianca ne creuse pas si loin : elle se contente de la surface et du portrait qu'elle lui renvoie, Narcisse penché sur la source qui reflète son image plus bellement qu'elle n'eût jamais osé l'espérer. Elle est lasse, aussi, des conjectures et des chimères qui ne l'ont menée nulle part. Et elle a beaucoup de travail : plusieurs commandes à boucler avant le retour annoncé à la villa de Brusuglio, où elle se consacrera avec toute son énergie au projet qui l'a fait venir, et qui reste le principal. Son contrat doit l'occuper au moins jusqu'à l'automne ; alors, il faudra que tout soit fini et livré. Des mois intenses l'attendent, mais elle y est préparée. Ce n'est pas le travail qui l'effraie. Si elle a peur, c'est d'elle-même, cet elle-même qu'elle ne connaît ni ne comprend. Mais jamais elle ne l'admettrait, et d'ailleurs elle n'y pense pas et va de l'avant à tâtons, la tête enveloppée de gaze comme pour une partie de colin-maillard sur la prairie. Attention à ne pas trébucher, Bianca. Attention.

Elle n'abandonne pas, Bianca : elle est comme un chien qui s'est emparé d'un gant ou d'une chaussure et, même repoussé, refuse de lâcher prise, sans comprendre que le jeu est fini. Et comme le rêve d'une fin heureuse – applaudissements, sourires et gratitude – s'est maintenant évanoui, ce qui lui reste est le dépit. La colère qu'elle éprouve pour cet homme, capable de tant d'indifférence ; cet homme qui a vécu dans l'aisance deux, trois vies : celle, dissolue, du jeune libertin, puis celle, inspirée, de l'artiste, et désormais se complaît dans le train-train familial, la piété qu'il éveille en lui, les doux et confortables rites partagés. Elle voudrait l'arrêter dans un couloir, le prendre par les épaules – à supposer qu'elle y arrive – et le secouer jusqu'à lui faire déverser la vérité. Comment pouvez-vous, don Titta, vous, l'image même de l'amour paternel, étrange, bizarre tant qu'on voudra mais au fond si diablement *bon* ? Comment pouvez-vous ignorer votre autre fille, une fille rejetée qui va et vient, et respire, et existe, à deux pas de ces enfants qui ont le privilège de porter votre nom, alors qu'elle n'a rien hormis un certificat d'enfant trouvée et un avenir de servante ? Comment se peut-il que vous soyez deux, et que ces deux hommes en réalité n'en fassent qu'un ? Est-ce seulement l'usage de l'époque et de votre lignée, que vous vous employez avec tant d'acharnement à contredire, au moins en paroles ? Ou, justement, tout cela n'est-il que paroles, conversations de salon ? Pouvoir le lui dire, honnête, rageuse. Voir changer son expression ; le voir enfin nu, sans défense, dépouillé des protections que lui confère son rang, et sincère, soudain ; et, dans sa sincérité, si humble, splendide, et plein de gratitude pour elle, pour Bianca, qui a arraché le voile du miroir pour lui montrer son vrai visage. Ah, don Titta, ne savez-vous qu'on peut toujours changer ? Corriger les erreurs passées ? Comme il lui serait dévoué, ensuite, d'avoir reçu à pleines mains le courage de la vérité. Et comme elle aimerait devenir le moteur de sa grande renaissance. Mais que de présomption, aussi, dans une telle pensée, d'abord fugace, puis cultivée en une myriade de variantes. Elle est à un pas de comprendre ce qu'elle éprouve vraiment ; mais ce pas, justement, elle ne le franchit pas : il reste un mouvement esquissé et contenu. À vingt ans, il est si difficile d'être honnête avec soi-même.

Bianca, donc, ne va pas plus loin ; puis elle tourne les talons et revient à la chaleur de sa colère ; mais c'est une colère qui ne dure pas longtemps : elle explose comme un orage et ensuite se dissipe, prompte à se diluer dans des ruisseaux de circonstances atténuantes. Ainsi se lève-t-elle en elle avant de s'apaiser, dans une succession tumultueuse ; et c'est en silence qu'elle aime, si secrètement qu'elle-même ne le sait pas. Car son amour est d'eau, et, comme l'eau, prend la forme et la couleur de ce qui le contient.

Elle aime, et, pour cette raison, épuisée, pardonne enfin : au fond, si elle s'est pardonné à elle-même, elle peut bien étendre ce privilège à qui le désire. De surcroît, tout va très vite : il lui suffit d'une intuition, d'une impression à laquelle s'accrocher comme si c'était une indiscutable certitude. Cela se produit un jour où elle s'apprête à sortir dans le jardin, mais s'arrête à la porte-fenêtre. Comme c'est étrange : ils sont là-bas tous les deux, protégés par le catalpa. Elle recule un peu, mais reste près du seuil, dans l'ombre du couloir ; même s'ils se tournaient, ils ne la verraient pas. Mais ils n'en ont pas l'idée, absorbés comme ils sont l'un et l'autre. Elle est trop loin pour deviner les paroles sur leurs lèvres. Sa colère devrait monter, le répertoire habituel d'arguments empoisonnés : vous êtes son père, et vous contentez de faire le maître. Mais la douceur de l'échange, les gestes des mains dans l'air, les signes d'assentiment, les têtes qui s'inclinent, tout dans ces deux corps lui parle d'une proximité qui n'est pas seulement physique ou occasionnelle. Non, ils ne parlent pas du menu de ce soir, ou des caprices d'Enrico, ou du énième livre prêté. C'est autre chose qui les unit, Bianca en est certaine. Elle s'appuie au mur, les paumes des mains contre l'enduit, soulagée et emplie d'une joie inattendue. Et si elle était parvenue malgré tout, par le seul effet de sa volonté, à rapprocher ce qui était cruellement séparé, à obtenir au moins une apparence de justice ? Si vraiment il avait suffi de désirer que la situation s'ajustât, de le désirer très fort, de l'ima-giner un million de fois pour recueillir un résultat, même infinitésimal, même différent de celui que, si naturellement et si justement, elle a espéré ? Alors, tout n'a pas été inutile, se dit Bianca. Si ces deux-là se parlent, et en ce moment ils se parlent, quelque chose doit s'être produit.

C'est ainsi que toute la colère, toute la rancœur cultivée avec tant de soin au cours des derniers mois s'évanouit en un instant. Comme c'est étrange, pense Bianca. Il y a tant de grâce, tant d'intimité dans cet échange surpris de loin qu'elle se sent indiscrète, même si elle n'a pas fait exprès de les voir et, mainte-nant, ne fait pas exprès de les couver du regard, mais ne parvient pas à s'en empêcher. Peut-être don Titta fait-il vraiment ce qu'il peut, compte tenu des circons-tances. Et le fait-il tous les jours, sans se contenter d'un legs qui allège sa conscience et élimine pour toujours la preuve de son erreur : non, il a toujours devant lui le souvenir vivant de sa faute passée ; et même, il le retient, le cajole, le veut tout proche. Absous, donc. Quel rapide verdict.

Oui, maintenant qu'elle sait que l'objectif est dans l'axe, Bianca peut bien s'en aller ; aussi sourit-elle intérieurement et remonte-t-elle dans sa chambre, les laissant tous deux se dire ce qu'ils doivent se dire, ce que leur cœur leur dicte, seuls au monde comme deux amoureux qui ont eu le courage de devenir eux-mêmes.

Oui, mais dans les jours qui suivent il ne se passe rien. Ni annonces, ni révélations, ni éclaircissements : seulement une quiète normalité, comme si chacun était rentré dans son rang et se contentait d'y rester. Bianca s'agite ; elle dessine, puis gribouille et jette son papier au panier ; casse des crayons, se tache jusqu'au milieu des manches ; descend, résolue à tirer les choses au clair, puis reste muette devant une vision : lui, qui sort en toute hâte, sans même prendre son chapeau. Elle lance un regard interrogateur à Innes, qui se borne à serrer les lèvres, comme s'il ne pouvait ou ne voulait parler, et échappe aux attentions de Tommaso, qui lui tend un petit verre de cordial, ou d'eau de rose, ou d'elle ne sait quoi ; remonte, ouvre la fenêtre, cherche des réponses décisives dans les runes que la cime des arbres grave tout en haut de l'ourlet du ciel ; descend de nouveau ; tombe sur donna Clara, qui veut une confidente à gratifier de quelques commérages, et passe une demi-heure à hocher la tête, sotte comme une poupée ; ignore les fillettes, qui la regardent passer en agitant leurs menottes, ignore le regard de reproche muet de Nanny ; et enfin, fait appeler Pia, et, devant son innocence souriante, reste sans voix de nouveau : elle ne peut se résoudre à lui dire quoi que ce soit, et finit par lui demander de lui apporter un thé.

Amour et guerre. L'amour *est* guerre : occupation imprudente d'un territoire étranger. En soi-même, le jour, la nuit, dans ce qu'on doit faire et qu'on fait, en tout. Être envahie. Résistance et reddition. Reddition, ou rendement. Pourrait-on vérifier le profit, l'avantage, en jetant dans la balance, sur un des plateaux, soi-même, et sur l'autre ce qu'on offre, ce qu'on perd et ce qui reste ? L'unique certitude est la consumation : de la pensée, de la raison, du temps qui s'évapore en conjectures. Si l'on rêve trop à ce qu'on désire, le perd-on, le gâche-t-on ? À moins qu'on ne le perfectionne, et qu'on n'anticipe un possible ? Et ensuite ? Reste, ou différence : la différence avec l'autre, l'abîme qui sépare, attire et appelle, la vallée à combler, le bondissement hors de soi. Vais-je prendre, m'avancer et prendre ce qui est mien, ce qui ne l'est pas encore, ce que je voudrais et ignore, ou attendre qu'on me le pose entre les mains ? Prendre ou donner ? Se donner ? Mais cela se fait-il ? Oui, que faire, rester au bout du divan, les mains posées sur les genoux, affichant un vague sourire, le cœur convulsé par l'attente, ou se pencher la nuit à la fenêtre, pour deviner l'ombre dans l'ombre ? Ce qu'on doit, ou ce qu'il faut. Et pour finir, ce qu'on peut. Puis-je *faire* quelque chose, moi, seule, seule et femme dans le monde, ou ne puis-je que vouloir, espérer, et enfin dire oui ? Et peut-on aussi dire non ? Le oui est-il la flèche qui conduit au futur, le non la pierre qui vous entraîne au fond et vous y laisse parmi les algues, étourdie et comme morte ? Père, père, que de choses vous ne m'avez pas apprises, vous êtes parti trop tôt. Près de vous, j'aurais su distinguer, j'aurais su évaluer. Écouter, et enfin comprendre. Non, non, je n'aurais su qu'interpréter vos signes, avide et curieuse, et je me serais comportée en conséquence, renonçant à penser, à décider, dans une paix facile. Et j'aurais été bien contente ainsi. Entre nous aussi, il y avait un amour. Mais ce n'est pas un critère dont je puisse à présent me servir. Ou alors, m'auriez-vous aidée à me lire moi-même, avec une patience dévouée, comme si je déchiffrais une langue inconnue, dans la trépidante anticipation du message ? Vous, vous qui aviez déjà décidé de me laisser partir, avant tout, avant ce supplice. Et maintenant, je ne sais rien. Je ne me sais pas moi-même.

Voici comment cela doit se passer : un instant ; le salon vide de présences importunes ; s'avancer, s'affronter debout, d'égal à égal, en balayant pour un moment les conventions. C'est ce qu'il faut faire, c'est ce qu'on peut faire.

« J'ai besoin de vous parler.

— Moi aussi, je voulais vous parler. Mais c'est si difficile d'être seul à seul dans cette maison. Et se parler l'est encore plus.

— Je sais. Je voulais… je voulais vous dire que je

comprends. Dans votre position… ignorer ainsi les droits légitimes des moins fortunés que vous… je le comprends, mais je ne l'accepte pas. Un homme comme vous, si ouvert, si progressiste ! On ne peut pas… »

Le lui dire ; tout dire, sans réticence. Écouter la réponse juste, la belle humilité de la faute reconnue. Et il est si beau, avec cette ombre qui partage son visage en deux, le visage penché vers elle, les yeux dans les yeux, pour une fois. Un soupir.

« Vous avez raison. Et j'admets tout le poids de mes erreurs. Pourtant, le temps viendra où, enfin, tout sera clair, le temps où l'on pourra tout dire, et au grand jour. Miss Bianca, ce temps n'est pas loin. Je me le représente dans les moments les plus sombres, quand j'ai l'impression qu'il n'y a plus rien à espérer, quand je sens plus lourdement les sangles qui m'attachent à ma position, comme vous dites. Alors, tout sera différent. Alors, nous pourrons nous permettre d'être nous-mêmes, et jusqu'au bout.

— Mais alors… vous… »

Tremblante, encourageante. Oui, oui. C'est pour tout de suite. Oui.

« Je veux dire que les jours sont proches où les choses changeront pour toujours. Nous ne reviendrons plus jamais en arrière, et personne ne se cachera plus. Vous comprenez ? »

Il lui prend les mains, les serre. Bianca ne sait ce qu'elle doit comprendre ; elle est en pleine confusion. Et lui, a-t-il compris ? Ou non ?

Soudain, comme à la comédie, une diversion, ou

un obstacle. Voilà : un bruit tout proche, et les mains se séparent. Tommaso paraît sur le seuil.

« Ah, vous êtes là. Je vous cherchais, Titta. Notre ami commun est arrivé. »

Don Titta, soudain, se détourne.

« Bien sûr, bien sûr. Je te suis. »

Une courbette, et il a déjà disparu. Tommaso lui lance un regard déconcerté avant de refermer la porte du bureau, où quelqu'un les attend. A-t-il tout entendu ? A-t-il vu les mains dans les mains ? Non : lui tournait le dos à la porte. Personne ne sait. Bianca reste seule. Par ici, un entretien interrompu avant la fin ; par là, des voix qui montent et qui descendent, se colorent et se mêlent. Par là, la prépotence envahissante des étrangers ; par ici, la certitude que les choses, une fois engagées, ne pourront plus être arrêtées, comme une crue qui emporte tout sur son passage. Il a dit que personne ne se cacherait plus. Il l'a dit. Qu'y a-t-il d'autre à comprendre ? Bianca, déjà entraînée par le courant, flotte sur l'eau sombre, bienheureuse comme une Ophélie dans sa démence innocente, mais non inoffensive.

« "Elle sait très bien que l'homme qu'elle aime ne pourra jamais être sien, à moins d'un hasard extraordinaire, qu'elle désire, mais n'ose pas même espérer. Et pourtant, elle continue d'aimer…" Permettez-moi de vous le dire, Innes : votre ami est le premier et le dernier des romantiques. Quel délicieux portrait de l'innocence féminine ! Se croire destinataire d'un amour si pur, pur parce qu'impossible… quel honneur, quel privilège, et quel soulagement. »

Bianca tressaille quand le regard de Bernocchi la cherche et s'attarde sur elle ; puis se tranquillise quand il le baisse de nouveau sur les pages froissées de la *London Review*, qu'il a apportée avec lui, par ostentation comme à son habitude. Mais il y en a pour tout le monde :

« Et écoutez un peu ceci : "Elles – il veut dire les Italiennes – amusent leur grand âge en parlant sans scrupule des plaisirs de leur jeunesse…" Hmm… Voilà, oui : "… ou montrent la ferveur de leur vertu en manifestant une indignation passionnée pour les mêmes… les mêmes…"

— Vous voulez quelques leçons ? Je pratique des tarifs modérés, l'interrompt Innes.

— Lisez vous-même, alors, s'irrite Bernocchi, et il lui tend les feuillets. Traduire sans préparation, c'est compliqué. Allez-y, lisez, là, là-dessous, où il parle de l'amour. Ce sera instructif pour tout le monde. »

Bianca est exaspérée, mais s'efforce de n'en rien laisser paraître. Ils se trompent, oh ! que oui. Ils se trompent tous. L'amour n'est pas toujours impossible. Il ne le doit ni ne le peut. Elle baisse les yeux sur ses mains, puis les relève, pour surprendre Tommaso qui l'observe, l'air très sérieux.

Innes déplie la revue, revient en arrière, s'arrête. L'italien, dans sa bouche, est beau et exotique, précis et brumeux à la fois.

« Comme vous voudrez. "L'amour n'est plus un gamin perfide qui rit dans son cœur tout en feignant de pleurer, ni un petit bonhomme aux cheveux bouclés… Aujourd'hui, il a l'expression et la posture d'un sage. N'imaginez pas qu'il coure autour de vous tout nu, comme il faisait autrefois. Il est vêtu de pied en cap, d'une robe d'avocat." » Petits rires adressés à Tommaso, qui frotte ses pieds par terre, nerveux. « "Son carquois s'est mué en dossier, et ses flèches en actes et en contrats, les armes les plus puissantes avec les hommes comme avec les femmes." Ça suffira ?

— Oh, oui, ça suffira. Pour une fois, c'est votre Foscolo qui a raison. L'amour, franchement, n'existe plus. Comment dit-il ? L'amour n'est plus un enfant, il est devenu un homme d'affaires sérieux. Ce qui vaut mieux. Tout ce qu'on peut acheter, on peut aussi le mesurer.

— En effet », intervient donna Julie, qui jusqu'à présent s'est tue. Son ébullition est lente, mais elle soulève les couvercles. « Quel vilain monde que celui où l'on fait commerce même des sentiments ! », s'exclame-t-elle, plus désolée que méprisante.

Bianca darde sur elle un regard stupéfait.

« Ah, mais ce n'est pas ce que j'ai dit, vous me calomniez ! proteste Bernocchi. Les sentiments, hélas, sont suprêmement irrationnels, et fort peu domesticables. Tôt ou tard, nous en sommes tous la proie. L'important est de savoir quels dommages ils peuvent causer, et de faire de son mieux pour les endiguer, en être rationnels que nous sommes.

— Votre monde continue à ne pas me plaire, insiste donna Julie.

— À moins que ce soit moi qui ne vous plaise pas ? Le malheureux, le perfide que je suis ? », réplique Bernocchi.

Tout le monde a les yeux sur lui ; ils le soupèsent, le transpercent, le clouent à son fauteuil, d'où il tente de se lever, prêt à la fuite, mais en vain : la mollesse du rembourrage, associée à celle de son corps et au poids de tous ces regards, le maintient collé aux coussins.

« Entendre Bernocchi parler d'amour, quel outrage ! Que peut-il en savoir, ce crapaud que personne n'a jamais embrassé ? Que prétend-il juger ? Et tout le monde l'écoutait, comme d'habitude, en faisant oui avec la tête comme des ânes. »

Innes la regarde de haut en bas, appuyé au chambranle, les mains derrière le dos, ses longs pieds croisés comme dans le temps de repos d'une danse. Ils sont restés seuls ; les autres se sont dispersés pour se préparer au dîner, et l'invité, enfin, s'en est allé.

« Bianca, Bianca, ardente et dédaigneuse Bianca ! Allons, ce ne sont que des mots. Des dards lancés pour provoquer d'inoffensives escarmouches.

— Inoffensives, peut-être. Mais pas innocentes.

— Vous avez le droit de les désapprouver, bien sûr, mais aussi le devoir de ne pas leur accorder un poids qu'elles n'ont pas. » Une pause. Puis, grave : « Faites attention. »

Bianca rejette les épaules en arrière, d'un air de défi. Elle se lève et arpente le tapis, dans un va-et-vient véloce et nerveux.

« Que voulez-vous dire ?

— Vous jouez avec le feu, répond-il, évasif. Je ne voudrais pas que vous vous brûliez les plumes.

— Voilà, le mot est bien choisi : les plumes. C'est ainsi que vous me voyez, n'est-ce pas ? Une poule, au mieux une oie sauvage aux ailes rognées, qui gratte la terre de la basse-cour avec les autres volailles.

— Si vous cherchez les compliments, je vois plutôt un jeune héron aux pattes plongées dans un étang : élégant en vol, mais pataud au sol.

— Bien sûr. Et bientôt on me plumera pour me voler mes aigrettes. C'est contre cela que vous me mettez en garde ?

— Je vous mets en garde contre vous-même », répond Innes, sérieux.

Il doit avoir compris ; oui, c'est certain, il sait, il a toujours su. Mais en ce moment, Bianca voudrait une épaule accueillante, non un gardien empreint d'autorité. Elle ne peut accepter de voir tout ce qu'elle vit réduit à une morne comptabilité, s'entendre dire de ne pas courir de risques. Donna Julie a raison. Et puis, soudain, elle se sent brûler : donna Julie, sa rivale. Si inconsistante qu'elle ne l'a même pas prise en considération, l'a plaquée contre la tapisserie comme si elle était transparente. Quelle honte. Penser à la priver de ce qui est légitimement sien. Rien qu'y songer est comme faire couler le sang d'une veine. Elle, si innocente qu'elle tendrait son poignet à celle qui veut la saigner avec un sourire, convaincue que c'est pour son bien… Quelle honte. Quelle confusion. Quelle folie.

« Vous vous sentez bien, Bianca ? Vous avez changé de couleur. »

Prévenant Innes : tout de suite, il est près d'elle, lui prend les mains, les serre dans les siennes. Il semble vraiment soucieux et se penche sur elle, si proche que Bianca sent l'odeur indienne de son eau de Cologne, et en dessous le courant chaud de sa peau. L'ami, l'homme. L'ami est un homme.

Trop proche. Bianca lui échappe, fait volte-face, part en courant. Son regard reste collé à elle, à son dos, à ses épaules, à ses coudes, tandis qu'elle se hâte de gravir l'escalier, pressée de se retrouver seule avec cet elle-même qui ne lui laisse pas de repos.

Le dîner est un supplice. Innes semble fâché et ne lui adresse pas la parole ; à vrai dire, il ne parle à personne, et l'absence de la grâce facile avec laquelle, d'habitude, il conduit la conversation en comblant les pauses et en dissipant les désaccords pèse sur tous les convives. Bianca ne parvient pas à regarder dans la direction de donna Julie ; don Titta est distrait ; Tommaso n'est pas descendu, il paraît qu'il est indisposé ; donna Clara se lance dans un soliloque sur les prédictions de don Dionisio, dont le seul mérite est de remplir le silence, rompu seulement par les heurts des porcelaines et des cristaux. Mélancolie d'un repas consommé autour d'une table divisée.

La compagnie s'est dispersée en hâte. Innes l'a regardée avec une colère douloureuse, qu'elle a délibérément ignorée et aussitôt oubliée, puis il a disparu dans l'escalier ; les dames sont montées peu après ; Bianca les a suivies, puis a rebroussé chemin, sous prétexte de récupérer un vieux Shakespeare de famille qu'elle avait abandonné exprès sur une table basse. Don Titta feuillette une de ses gazettes ; elle prend le livre et serre sa couverture rouge comme si elle pouvait la conduire en sûreté. Mais en sûreté où ? C'est précisément ici qu'elle veut être. Pour réessayer ; pour se montrer plus claire, cette fois. Elle craignait une situation de ce genre ; elle l'a crainte, et désirée au point de la faire devenir réelle. Au lieu de se retourner et de disparaître, elle le regarde ; lui, appelé par la force de ses yeux, pose son journal et la regarde à son tour. Ce n'est pas le moment des paroles qui confondent. Comme elle est différente, la tonalité de ce silence, de celle de tout à l'heure, dans la salle à manger. Comme elle est pure et profonde : une eau qui donne soif, l'apaise, la renouvelle. Et Bianca reste longtemps suspendue à ce regard, qui lui dit tout ce qu'elle veut entendre, et peut-être plus encore.

Mais dans une grande maison, on n'est jamais seul. Il y a des volets à fermer, des rideaux à tirer, des êtres invisibles qui entrent en scène pour exécuter ces tâches dont dépend l'ordre des heures et des jours. Des êtres qui ne prennent pas garde aux regards tendus comme des fils entre les gens, les vrais, ceux qui ont une place dans le monde ; ils les piétinent, ces fils, sans se prendre les pieds dedans, sans même les voir, et les détruisent en se déplaçant, maladroits et pratiques, absorbés par leurs devoirs. Il s'est dans doute passé une minute tout au plus, longue et très brève dans ce temps élastique et hors du temps, mais déjà tout est rompu. Bianca s'en va pour de bon, sans un salut, sans un mot, tant elle est certaine d'avoir dit muettement ce qu'elle avait à lui dire, et d'avoir reçu la réponse juste, la seule qui fût possible et acceptable. L'équivoque du silence. Elle grimpe les marches au pas de course, le livre serré contre elle comme une bouée ; une fois dans sa chambre, elle s'appuie à la porte, se laisse glisser au sol et reste là. Le livre lui glisse des mains, il s'ouvre. Bianca le ramasse ; à la faible lumière du bougeoir qu'un autre des invisibles a allumé, elle cherche le message qui l'attend sûrement entre ses pages. *Tolle et lege.* Puisse-t-il y avoir une lettre, un billet, quelque chose…

Rien. La page ouverte dit des choses qu'elle n'est pas disposée à comprendre.

Now is the winter of our discontent
Made glorious summer by this son of York ;
And all the clouds that low'r'd upon our house
In the deep bosom of the ocean buried.

Non. Il y a quelque chose. Un coin de papier qui dépasse d'un des derniers cahiers. Bianca le prend entre deux doigts, précautionneuse. Le déplie.

C'est, de tous les documents possibles, celui auquel elle s'attendait le moins. Le portrait de sa mère à vingt ans. Belle et lointaine, déjà morte sur cette image souvenir alors même qu'elle était vivante, si c'est ainsi qu'il fallait se la rappeler. À la maison au bord du lac, ces feuillets couleur sépia étaient partout, imprimés en trop d'exemplaires à l'usage des amis : son père s'en servait comme marque-pages, prenait des notes au verso, les frôlait en secrètes caresses, du bout des doigts. Rien d'étonnant si l'un d'entre eux a fini dans ce Shakespeare. Mais vous, vous que je n'ai pas assez connue, auriez-vous compris ? Comprendriez-vous ? Ah, si vous aviez été là, si vous y étiez encore, peut-être n'en serais-je pas à chercher des mères pour les autres. Ou me jugeriez-vous ? Me jugez-vous, avec

vos yeux de papier qui me transpercent de très loin ?
Condamnez-vous ma passion parce qu'elle est outrageuse, illégitime, inutile ? Ou me prendriez-vous dans vos bras, sans rien me dire ? Le visage imprimé la fixe, imperturbable. Bianca se la rappelle exactement ainsi : la femme qui ne souriait pas ; ou est-ce le portrait qui se superpose à la vérité ? Elle referme la page sur ce visage : c'en est assez. Vous êtes une inconnue, vous n'avez pas le droit de me faire de reproches. Mais le moment est gâché, et longue est la nuit de la frustration.

Les jours passent, et il ne se produit toujours rien. Fini aussi, le doux ruissellement de cadeaux secrets. Don Titta est parti de nouveau, Innes avec lui ; la maison, remplie de femmes et d'enfants, est une prison. Bianca est aux travaux forcés pour rattraper le temps perdu en rêveries. Mais travailler lui fait du bien, l'étourdit, chasse ses pensées, et enfin la laisse exténuée et vide, tandis que se remplissent les chemises contenant les commandes et que les écus roulent vers elle en abondance. Finirai-je ainsi, riche et malheureuse ? se demande-t-elle, glissant les sachets dans son tiroir sans même les compter. Mais elle est encore loin de la richesse, et peut-être aussi du malheur, remplacé pour le moment par un épuisement corporel général. « Au printemps, on a besoin de reconstituants », pontifie donna Clara, pour qui il n'existe pas de mal-être, du corps ou de l'âme, qui n'ait son remède chimique ; et elle envoie une des servantes les plus fidèles chez le pharmacien, pour qu'elle en rapporte certaine recette infaillible. Bianca et donna Julie, associées dans la fragilité, se voient contraintes de céder : au fond, ce n'est qu'une mixture de plantes, à boire bouillante une fois par jour. Mais en outre, la table se remplit d'une chère aussi copieuse que nourrissante, et donna Clara veille à ce que les « petites », comme elle les appelle, mangent de tout comme Nanny à la table des enfants. Il y a quelque chose d'agréable à se sentir si bien soignée, et Bianca n'oppose pas de résistance et s'abandonne à ces sollicitudes, n'éprouvant que quelques restes de culpabilité à l'égard de sa compagne de consommation d'infusions, beaucoup plus faible qu'elle, et beaucoup plus en danger. Mais la culpabilité aussi finit par être rejetée : au bout du compte, elle n'a rien fait de mal ; elle a seulement *pensé*, et les pensées ne font de mal à personne, n'est-ce pas, sinon à celui qui les a, qui les nourrit et les couve.

Il y a une chose, une seule, qui continue de la ronger. Quand elle en aura terminé avec elle, se promet-elle en son for intérieur, elle saura se montrer courageuse : elle repliera ses désirs pour en faire un petit carré comme un mouchoir, les mettra au fond de sa poche, et voilà, tout sera fini. Mais avant, il faut qu'elle ait un entretien avec Pia. Elle sent qu'elle le lui doit : au fond, tout a commencé ainsi, parce qu'elle s'est mise en quête de lui obtenir une vie meilleure ; et pour clore l'affaire il faudra lui parler, s'expliquer avec elle. Chercher la bonne occasion et le faire, un point c'est tout ; se garantir l'absolution illusoire de la sincérité. Bianca ne songe pas que si elle affronte Pia, c'est uniquement parce que c'est la solution la plus facile, qu'elle sera la victime qui n'échappera pas à l'affût, et même tombera volontiers dans le piège, avec les yeux doux d'un agneau. Avec les autres, elle a échoué ; avec elle, elle ne pourra pas.

Pia la regarde longuement, et semble ne pas comprendre ; assise sur le divan, pour une fois, elle tourne et retourne ses mains sur ses genoux et agite les pieds, comme si elle se sentait déconcertée d'être assise, en égale, et attendait avec impatience de pouvoir s'échapper. Elle paraît étourdie, au point qu'on a envie de la secouer comme un prunier. Mais, se dit Bianca, à quoi pouvais-je m'attendre de la part d'une personne à qui je viens d'apprendre que je sais qui sont son père et sa mère ? Elle ne peut que rester plantée là, brûlée par cette nouvelle comme si elle avait été frappée par la foudre. Bianca sourit, encourageante, et lui donne de petites tapes sur le bras, dans l'espoir de la faire réagir. Ça passera, Pia, ça passera. Et quand tu auras bien compris, nous déciderons ensemble de ce qu'il convient de faire. (Ensemble, parce que seule je ne sais plus qu'inventer ; mais cela, Bianca ne se l'avoue même pas à elle-même.) Le moment est parfait : par la fenêtre ouverte entre la fraîcheur du soir, la lumière est bleutée, et Pia, ébahie, les lèvres serrées en une grimace adorable, a la grâce inanimée d'un portrait flamand. Bianca contemple sa promesse de beauté avec l'indulgence d'une grande sœur et un vague sentiment de consolation. Mais quand, enfin, elle lève les yeux, Pia n'a pas de larmes à verser, et sa voix n'est pas tremblante, mais sereine, bien que soumise :

« Vous… vous me troublez », dit-elle, et ses mains quittent ses genoux pour papillonner en l'air dans un geste enfantin. Comme elle est étrange, cette phrase dans sa bouche : elle semble empruntée à un des livres qu'elle lit avec une avidité secrète, comme si elle s'adressait à un amoureux. Mais ensuite, elle poursuit sur un autre ton : « Vous… » Une dernière hésitation, puis c'en est assez : « Vous me parlez de choses qui me sont dues. Vous me dites que vous ne pensez qu'à mon bien. Seulement, je ne vous comprends pas. Moi, je suis contente comme je suis. Que voulez-vous, miss, c'est mon destin, et don Dionisio dit toujours que le devoir d'un bon chrétien est d'accepter ce que le Ciel lui réserve, et de le remercier pour ce qu'il a. Si je regarde autour de moi, je vois tant de gens qui ont beaucoup moins que moi, tant d'enfants battues, seules, et ignorantes. Je n'ai pas seulement le ventre plein, et de quoi m'habiller, et un toit au-dessus de la tête. J'ai aussi beaucoup d'autres choses. Voilà. »

Et Pia repose ses mains sur ses genoux, chacune tenant l'autre comme pour l'empêcher de s'envoler.

Bianca est abasourdie. N'est-elle pas bien ingrate, cette gamine pour laquelle elle s'est donné tant de peine ? Mais, s'insinuant petit à petit dans sa tête, la bonne réponse lui vient, parce qu'au fond elle la sait bien : elle ne t'a rien demandé. Personne ne t'a rien demandé, c'est toi qui as tout fait toute seule. Puis revient à flots la colère, une colère fluviale, parce que la petite, si sotte qu'elle paraisse en ce moment, mérite, en tout état de cause, beaucoup mieux.

« Pia, Pia, Pia ! s'exclame-t-elle enfin, sans pouvoir se contenir. Es-tu en train de me dire que tu ne veux pas savoir ? »

Pia ne répond pas ; de nouveau, elle serre les lèvres, arque les sourcils et baisse la tête, comme si elle demandait à Bianca de l'excuser, mais sans prononcer le mot.

« Voyons, insiste Bianca, vas-tu te contenter des robes usées, des rubans râpés, et de la permission de glisser de temps en temps un livre dans ta poche ? Vraiment, il te suffit de si peu pour être heureuse ?

— Je ne sais pas ce que c'est d'être heureuse, à part avoir ce que j'ai », dit Pia simplement. Elle hausse les épaules, ouvre les mains dans un geste de reddition, et répète enfin : « Je suis contente comme je suis. » Puis elle croise les bras, regarde Bianca (ouvertement, cette fois), le visage fermé ; et il semble que ses yeux lui disent, sans pitié : de nous deux, c'est toi, toi, toi qui n'as pas ce qu'il te faut, qui ne sais pas ce que tu veux. L'orpheline, c'est toi. Ne déverse pas sur moi ton inquiétude. « Je peux y aller, miss ? » Pia n'attend pas la réponse : elle se lève et s'éloigne sans se retourner. Bianca ne la regarde même pas : elle baisse la tête, se mord la lèvre, y passe sa langue. Parce que ce regard a raison, et le reconnaître fait mal.

TROISIÈME PARTIE

Joie, pure joie de retourner à Brusuglio avec le beau temps ; d'effacer la dernière vision qui remontait à l'automne, avec ce ciel bas oppressant et une laine de brouillard attachée à toute chose, et de la remplacer par l'ici et maintenant : couleurs, contours bien définis dans la profusion du printemps, dans sa plénitude ; de reconnaître les chemins, les lieux et les choses avec le corps, le nez, la peau, presque plus vite qu'avec la tête.

Un an a passé depuis l'arrivée de Bianca ; à vingt ans, c'est une vie ; et c'est le temps qu'il a fallu pour qu'elle appelât « chez elle » un lieu étranger peuplé d'étrangers. Mais à présent l'autre maison, celle du lac, est lointaine, très lointaine, alors que celle-ci a ses fenêtres grandes ouvertes, comme pour l'embrasser. Ce que fait tout de suite Minna, dans un élan, avant de reculer et de coller son menton à sa poitrine ; mais il est trop tard pour ravaler son impulsion, et de toute façon il n'y avait pas de témoins. Elle a grandi d'un empan, comme font les plantes et les enfants d'une saison à l'autre, et son visage a pris un dessin harmonieux qu'il n'avait pas encore à l'automne.

« J'emporte vos vêtements, miss ? », murmure-t-elle, déjà rentrée dans le rang.

Bianca la prend par la main et la fait tourner sur elle-même.

« Montre-toi d'abord. Allons, tiens-toi droite. Regarde-moi dans les yeux. Dis, tu sais que tu es devenue une belle jeune fille ? »

Beaux aussi, parce qu'éclairés d'une joyeuse curiosité, les visages ronds comme des poêles des petites bonnes de la cuisine, qui, elles, la saluent avec la révérence due, avant de laisser échapper : « Miss, comme vous êtes élégante ! – Vous avez l'air d'une vraie dame, miss. » Autant dire : est-ce possible, n'étiez-vous pas l'une d'entre nous, ou d'une condition tout juste plus élevée ? Et c'était il y a seulement un an. Entre-temps, Minna se jette dans les bras de Pia, qui descend de la deuxième voiture et la soulève en riant.

« Tu pèses une tonne, ma poupée. Dis, tu ne serais pas en train de devenir un peu rondelette ? »

Et l'autre, radieuse :

« Quelle belle robe, quel beau chapeau !

— Tout à l'heure, je te le ferai essayer. »

Petits rires de complicité retrouvée, et de soulagement. Maintenant, tout peut redevenir comme avant.

Mais il n'y a guère de temps pour les effusions quand donna Clara débarque de son carrosse personnel où elle a voyagé toute seule avec Giulietta, qui, exténuée par ce privilège, se laisse tomber de tout son poids sur le gravier et manque de trébucher tant elle s'élance avec fougue vers les autres. « Giulietta… C'est comme ça que se conduit une demoiselle ? » Puis les plaintes : « Je veux voir le personnel au complet, tout de suite, dans la cour est. Appelez-moi Ruggiero… Ah, vous voilà, je ne vous avais pas vu, long comme vous êtes, pauvre de moi, je n'ai plus de tête. Les haies, mon Dieu, pourquoi ne les a-t-on pas taillées ? Et le pré ? Qu'est-ce que c'est que ces taches jaunes ? Nous n'allons pas le laisser pourrir ? Dès que je ne suis pas là, tout s'arrête ! Et puis, déplacez-moi cette charrette, allez, allez, elle me fait mal aux yeux. » Comme d'habitude, rien ne va et tout ne s'arrangera qu'une fois qu'elle s'en sera mêlée, des mains et de la langue. Pendant ce temps, donna Julie passe doucement inaperçue ; on dirait qu'elle va mieux : elle est très pâle, mais sourit à chacun comme si elle le bénissait, et chacun lui sourit en retour, du fond du cœur. Les enfants ont disparu et Nanny derrière eux, pour les poursuivre ; elle pourrait aussi bien y renoncer, car ils ne se laisseront pas rattraper, en tout cas pas tout de suite, mais elle ne sait que faire d'elle-même. Les hommes seront là ce soir, pour le dîner, quand l'onde de choc de l'arrivée aura été amortie par le ressac de l'habitude ; et ce sera un dîner intime, tranquille : la famille, rien que la famille, avant que les rites de la villégiature ne recommencent d'attirer les voisins et les amis comme le miel attire les mouches, tous appelés par la sérénité qui émane de ce petit monde, comme si on pouvait l'attraper par contagion à la manière d'une maladie désirable.

Pia semble avoir oublié le tête-à-tête, porteur d'un commencement de révélation, qui devait se conclure dans la gloire et s'est ensablé sans même mériter un digne épilogue. Bianca l'observe de loin, occupée à reprendre sa place dans son monde ; elle la voudrait pour elle seule, mais sent qu'elle doit lui laisser sa liberté. Et pourtant, elle est certaine d'avoir réussi à lui mettre dans la tête, sous ses cheveux châtains ou quelque part entre les oreilles, la puce du doute, car, plusieurs fois, elle la surprend plongée dans des demi-conversations avec don Dionisio : des dialogues par éclats, qui s'interrompent à la moindre incommodité – et il suffit de peu de chose : un appel de donna Clara, un domestique qui passe exprès trop près – et reprennent une heure plus tard, ou le lendemain matin, comme si ces deux-là n'étaient jamais fatigués de se dire des choses. Peut-être Pia demande-t-elle raison à son protecteur ; peut-être est-ce de sa bouche qu'elle entend, justement, savoir. Peut-être la vérité a-t-elle besoin d'être couvée comme un œuf avant d'éclore dans toute son encombrante beauté. Peut-être – mais cette hypothèse est comme un début de migraine, et Bianca ne se hasarde pas à l'admettre – toute vérité ne mérite-t-elle pas d'être révélée. Pouvoir écouter ces échanges, pouvoir *comprendre*. Pour qui croit avoir tout compris, ne pas savoir est une telle torture.

Elle n'a pas sommeil. Ce sont les premières chaleurs et la nouveauté du lieu à redécouvrir qui la maintiennent éveillée, même quand est déjà tombée sur la maison une paix presque forcée, et pourtant parfaite, rompue seulement par le chant déchiqueté des cigales, fort, strident et impérieux, qui étouffe celui des grillons. Aussi ne dort-elle pas, tout en s'imaginant qu'en ce moment les autres sont plongés dans le sommeil : les servantes dans les chambres du haut, allongées sur leurs châlits sous les fenêtres minuscules par lesquelles n'entre pas assez d'air ; et, plus bas, lui, dans sa chemise dénouée et ses draps froissés repoussés par ses longs pieds ; sa femme, pâle comme son oreiller, avec ses couvertures bien remontées sous le menton, car même en cette saison elle doit avoir un peu froid ; donna Clara libérée de son corset et donc un peu plus molle, sa bouche entrouverte exhalant un souffle haletant ; les fillettes, leurs cheveux collés au front par la sueur et les paupières striées de petites veines roses et bleues. Une maison endormie. Mais Pia et Minna, elles, ne dorment pas : elle les voit bien éveillées, les yeux brillants et vigilants, échappées au sortilège, finalement amies, occupées à se raconter une histoire murmurée.

Elle n'a pas envie de lire. Se lève, s'appuie au rebord de la fenêtre et contemple la beauté immobile du jardin ; c'est une beauté faite de gris et de noirs, d'où se détachent l'ourlet blanc du marbre de la fontaine et les reflets du gravier baigné de lune. Un oiseau de nuit rit de son rire narquois ; puis, c'est le silence.

Non. Un crissement de cailloux déplacés, de pas légers, retenus. Puis deux petites silhouettes surgissent du coin de la villa, traversent l'allée avec précaution, et, une fois sur l'herbe qui engloutit le bruit de leurs pieds, courent jusqu'au milieu du grand pré, où l'on vient de planter un nouveau platane pour remplacer celui que la foudre avait frappé. Enrico s'avance le premier et court plus vite ; Pietro le suit, tenant quelque chose sous son bras. Bianca sourit et se rappelle le temps où elle jouait avec son frère Zeno et ses amis, Berto, Tiziano, Tilio, Carmelo. Une fois (il faisait nuit comme maintenant), ils étaient montés seuls jusqu'à la citadelle, un trajet très facile à la lumière du jour sur le sentier ombragé de grands chênes, mais redoutable et dangereux dans l'obscurité, car on ne savait où poser les pieds, les pierres étaient glissantes de mousse et le rideau de feuillage au-dessus des têtes cachait la clarté lunaire. Pourtant, à la fin, en se tenant par la main, ils étaient arrivés au but et avaient contemplé le lac de haut, essoufflés, assis ensemble sur le trône de pierre de la reine antique.

Les deux garçons se contentent du pré. Pietro a déposé ce qu'il portait à terre et donne un coup de pied dedans : c'est un ballon très blanc, qui semble fait de chutes de soie. Mais quand il le frappe, il rend un son sourd, presque un claquement, et c'est étrange. Est-il en cuir ? Bianca, intriguée, sort rapidement de sa chambre, descend l'escalier, et la voilà dehors. Elle ne leur fera pas peur. Elle leur promettra le silence. Et peut-être jouera-t-elle aussi, pourquoi pas ? Les parties de ballon, elle aimait cela, dans le temps.

Quand ils la voient s'approcher, les deux enfants interrompent leur course et restent comme figés dans leur pose. La lune est dans leur dos, Bianca ne parvient pas à lire leur expression. Naturellement, elle devra les rassurer. Leur garantir la complicité.

« Mais... »

La syllabe est déjà éteinte au moment où elle sort de ses lèvres. Ce qui court vers elle dans l'herbe pour s'arrêter à peu de distance de ses pieds n'est pas un ballon. Ni d'étoffe ni de cuir. C'est un crâne. Un crâne humain qui lui sourit, imperturbable, avant de tourner sur lui-même une dernière fois et de lui montrer sa nuque blanche.

L'instant semble éternel. Bianca porte sa main à sa bouche, comme pour arrêter un cri qui ne veut pas sortir.

Pietro est déjà près d'elle. Il respire bruyamment. Rejette en arrière ses cheveux humides, d'un geste presque féminin. Et quand il parle, sa voix est rauque, cassée par l'inquiétude mais impérieuse :

« Gare à toi si tu parles. Gare à toi si tu le répètes. Tu ne dois rien dire à personne. Sinon, l'espion, ce sera moi et tu auras de gros ennuis. »

Et il sourit, d'un sourire équivoque, épouvantablement adulte.

Bianca fait volte-face et s'en va sans dire un mot, très secouée, honteuse d'avoir une raison de honte.

Vient le soir où après dîner, Tommaso lui prend les mains et la soulève du sofa, insistant, possessif : « Allons faire un tour dans le parc, le temps est doux et il y a un beau croissant de lune. » Bianca décline son offre, elle n'a aucune envie de sortir. Alors, donna Clara : « Mais oui, allez-y, vous autres jeunes, vous avez besoin de vous distraire au lieu de rester avec nous, les petits vieux, à nous écouter dire toujours les mêmes choses. » Bianca a entendu une basse continue de malice, la vieille veine de l'envie, les choses habituelles. Innes s'excuse, quitte la pièce. Inutile de croiser son regard : quand il est ainsi, Bianca l'a appris, mieux vaut le laisser tranquille et attendre que les nuages passent.

Tommaso garde longtemps le silence, la traînant presque de son pas soutenu de grand marcheur qu'il n'est pas. Un silence qui la fait se sentir mal à l'aise, au point qu'elle finit par prendre la parole la première :

« Je croyais que le soir vous préfériez la littérature à la nature.

— C'est lui qui ne veut pas de moi. Il a autre chose en tête que son petit chien dévoué. Les chiens ont un défaut fondamental : ils savent mourir de fidélité. Mais à présent, il se pourrait que j'aie décidé que je préfère vivre. »

Bianca, d'instinct, s'est écartée de lui autant qu'elle le pouvait sans lui lâcher le bras. Il l'a senti.

« Il ne faut pas croire à tout ce que je dis, ma chère. Et soyez tranquille, vous n'êtes pas une compagnie de substitution. Si la littérature est tout, la nature vaut encore mieux. »

Impossible de lire sur son visage. De temps en temps, il se retourne vers la villa, comme s'il voulait échapper à son regard. Il faut une demi-lieue sur le sentier de gravier, puis un écart décidé en direction de la petite colline, pour enfin ne plus la voir. La silhouette de la butte terreuse, obscure contre l'obscurité. Les dalles de pierre enfoncées en guise de marches, blanches comme des dents de dragon. Elle fait mine de poser le pied sur la première, lâchant son bras, mais il ne la laisse pas faire : il l'attire à lui et la pousse presque de l'autre côté.

« Je veux vous montrer quelque chose », dit-il. La porte de la glacière, plus noire que le noir. « Vous êtes déjà entrée ?

— Non, et je n'y tiens pas, répond Bianca, d'une voix voilée.

— Ah, mais cela en vaut vraiment la peine, insiste Tommaso, tournant la clef dans la serrure. Un autre des ineffables secrets de Brusuglio, qu'il est plaisant de découvrir. »

À l'intérieur, il allume son briquet et une lanterne, posée par terre comme par hasard, prend vie. Comme par hasard, allons donc. Il voulait que nous venions. Il savait que nous viendrions. Son cœur s'arrête le temps d'un battement : comment, aurait-elle peur ? Peur de Tommaso ? La porte est restée entrebâillée, elle peut s'échapper. C'est la curiosité qui l'emporte.

La faible lumière montre une basse voûte de briques, avec, tout autour, des niches et, dans les niches, des blocs de glace enveloppés de linges propres. C'est seulement entre ces pans de tissu qui s'écartent ici et là qu'on devine le vert profond de la matière paralysée : un vert ferme, opaque, pareil à celui du lac. Mais le lieu dégage un je-ne-sais-quoi qui rappelle les catacombes romaines ; il donne le frisson, et ce n'est pas seulement à cause de sa fraîcheur presque froide, une température plus basse que dans une cave. L'odeur est différente, mais lui fait quand même songer, et de façon désagréable, au mélange de poussière et d'os morts qu'elle a dû inhaler de force au cours de visites archéologiques, et qu'un mouchoir pressé contre son nez ne parvenait pas à chasser. Ici, cependant, c'est la fraîcheur qui entre par les narines jusqu'à l'intérieur de la tête, une fraîcheur d'abîme.

Bianca bat des paupières, avec la sensation de remonter à la surface après une immersion dans les profondeurs d'une eau sombre, qu'elle se rappelle et aime. Elle est presque étonnée de voir Tommaso près d'elle, qui soulève la lanterne et fait un tour sur lui-même, jetant de la lumière autour de lui.

« Bel endroit, n'est-ce pas ? À sa façon, s'entend. Ces vieilles demeures sont si surprenantes ! Il faudrait que vous voyiez la mienne, une fois. Dans les combles… » Puis il s'interrompt et son ton se fait grave, amer. « Même là, je ne suis plus reçu. C'est pire que si j'étais un rat. » Il se passe une main sur le visage. « Vous savez pourquoi je vous ai amenée ici ? »

Laissons-le parler, se dit Bianca. Puisqu'il en a tant envie.

« Oui, vous le savez. C'est sûr. Une jeune femme si intelligente, à l'esprit acéré comme le vôtre. Acérée et froide comme une lame. C'est vous, la reine de la glace. Pourquoi si froide, Bianca ? Pourquoi ? »

Précautionneux, il pose sa lanterne, faisant tomber un rideau d'ombre, puis s'agenouille. Ridicule. Il lui prend une main et la regarde de bas en haut, avec un visage de martyr embroché. La faible lumière qui monte du sol accentue son aspect de statue de cire.

« Je suis là, devant vous, humble comme un chevalier d'autrefois et prêt à vous servir, à vous être entièrement dévoué. » Bianca retire sa main et fait la grimace. « Voilà, vous riez de moi. Pourtant, je suis sérieux, comprenez-vous ? Sérieux. Se peut-il que seul le sérieux des autres vous attire ? Ah, mais le mien n'est pas un mur infranchissable, ou un fossé profond creusé entre nous. C'est tout le contraire : un pont entre les âmes, un arc-en-ciel déployé à vos pieds. »

Mais de quoi parle-t-il ? Que dit-il ? A-t-il le délire ? La fièvre ? Sans y penser, Bianca lui frôle le front avec ses doigts, comme elle ferait avec un enfant ; lui la contemple avec un sourire béat.

« Voilà. Vous voyez comme il est facile de me prendre en pitié ? Et comme il suffit de peu pour me rendre heureux ? Ah, mais je peux en faire autant : je peux vous rendre heureuse, aujourd'hui même, ici, sur cette terre. Si vous me le permettez. Abandonnez vos chimères, Bianca, oubliez-les et tournez-vous vers celui qui, depuis longtemps, vous vénère dans l'ombre. »

Bianca se sent comme sourde. Tout ce qu'elle entend, c'est l'alarme du danger, pareil à une voix lointaine. Quel froid sous cette voûte. Elle se serre dans son châle, fait un pas en arrière.

« Ah, le châle. Pour que vous soyez toujours enveloppée dans ma passion. Vous aviez compris ? »

Ciel, non. Elle était convaincue que le cadeau avait une autre provenance. Mais alors… et le reste, alors ? D'instinct, elle fait tomber l'étoffe de ses épaules, comme si son étreinte la tourmentait : une tunique de Nessus qui ne produirait son effet que si on la reconnaissait.

« Vous… vous continuez à me torturer. Y prenez-vous du plaisir ? Quel plaisir peut-il y avoir dans la douleur d'autrui ? »

Soudain, Bianca en a assez. Il fait froid, vraiment trop froid. Elle se retourne. En une seconde, Tommaso est debout et la suit. Mais elle est déjà dehors, s'enfuit. Dans son dos, le grincement de la petite porte sur la pierre, un cliquetis de clefs dans la serrure. Bianca court ; lui reste en arrière. Une pensée futile la poursuit : pourquoi prendre le soin de refermer le piège quand la proie s'est déjà enfuie ?

Mais est-il si sûr que la proie ait réussi à fuir ?

Le lendemain, dans la lumière et le soleil, tout ce gel semble n'avoir jamais existé. N'a subsisté qu'une vague contrariété, un agacement, telle la piqûre d'un moustique presque guérie qui se réveille, car le venin est encore actif sous la peau. Un agacement irrésistible.

Il ne s'est rien passé.

Et pourtant, il semble que tout le monde sache. Donna Clara, qui fredonne une vieille cantilène amoureuse, Nanny qui sourit à peine, Innes qui, au lieu de lui passer la théière, se tait et lit ses gazettes. Mais sache quoi ? pense Bianca, dépitée. Il n'y a rien à savoir. Pourtant, toutes les fois qu'elle le croise, ce nigaud, elle rougit et il semble le faire exprès, de s'arrêter devant elle dans le salon, dans la serre, dans le jardin, dans le parc, si possible sans témoin, mais s'il y en a, peu importe ; et de jouer, de s'incliner, de porter la main à son cœur, sous la fine batiste de sa chemise de romantique laissée ouverte comme pour un portrait ; et, aussi vite qu'il était apparu, il disparaît à sa vue, englouti par une tenture, une porte ou un trou dans la terre. À croire qu'il y en a une armée entière, de Tommaso prêts à surgir, à interrompre ses pensées et accélérer le cours de son sang ; mais pourquoi cette impression ? Au fond, il ne fait que plaisanter. Personne n'a jamais eu l'air de le traiter avec sérieux, et ce ne sera pas elle qui commencera. Mais le dépit est mêlé d'autre chose : il lui plaît, oh oui, comme il lui plaît, ce jeu ! Au point que même le joueur lui plaît aussi.

Il n'a même pas essayé de l'embrasser. Bianca ne peut le savoir, mais c'est ainsi que Tommaso a gagné la partie ; maintenant, il n'a plus qu'à attendre.

Il n'a pas prononcé une fois le mot « amour ». Pas une fois. Mais Bianca n'y a pas pris garde, et maintenant n'y songe pas, n'y songe plus. De même qu'elle ne songe pas trop aux cadeaux, ni au dona-teur : va pour le châle, mais le reste ? Trop élevé, trop *pensé* pour être le fruit de l'astuce d'un jeune mirliflore. Qui, d'ailleurs, s'est bien gardé de tous les revendiquer bien qu'il en eût l'occasion. Aussi Bianca peut-elle continuer d'une part à s'illusionner, parce que ces illusions sont belles, et, d'autre part, à bercer une petite certitude, parce qu'elle lui fait du bien.

Et puis vient la chaleur, la vraie. Une chaleur blanche impossible à fuir, sinon aux toutes pre-mières heures du matin, et longue, longue jusqu'à la nuit tombée. Dire que ce n'est même pas encore l'été. Tout le monde est irrité, à commencer par les enfants : ils se lassent en quelques minutes des jeux dans la nursery, mais il leur est interdit de sortir sous le soleil, car dès qu'ils se mettent à courir ils sont couverts de sueur et de poussière. Au bout de trois jours, ils ont tous les yeux cernés d'ombres violettes, comme s'ils souffraient d'insomnie tenace, et leurs joues sont pâles comme en hiver. Bianca n'a pas de temps à leur consacrer ; elle le regrette, mais doit absolument achever la série des hortensias avant qu'ils ne perdent leur fraîcheur : elle sait qu'à la fin du mois d'août, ils seront dans la plénitude de leur grâce fatiguée, et c'est ainsi qu'elle les préfère, quand leurs grosses têtes rose et vert commencent à s'ébouriffer et que les premières pluies les effarent ; mais elle sait qu'elle doit saisir ses sujets dans toutes leurs phases, et non seulement dans leur intéressante décadence. S'il ne tenait qu'à elle, elle laisserait volontiers de côté sa mission pour quelques jours de vacances, et il est sûr qu'elle saurait amuser les cinq petits mieux que Nanny, qui semble avoir épuisé toutes ses idées. Bianca sourit intérieurement en préparant ses couleurs ; elle se dit qu'il serait bien commode de pouvoir congédier les gouvernantes quand leurs talents sont consumés, et d'attendre l'arrivée de la suivante comme si elle pleuvait du ciel, prête à extraire de son sac en tapisserie toute une collection de divertissements encore inconnus. Il serait grand temps que Nanny, la pauvre, changeât enfin de vie pour se trouver un mari. Mais qui ? Si seulement elle pouvait oublier Innes. Tarcisio, oui, Tarcisio conviendrait très bien. C'est un paysan, bien sûr, mais il possède un peu de terres et c'est un homme indépendant, sans la timidité et la gaucherie des autres, et non dénué d'un certain charme rustaud qui se concentre dans ses yeux d'un bleu impossible. Quels magnifiques enfants un tel mariage donnerait, avec les cheveux cuivrés de Nanny – tout ce qu'elle a de beau – et ces yeux d'azur… Bianca secoue la tête en se gourmandant elle-même, mais ensuite reprend le jeu, car il est irrésistible : ils pourraient aller habiter cette petite maison juste à l'extérieur de l'enceinte de la villa, modeste, mais digne ; il suffirait d'un peu de peinture sur les murs, peut-être le beau rose des maisons au bord de son lac, qu'on ferait venir exprès : quel effet ferait-il dans cette campagne si différente ? Et bien sûr, Nanny pourrait s'offrir une belle robe neuve, une robe de voyage, peut-être gris pâle, graphite, avec une courte veste cintrée qui marquerait sa taille et donnerait quelque relief à sa poitrine inexistante… Elle la dessine, la robe qui frémit sur le fond du feuillet, avec une rangée de brandebourgs sur le devant, et, en guise de chapeau, un simple nœud de tissu attaché par un autre nœud, mais tout petit, sous le menton, et un menu bouquet de feuilles de magnolia brillant autour de trois pivoines en bouton. Voilà : si je me fatigue des fleurs, j'offrirai mes services à une modiste. Le problème dans son travail, c'est qu'une fois les lignes tracées pour définir les champs à colorer il lui reste encore beaucoup de temps pour réfléchir ; et la plupart du temps, il s'agit moins de réflexions que de désirs : comment savoir quel aspect a pris le fossé par ce temps si chaud, et si son eau est encore verte et limpide comme la fontaine de Mélusine ? Mais elle n'a pas le temps d'y aller, non, pas le temps : les hortensias la réclament. Parfois, à la tombée du soir, arrive de la ville une petite procession de carrosses : des amis qui viennent chercher la fraîcheur où il n'y en a pas et passent la soirée à agiter l'air absent avec d'inutiles éventails, tandis que dans leurs verres de rafraîchissements fondent les éclats froids extraits comme des gemmes de la glacière. Même la conversation est molle et fatiguée : la saison mondaine achevée, il n'y a plus de sujets de commérages, et même Bernocchi échoue à assaisonner ses propos des grains de poivre qui pourraient épicer quelques rires. Don Dionisio est plus malade et plus vieux, et tous les trois pas il doit reprendre son souffle ; mais Pia est toujours prête à surgir de l'ombre pour lui apporter quelque fade boisson qu'elle a préparée pour lui.

En somme, il ne se passe rien. Mais si Bianca avait vécu un peu plus longtemps, elle saurait que, parfois, la bourrasque s'annonce exactement ainsi, en poussant devant elle une bulle d'air immobile, une fosse de vide où tombe toute chose. L'attention cède, les détails prémonitoires échappent. Plus tard, beaucoup plus tard, elle se dira que tout était prévisible, et donc, peut-être, évitable ; en se demandant aussi, dans un coin de sa tête, à quoi il sert d'y penser quand tout est advenu et que rien ne peut plus être corrigé.

Ce n'est qu'un incident, une de ces choses qui arrivent dans une maison remplie d'enfants. Le ballon en cuir florentin – cette fois, un vrai ballon – qui vole de la prairie, traverse avec précision l'embrasure de la porte-fenêtre et, comme si quelqu'un avait visé, atteint la haute cloche en verre qui trône sur le manteau de la cheminée française. Française aussi, cette cloche, et donna Clara en a raconté l'histoire un bon millier de fois : celle des reliques d'une vie qui semble avoir été celle de quelqu'un d'autre, tant elle est maintenant lointaine. Un objet ni beau ni laid, assez maussade, et n'ayant de valeur que pour sa propriétaire. Dedans, de petites choses immobiles qui frisent le mauvais goût : une minuscule colombe empaillée, ses yeux de billes fixés sur le néant ; des fleurs et des fruits en plâtre, sculptés par Garnier Valletti, de Turin, sur le modèle imaginaire de certains fruits du jardin des Hespérides : les poires Aimée Adam, Silvange de Metz, Augustine Lelieur, toute une ribambelle de noms de demoiselles d'autrefois inscrits avec soin sur des cartouches de papier ; et, suspendues à l'arbre miniature, qui en réalité n'est qu'une petite branche de la forme qui convient pour imiter un tronc d'arbre, trois minces guirlandes de couleur pâle, une blonde, une grise et une presque blanche, tresses d'une paille qui n'existe pas dans la nature ; ou plutôt si, y existe partout, mais ne se cueille pas sur le bord des fossés : ce sont trois mèches de cheveux du défunt Carlo, dévotement coupées sur sa tête vivante à différents moments de son existence terrestre, la dernière seulement quelques heures après sa fin. Jusqu'ici, tout cela était bien à l'abri ; maintenant, tout est par terre, lugubres vestiges gisant parmi les éclats de verre : la colombe tordue mais encore agrippée avec une étrange arrogance à sa branche, les guirlandes ternes et opaques et les fruits en petits morceaux. Donna Clara, attirée par le bruit comme une mouche par le miel, reste immobile sur le seuil et met ses mains sur ses oreilles, comme si elle ne voulait entendre aucune

357

explication. Les servantes, accourues en hâte, se dispersent pour aller prendre des balais et des pelles à poussière. Puis c'est l'arrivée de Bianca, qui disposait des fleurs sur la colonne du petit salon du milieu et trouve donna Clara presque couchée sur le sol, tulipe noire renversée, ramassant, inconsolable, les petites guirlandes fanées et, ce faisant, griffant son pouce avec le fil de fer qui les retient ; la blessure coule sur le blanc inanimé de ces cheveux morts depuis si longtemps, comme pour sceller à nouveau un pacte ancien. Bien sûr, le malheur est l'acte d'un enfant, qui de surcroît ne l'a pas fait exprès ; mais Pietro est aussitôt envoyé au lit sans dîner, bien qu'il soit trois heures de l'après-midi et qu'un siècle doive passer avant qu'on ne se mette à table. Il restera confiné dans la nursery, comme un nourrisson, jusqu'au lendemain, mais en ressortira sans montrer aucune contrition : après tout, ce n'était qu'un vieil ornement sur une cheminée, pas vrai ? Et Giulietta demandera, et obtiendra, que la petite colombe blanche, au lieu de finir dans le fossé des immondices, lui revienne ; et l'emportera partout avec elle, bien cachée dans la poche de son tablier, la serrant entre ses doigts pour qu'elle ne s'échappe pas, comme ont l'habitude de faire les oiseaux.

Le temps change. Un orage nocturne, torrentiel, et l'été désormais très proche peut commencer avec la vigueur d'une saison nouvelle. Le lendemain matin, le parc est en ruine : branches cassées, fleurs recourbées sur leurs tiges, prairie jonchée de feuilles écrasées.

Matilde arrive à la course, les mains cachées derrière le dos : « Regardez ce que j'ai trouvé », dit-elle, et elle montre, toute fière, le cadavre d'un minuscule raton qu'elle tient par la queue et fait osciller comme un petit pendule. Nanny recule, criant en français « Quelle horreur ! », mais elle est la seule ; car tous les autres regardent, enchantés, le petit corps parfait, le poil humide, le délicat ourlet rose des yeux fermés, les pattes miniatures. « Si nous lui faisions un enterrement ? » Enrico parvient à extorquer une chasuble bordée d'or au sacristain et revient en courant, déjà enharnaché, soulevant le bas de l'étoffe pour ne pas trébucher comme une demoiselle en fuite ; puis il s'arrête, laisse retomber les plis et les lisse avec la main, ouvre les bras et dispense des bénédictions païennes à ses sœurs et au défunt. Francesca demande : « Je peux dire une prière ? » Et elle attaque, d'un air de componction : « Petit rat, j'espère que tu seras plus heureux au paradis que sur cette terre. Tu es mort tout jeune, tu ne savais rien. Qu'un beau fromage t'attende au ciel. Amen. – Amen », répondent tous les autres. Puis on passe à l'inhumation du raton enfermé dans une boîte sous un buisson d'*Olea fragrans*, où il ne sera pas oublié. Cette petite mort à part, le monde ne pouvait mieux se porter : le temps que les jardiniers ramassent les traces de l'orage et le soleil a déjà tout séché. L'eau tombée en abondance a laissé sur le vert des feuilles et de l'herbe un chatoiement coruscant de printemps : la nature est éclatante, et c'est ce qu'on pouvait espérer de mieux pour la fête de réouverture, dont les dames se seraient volontiers passées mais que les amis attendent, comme l'a répété le Poète, très ferme sur ce point alors qu'il a coutume de ne l'être sur rien ; et puis il y a une raison, mais c'est un secret, prenez patience et vous saurez.

En attendant, tout le monde se dispose à jouer son rôle. Donna Clara, satisfaite de se trouver une fois de plus au centre et au sommet du monde, décrète que la maison, où le grand nettoyage a été fait en vue du retour des maîtres, doit être de nouveau briquée de fond en comble, en faisant la chasse au moindre soupçon de grain de poussière ou de toile d'araignée. Donna Julie est fatiguée : c'est l'effet que produit sur elle la chaleur, et il ne lui a pas suffi d'un orage pour se sentir plus fraîche ; de toute façon, commander n'est pas sa spécialité ; aussi reste-t-elle à l'ombre du plus grand des platanes, presque cachée par les branches qui frôlent la terre sous le poids des ans et des frondaisons, gracieusement étendue sur une chaise-longue toute neuve, en bois blond et paille tressée, cadeau de bienvenue à la campagne de don Titta. De là-dessous (Bianca le sait pour s'y être réfugiée maintes fois, même sans le confort d'un siège), le monde semble juste assez lointain pour qu'on l'oublie. Les enfants courent ailleurs, redécouvrant les coins et les recoins les plus aventureux du parc et du domaine, qui, à leurs yeux plus vieux de six mois, semblent étonnamment nouveaux, peut-être plus réduits à présent, mais nouveaux ; et l'arrière de la maison, avec ses fenêtres entrebâillées, ne laisse rien deviner, quand on l'observe entre les feuilles, du chaos organisé qui, à l'intérieur, se propage de pièce en pièce sous l'autorité dévastatrice de donna Clara. Bianca aussi s'est cherché une cachette ; la petite serre a été très endommagée par la grêle et les carreaux de la verrière ont presque tous éclaté ; cependant, une fois les fragments ramassés et les plantes déplacées, il reste un espace lumineux et frais, traversé de courants d'air, mais abrité : un cas rare où un dégât s'accompagne d'un avantage, celui-ci fût-il temporaire, jusqu'à ce qu'on remplace le vitrage et que la serre redevienne ce qu'elle doit être, chaude, humide et un peu oppressante, et que Bianca doive se trouver un autre refuge. Pour le moment, c'est là qu'elle poursuit son travail, avec un rien d'indolence qui ne lui ressemble pas mais qu'elle attribue, comme toute la maisonnée, aux caprices du temps ; là aussi qu'elle reçoit à l'improviste une lettre, à deux jours seulement de la grande soirée : une lettre qui lui annonce une visite. Bianca la lit, serrant les lèvres, puis la relit, regarde autour d'elle, la pose sur la table et, de la main, comprime ses cheveux, comme si ses pensées pouvaient lui échapper ; ensuite, elle reprend la lettre et, rajustant son chignon d'un geste instinctif, va trouver la maîtresse de maison.

« Il sera le bienvenu. » Telle est la réponse du devoir à la demande de rigueur. S'y ajoute un soupçon de curiosité sincère : « Vous dites qu'il amène un ami ? Intéressant. Moi, vous savez, j'ai toujours préféré Minerve à Mars, mais mon fils… Ma foi, ce n'est pas la peine que je vous explique ce qu'il en pense, cet excellent garçon, mais un jour ou l'autre, avec ses bêtises, il nous mettra tous dans un sacré pétrin. Quant à votre frère, il ne peut être que le bienvenu chez nous, quelles que soient ses préférences. Vous avez dit qu'il vous ressemble ? Non ? Dommage. Attilia, il faudra préparer deux autres chambres dans l'aile est ! Si vous permettez… »

Et donna Clara fait voile vers une nouvelle obligation, la vaisselle à épousseter, l'argenterie à astiquer, les vases chinois, attention, si vous m'en cassez un vous allez m'entendre, quelqu'un a passé la cire ? Et les cailles ? S'il vous plaît, quelqu'un peut me dire si les cailles ont été livrées ?

Zeno est très beau dans l'uniforme qu'il a apporté avec lui, bien plié dans une malle pour se montrer à sa sœur dans une séance d'essayage secrète : la veste met en relief ses cheveux d'un blond tirant sur le roux et accentue le bleu de ses grands yeux encore enfantins. Ou peut-être, se dit Bianca en l'éloignant de lui pour mieux le contempler, est-ce seulement à mes yeux qu'il restera toujours un enfant. En revanche, les glands et les cordons composent autour du couvre-chef un entrelacement d'une complexité féminine, qui frise le ridicule et doit de surcroît s'avérer des plus malcommodes dans les moments cruciaux de la vie de soldat ; mais peut-être qu'on part au combat déguenillé et demi-nu comme un sauvage, laissant les coiffures de parade en sûreté dans les armoires.

« Tu as l'air content », lui dit-elle simplement.

Et lui, la prenant par la taille et lui faisant faire un demi-tour sur elle-même :

« Mais je le suis, petite sœur. C'est la vie que je voulais, non ? Toi, en revanche, je te trouve évanescente comme une fée. Ils te donnent assez à manger, ces barbares ? »

Elle lui pose un doigt sur les lèvres pour le faire taire, puis ils rient ensemble. Elle ne s'est pas sentie aussi bien depuis des siècles, aussi à son aise, chez elle. Mais ils n'ont guère de temps pour les confidences : lui et son ami Paolo Nittis, un natif du royaume de Piémont-Sardaigne, dégingandé, aux cheveux noirs brillants et à la moustache minutieusement soignée, qui ne la quitte pas des yeux, sont arrivés en milieu d'après-midi, au point culminant des préparatifs de la fête. Bianca les a accompagnés jusqu'à leurs chambres – « Tu m'as préparé d'agréables petits quartiers, mademoiselle mon ordonnance ? » – et les a laissés là, car elle a encore toutes ses compositions à peaufiner, un travail qu'elle a gardé pour la fin à cause de la chaleur. Les fleurs coupées l'attendent, plongées dans des cuves d'eau et de glace où elle plonge les deux mains sans crainte, laissant la froideur de ses poignets se propager dans tout son corps comme un long frisson, jusqu'à la tête, pour se calmer, faire ce qu'elle doit faire, puis monter se changer, redescendre et faire la fête : c'est le début de l'été, la nuit de la Saint-Jean, celle où les jeunes filles attendent des signes du ciel pour savoir qui sera leur promis. Voilà un an, elle ne se sentait pas à sa place ; c'est pourquoi elle s'était échappée de la vraie fête pour répondre à l'appel de l'autre, celle des paysans et des domestiques ; mais elle ne le refera pas, maintenant qu'elle se sent tellement plus chez elle au milieu de ce petit monde. Pour autant, elle peut bien se permettre de jouer un peu, n'est-ce pas ? Une fois dans sa chambre, elle épluche une poire volée à un triomphe de fruits dans l'entrée, en prenant bien garde de ne pas interrompre la spirale de peau, puis la lance dans son dos, se retourne et cherche à déchiffrer la lettre dessinée avec une certaine approximation par l'épluchure tombée sur le sol. Assurément, une lettre pansue : un *P*, peut-être ? Un *B* ? Un *D* ? Il serait commode de pouvoir diriger le sort vers la bonne boucle, mais ce ne serait pas de jeu ; et puis, mon frère est venu me trouver : nous rirons, nous danserons et peu importe si je n'ai pas d'autres cavaliers, car nous aurons tant à nous dire en nous promenant dans le grand pré éclairé par les flambeaux et en buvant du vin mousseux... Nous nous promettrons des choses en silence, comme on fait entre personnes qui s'aiment, et tant pis si nous ne réussissons pas à tenir ces promesses. Avant de revenir de Milan, Bianca a eu juste le temps de courir chez la signora Gandini pour se faire faire deux robes d'été, qu'elle a payées de sa poche, grâce aux écus que lui ont rapportés ses travaux, et qui, pour cette raison, lui semblent les plus belles du monde ; mais à présent, il lui est difficile de choisir entre les deux, et Bianca se dit que, peut-être, tout était plus facile quand il n'y avait rien à choisir et que sa seule option était la mousseline blanche avec sa double jupe à plumetis qu'elle avait portée le jour de ses dix-huit ans et qui commençait à lui serrer la poitrine. Mais non, c'est mieux maintenant : la vieux rose ou la vert jade ? Le rose, elle le sait, lui adoucit les traits ; la couturière le lui a dit, en décousant (non sans quelque dépit) les petites roses en tissu qui garnissaient l'encolure et qu'elle a préféré supprimer : trop maniérées. Mais l'autre robe met en valeur la couleur rare de ses yeux, et elle est presque sûre qu'en la portant ce soir elle ne ressemblera à aucune des invitées. « Il n'y en pas tant, vous savez, des teints qui supportent le vert. On a l'air d'un poisson, ou d'un spectre. Mais pas vous. Vous semblez née pour le vert. » Va pour le vert, donc : la taille est haute, à la Pauline Borghèse (une mode qui semble destinée à durer toujours) et soulignée par un triple ruban tressé qui retombe d'un côté sur presque toute la longueur de la jupe, puis, comme par hasard, se dénoue, « le modèle parfait pour une jeune fille à marier comme vous » ; le décolleté est carré, généreux, presque audacieux à vrai dire, « mais vous qui n'avez pas trop de poitrine, vous pouvez vous le permettre », et voilà un défaut qui se transforme en avantage par un caprice de la mode ; trois fleurs minuscules, de la même étoffe, sont prêtes à être piquées dans le chignon, quand Minna, ou Pia, ou qui voudra daignera se présenter. Mais où sont-elles toutes passées ? Bianca s'approche de la fenêtre, impatiente, encore déchaussée, juste à temps pour apercevoir le petit comte Bernocchi qui descend du marchepied en faisant trembler dangereusement tout le carrosse, lève les yeux sur la façade, la découvre et la gratifie d'un sourire et d'une demi-courbette. Bianca recule dans l'espoir de ressembler à une tenture ; peut-être ne l'a-t-il pas reconnue, a-t-il seulement cru ou désiré la voir ; elle sent que les joues lui brûlent. C'est que depuis quelque temps Bernocchi s'est fait insistant : il l'appelle « ma jolie fleurette » et lui a fait envoyer tout un jardin de bonbons, agrémenté de pétales et de feuilles, qui a suscité l'admiration de tous et surtout la joie de certaines bouches qui l'ont défleuri, rapides comme un orage de grêle ; sans compter qu'il fait ce qu'il peut pour se trouver seul avec elle dès que l'occasion s'en présente, ce que Bianca évite avec le plus grand soin en fuyant ses embuscades par les couloirs ; et, quand ils sont avec d'autres, c'est-à-dire tout le temps, il la regarde avec des yeux humides qui lui font regretter les regards sardoniques des débuts, et semble avoir perdu la parole, comme donna Julie, dans un rare élan de malice, le lui a fait remarquer : « Mais où est passée votre langue ? C'est le chat qui vous l'a mangée ? » Pour une fois, il est resté muet, à court de mots apparemment. Une lettre pansue : *B* comme Bernocchi ? Allons donc. *P* comme Paolo, l'ami de Zeno, si grand et si sombre, si sérieux et bien élevé, avec son regard qui brûle, un de ces regards noirs dans lesquels on n'arrive à rien lire ? « Voyons, sœurette, tu le sais bien que les Sardes sont tous des nains hauts comme trois pommes à part celui-ci. Dans quel pays vivez-vous, ici, celui de Blanche-Neige ? » Sur les lèvres de Paolo est apparu un sourire, le premier, éblouissant. Mais *P* aussi comme Poète. À ceci près que le Poète, Bianca ne le sait que trop bien, se borne à la regarder tout en gardant le silence, avec ces yeux impénétrables derrière lesquels on pressent tout un monde, un autre monde où l'on ne danse pas mais où on lutte pour des causes qui le valent, avec les armes qu'on possède, et où les mots, aiguisés sur la meule comme des lames, deviennent dangereux. Il y a une lettre pour tous, ce soir, mais aucune n'est la bonne : oui, le cœur de Bianca chante, mais c'est la chanson de la jeunesse, du sang qui court, rapide dans les veines, du plaisir d'une robe neuve, de ravissants escarpins (neufs aussi, et eux aussi d'un prodigieux vert jade comme si on les avait plongés dans une cuve de thé de Chine), et du bracelet de minuscules roses blanches qu'elle a fabriqué elle-même et que maintenant, sans Minna, sans Pia (mais où peuvent-elles bien être ?), elle attache non sans difficulté à son poignet gauche : personne ne portera un bijou comme celui-là, je suis la dame des fleurs. Encore une chose, une seule : les boucles d'oreilles de sa mère, deux petites perles en forme de goutte, retenues par deux nœuds d'or. Les nœuds de l'amour vrai, comme lui avait dit son père en lui offrant ce souvenir ; l'amour dont tu es un signe dans le monde.

Oui, c'est un monde plein d'hypothèses amoureuses que celui vers lequel Bianca s'élance ce soir, glissant de marche en marche, légère, si légère, comme en suspens dans l'air, pour atteindre la grande entrée éclairée de mille bougies ; puis elle ralentit : courir n'est pas seyant, et elle avance pas à pas, comme si les danses avaient déjà commencé. Dehors, le crépuscule s'attarde sur les bords du pré, créant des flaques anticipées de nuit où les arbres sont plus feuillus et leurs branches plus basses ; mais le ciel est encore très bleu au-dessus du grand platane, parcouru de noires hachures d'hirondelles heureuses. Bernocchi, grâce au Ciel, n'est pas dans les parages ; Zeno et Paolo lèvent les yeux juste à temps pour accompagner sa descente, comme on devrait toujours le faire avec une demoiselle ; et, quand elle est sur la dernière marche, ils la prennent tous deux par la main, chacun d'un côté, telles deux voltigeantes escortes bleu et blanc, et s'inclinent galamment. « Ravissante, vraiment », murmure Paolo, lui brûlant les épaules de son regard. « Tais-toi donc, ce n'est qu'une gamine ! », proteste Zeno, protecteur pour la première fois depuis qu'ils sont venus au monde, car, des deux, il a toujours été le petit. « Chut », dit-elle pour le faire taire, affectueuse et supérieure ; elle se libère et les précède dans la salle à manger céladon, où, par la volonté de donna Clara, a été installé un buffet dans le goût moderne. Elle a bien fait de choisir sa robe verte, pense-t-elle avec une pointe aiguë de frivolité, car la pièce, de deux ou trois tons plus sombre, lui fait un arrière-plan idéal ; mais à présent elle doit cesser d'avoir ce genre de pensée : cette fête n'est pas la sienne ; c'est une fête pour le début de l'été, la réouverture de la maison et l'annonce – car c'est cela, le secret, et tout le monde le connaît – de la publication imminente du roman du maître. Oui, c'est la fête du poète devenu écrivain de prose, et de sa femme qui l'a patiemment assisté en ces temps troublés, s'effaçant presque au point d'en mourir, car c'est ce que doit faire une bonne épouse d'écrivain, n'est-ce pas ? Ou une bonne épouse tout court. Donna Julie est très jolie dans sa robe de soie ivoire, qui fait un beau contraste avec ses cheveux très sombres, libres pour une fois des pieuses coiffes dont elle les couvre quand elle s'occupe des autres, c'est-à-dire toujours ; lissés en deux bandeaux d'où s'échappent avec art quelques boucles rebelles et ornés sur la nuque d'un peloton ordonné de fleurettes cueillies dans le jardin (voilà où étaient passées Minna et Pia), ils lui font une tête de petit oiseau curieux. À son cou – comme il est long et blanc, ce cou, sans l'habituel fichu croisé qui le protège du froid – étincelle doucement une petite croix de brillants, le seul bijou qu'elle porte, à la différence de donna Clara, qui arbore toutes ses bagues et même quelques-unes de plus, outre un long pendentif en forme de clef, qui s'exhibe comme s'il était en suspens devant sa poitrine avant de se précipiter dans le vide. « Ce sont les clefs du Royaume ? », demande Bernocchi, cachant sa bouche vénéneuse derrière sa main, les yeux captivés par le mouvement perpétuel du bijou, assez loin pour que donna Clara ne puisse l'entendre, mais les autres si. Bianca feint l'indifférence, mais ses lèvres se tordent en une grimace : tout le monde sait que ce sont les clefs du clavecin – depuis toujours muet – et celles de la vitrine en cristal de roche où l'on dit que la vieille dame conserve les reliques les plus précieuses de ses anciennes amours. Y a-t-elle ajouté les tresses de cheveux morts ? se demande Bianca avec un frisson d'horreur.

Puis elle cesse de penser à tout cela pour un long moment et se contente de rire, de danser, de boire, de danser encore, de boire encore, rire, danser, courir, virevolter, rougir, pâlir, danser. Infatigable, elle passe d'un groupe à l'autre, cause un instant, répond, renvoie la balle, animée comme jamais. Durant le quadrille, Zeno lui murmure à l'oreille : « Est-ce que c'est vraiment toi, petite sœur ? Je ne te savais pas si mondaine. – Honnêtement, je ne le suis pas. – Hmm… Je croyais que tu étais venue ici pour travailler, pas pour apprendre de nouvelles danses et papillonner… Qui

est-ce, ce grand renfrogné, là-bas ? Il ne t'a pas quittée des yeux depuis le début de la soirée. » Le visage
de Tommaso, qui flotte au-dessus de son énorme
nœud de cravate blanc comme neige : il reste immobile, appuyé, comme cloué au mur. « Allons. Ce sont
toujours les mêmes, les danses. Et les papillons dorment à cette heure-ci. – Les danses sont toujours les
mêmes, mais alors c'est toi qui n'es plus la même. –
Tais-toi, tais-toi donc. » Mais il se pourrait que Zeno
ait raison : c'est un de ces moments où l'on sent, où
l'on sait que quelque chose doit changer, ou vient de
le faire. Galop, galop, galop.

Suis-je vraiment si différente ? se demande-t-elle
lors d'une pause, rajustant une boucle échappée sur
sa nuque devant un des hauts miroirs nébuleux de
l'entrée. Ce sont peut-être les taches d'ancienneté sur
le tain, ou la faible clarté des candélabres, mais oui,
c'est une autre elle-même qui la fixe dans la glace,
répondant à son regard avec impudence tandis qu'elle
arrange sa coiffure. Une Bianca moins blanche : rose
et verte plutôt, comme un de ses rares hellébores ;
une fleur d'hiver qui a réussi à survivre au gel et
redressé la tête, insoucieuse du froid, pour regarder
autour d'elle et décider que oui, le monde tel qu'il
est lui plaît et qu'elle peut y rester quelque temps. Ce
n'est qu'un instant : dans le miroir et dans son dos
passe une haute silhouette, enveloppée dans l'ombre
ou dans un manteau noir. Non, pas un manteau, ce
n'est pas la saison, impossible. Alors ? Qui était-ce ?
L'ombre a déjà disparu, emportant avec elle l'éclair
d'un regard indiscret ; un regard qui la trouble, même
si son châle couvre bien ses épaules, si le décolleté

coupé par la signora Gandini s'arrête bien où il faut, ni plus bas ni plus haut, et si ses chevilles sont pudiquement cachées. Pourtant, l'espace d'un instant, Bianca s'est sentie dévêtue, et maintenant, seule dans la pénombre, elle rougit jusqu'aux oreilles et attend que ce feu s'éteigne avant de retourner parmi les invités.

Mais son malaise dure peu : il n'était qu'un effet de la chaleur, de la douce tiédeur qui monte de l'intérieur quand on a beaucoup dansé, beaucoup bu et qu'on a été très regardée. Il n'est passé aucune ombre. Bianca recommence à bavarder et à plaisanter, avec une désinvolture accrue par sa légère ivresse, et échappe avec art, sans oublier une courbette déférente, aux griffes de la signora Villoresi, qui voudrait tant lui commander un *set* de feuilles mortes : c'est le mot qu'elle emploie, un *set*, comme s'il s'agissait de fourchettes à dessert. Pas question de travail ce soir ; Bianca oublie, un peu trop vite, que si elle est de cette fête, dans sa belle robe vert jade et non dans le costume fané de Nanny ou d'une gouvernante, c'est précisément grâce aux feuilles mortes. Sotte, sotte Bianca, s'il te suffit d'un verre de vin fruité et de quelques compliments faciles pour oublier qui tu es. Mais qui es-tu, au fond ? Une petite jeune fille seule au monde qui a envie de s'amuser. Qui pourrait t'en blâmer ? Donna Clara et donna Julie le feraient, si elles pouvaient lire dans ton cœur. Et elles t'aideraient, peut-être, avec la sagesse épineuse de l'une et paisible de l'autre, comme elles savent le faire, avec les meilleures intentions ; elles sauraient te dire, s'accrochant aux banalités du bon sens, que trop de lumière est fatal aux papillons de nuit. Mais tu ne les écouterais pas : tu ferais oui avec la tête et non avec le cœur, les oreilles déjà tendues vers la musique qui t'appelle. Bianca s'arrête un moment sur le seuil et contemple les couples qui tourbillonnent sur la grande estrade de bois montée au pied de l'escalier. « Encore une danse, miss ? » Trop tard pour éviter le petit comte sans être discourtoise, et il ne le faut pas, cela ne se fait pas. Et puis, il convient de lui rendre cette justice : c'est un excellent danseur, si concentré sur ses pas qu'il n'a pas le temps de parler, ce qui est un avantage. Bianca observe ses chevilles dodues, ses escarpins de damas jaune qui semblent taillés dans la peau d'un reptile, elle sent sur son dos la pression trop forte de sa main, humide comme ses yeux, même à travers la protection de l'étoffe ; mais il est déjà temps de changer de cavalier. Et celui qui s'avance et lui pose une main sur la taille – une main fraîche, cette fois, et légère – comme si elle était sa propriété danse moins bien, mais il est beau ; grand, beau et étrange, ce Paolo Nittis, natif de Sassari, qui doit être une ville grouillante de serpents, avec tous ces *s* dans son nom. Nous y voilà : encore des reptiles. Mais les Sardes ont-ils tous ces yeux d'encre qui coule ? C'est le premier qu'elle rencontre, comme un oiseau exotique dans un sérail, et elle ne peut assurément le lui demander, mais si, elle le lui demande. Lui bat des paupières, il semble qu'il n'ait pas compris, puis il plisse les lèvres en un sourire qui découvre ses dents étonnamment petites et très blanches. « Venez vous rendre compte par vous-même, plaisante-t-il. C'est une terre sauvage et indomptée que la mienne. – Et vous ? » Il semble la trouver amusante. « À peu près domestiqué, je pense. L'uniforme y est pour beaucoup. – Oh, quel dommage. J'en ai assez des petits chiens de compagnie. » Nittis promène rapidement son regard sur les messieurs dans leurs redingotes à la dernière mode, les cheveux coiffés en arrière, tous de la même façon : une meute de lévriers. « Ouah ! Ouah ! », dit Bianca, rejetant la tête en arrière, rieuse. Elle se sent échapper à l'étreinte pour passer à une autre, plus familière : elle n'a jamais dansé avec Innes, mais c'est comme si elle l'avait toujours fait. « Ce soir, vous me plaisez plus que d'habitude, Bianca. Vous êtes… *bold*, voilà. » Sublime et sèche précision de la langue qu'ils partagent. Bianca, d'instinct, lève les yeux, regardant la façade de la maison, certaine que Nanny est postée à une fenêtre, défendue par l'obscurité, vigilante, cachée. Les gouvernantes, pauvres filles, ne sont invitées aux fêtes que dans les romans, avec une robe neuve et des fleurs dans les cheveux, et c'est pour rester assises tristement toute la soirée, perdre leurs gants, se tacher avec la limonade. Je ne suis pas une pauvre fille. Je ne suis pas une gouvernante. Je suis une femme libre, qui sait lire, écrire, faire les comptes, dessiner, dévoiler les mystères, résoudre les énigmes…

« À quoi pensez-vous ? »

La question est banale, mais Bianca possède assez la pratique des salons pour savoir qu'il n'est pas de questions banales, ou stupides ; ce sont, au moins parfois, les réponses qui le sont.

« Je pense que j'ai de la chance, répond-elle en levant les yeux vers Innes, un peu parce que leur différence de taille l'exige, un peu pour déchiffrer sa réaction.

— Je pense la même chose, dit-il. Mais la chance doit être cultivée sous serre, vous savez. C'est une fleur rare qui a tendance à ne pas durer.

— Oh, ne me parlez pas de fleurs, pas ce soir, je vous en prie.

— Notre jardinière a la permission de sortie ? Elle a rangé son tablier et ses gants ? »

Ils sourient ensemble ; il est doux de se faire taquiner quand les mots n'ont rien d'offensant. Comme la même phrase aurait été différente dans la bouche de Bernocchi. Mais Innes pourrait lui dire tout ce qui lui passe par la tête. Ah oui ? Et pourquoi ?

« Que sommes-nous, vous et moi ? »

Il comprend au vol et redevient sérieux.

« Frère et sœur. Voisins d'étage et voisins d'âme. Complices.

— Amis ?

— C'est différent. »

Elle serre les lèvres et le gratifie d'une révérence profonde, parce que la musique le demande ; mais si elle en avait la liberté, elle l'embrasserait. *Depuis que je suis ici, c'est peut-être la première fois que je me sens* à ma place. Cela veut-il dire que ce milieu est ma place ? Ma place dans le monde ? Ici ? Pensées qui voltigent sans se poser, comme des oiseaux effrayés : un instant passe, et ne reste que l'ombre d'une intuition, le dépit de n'avoir pas fermé les mains assez vite pour la retenir.

Et puis, c'est le maître de maison qui vient s'incliner devant elle, une courbette brève et sévère, à sa façon :

« M'accorderez-vous l'honneur de cette danse ? »
Quelle question absurde, se dit Bianca en se laissant
guider vers le centre de l'estrade. Elle accepterait
même si elle était épuisée, même si tous les invités
avaient pris congé et que la maison était vide jusqu'à
l'inconvenance, même s'il n'y avait plus de musique.
Parfois, on n'a pas le droit de dire non. Et puis, le
Poète qui danse ? « Presque un oxymore », pense-
t-elle à voix haute, et lui la regarde sans comprendre ;
par bonheur, l'essentiel de ses mots doit s'être perdu
dans le bruyant accord d'*ut* majeur de l'orchestre. Il
danse bien, avec un naturel qui ne peut venir que
d'une longue habitude, comme s'il l'avait fait hier et
était prêt à recommencer demain, alors que Bianca
sait parfaitement – comme tout le monde – qu'il n'en
va pas ainsi. Elle ne peut s'empêcher de regarder
autour d'elle, mais dans le tourbillon de la danse, tous
les visages semblent pareils, avec leurs sourires dilatés comme sur des bouches de marionnettes : donna
Clara avec ses sourcils ardemment interrogateurs,
donna Julie qui sourit comme devant le jeu d'un de
ses enfants, Bernocchi sardonique, don Dionisio doux
et indifférent en haut de l'escalier, Tommaso pétrifié,
pâle, les yeux vitreux, et les autres, tous les autres,
perplexes, intrigués, ironiques. « Et votre femme ? »,
demande Bianca, soudain soucieuse des convenances,
car pas une fois il ne l'a invitée : il a ouvert le bal avec
sa mère. « Oh, Julie n'a jamais appris à danser », dit-
il, et cette réponse ouvre une échappée sur une jeunesse modeste, des vêtements qui mortifient l'orgueil,
des coiffures plates, des yeux baissés, des prières et
des jeûnes. Le récit des démarches de sa mère – com-

ment elle la lui a choisie, fraîche jouvencelle sur le marché des filles à marier –, Bianca l'a entendu bien des fois dans les quartiers des domestiques, avivé de détails toujours différents : une demoiselle fortunée, de bonne famille dévote, prête à passer d'une clôture à une autre. Pourtant il l'aime, et cela se voit même en ce moment, car il cherche son regard et échange avec elle un coup d'œil entendu tout en continuant à danser. Tout à l'heure, au moment de l'annonce, il s'est passé la même chose : donna Julie n'était pas à son côté, mais en arrière, en un point du salon qui lui permettait de tout surveiller. Tout, et tout le monde. Invisible et présente, toujours. Lui l'a regardée avant de faire un signe aux musiciens, qui, en deux ou trois accords, ont interrompu leur polka ; les invités se sont immobilisés en pleine danse, intrigués, et ont remonté l'escalier, s'attroupant autour des portes-fenêtres ; et il s'est avancé, créant par ce mouvement un vide au centre de la salle.

« Mes amis, a-t-il commencé, vous êtes ici parce que c'est le début de l'été, parce que nous sommes revenus dans notre Brusuglio bien-aimé et que nous voulions que vous partagiez avec nous les joies de la belle saison avant qu'elles ne se transforment en peines : les peines légères que nous inflige naturellement la nature. Pour ce soir, nous avons réussi à exterminer les moustiques – rire général –, et à convoquer une petite brise pour réconforter les membres échauffés des amateurs de danse. Mais nous savons que tout cela ne durera pas, que viendra la canicule et qu'il faudra penser aux récoltes. Quant à celles-ci, c'est principalement à moi de m'en soucier, car vous savez que je suis un poète paysan. Plus poète que paysan ou plus paysan que poète, c'est à vous d'en décider. » Autres rires. « Mais, a-t-il poursuivi, il y a une autre raison à notre réunion ce soir. Beaucoup d'entre vous savent que depuis des années je m'évertue à mener à son terme une entreprise qui m'a ôté la vigilance et le sommeil. On m'a traité de fou, et peut-être avec raison. Mais l'entreprise en question est achevée, et maintenant commence la seconde partie de l'aventure. En septembre, je confierai à l'imprimeur mon roman historique. » Applaudissements. « Ensuite, il me restera à espérer que quelques-uns le lisent. » Rires. « Ou plutôt non, que les gens l'achètent, par intérêt ou seulement pour voir ce qui est passé par la tête du dément. Au fond, il me suffit qu'on l'achète : je ne prétends pas qu'on prenne la peine de me lire. » Nouveaux rires. « Je sais que beaucoup d'entre vous apprécient le poète ; mais pour moi, au cours des années qui viennent de s'écouler, il est devenu une sorte de petit frère, à considérer avec l'indulgence qu'on réserve aux jeunes gens. Disons-lui donc au revoir, et disons-nous qu'il part pour un voyage à l'étranger d'où il reviendra si changé qu'on aura de la peine à le reconnaître, à moins qu'il ne revienne plus jamais. À présent, je vous invite à découvrir le romancier : mon grand frère, grandi à l'école sévère de la vie et convaincu d'avoir au moins une histoire à raconter.

— Et toi, entre le petit frère et le grand, où es-tu ? », crie quelqu'un.

Autres rires.

« Oh, pour le moment je ne le sais pas très bien. Je crois que j'ai besoin de reprendre mes repères dans le monde. Voilà pourquoi je suis de retour à Brusuglio, où la terre et ma famille me réclament et me demandent d'être terrien et familial. »

Applaudissements, circulation de plateaux, verres levés. « À notre ami Titta qui sait toujours nous surprendre ! – Au poète que nous ne voulons pas oublier ! – Au romancier que nous voulons connaître ! » Conversations à mi-voix, entre deux gorgées de vin blanc. « Dites, vous croyez qu'il sait ce qu'il fait ? – Et les dividendes ? Se faire publier à compte d'auteur, quelle idée ! Ce sera sa ruine, croyez-moi. – Et sa famille, comment va-t-il la faire vivre en attendant la gloire ? – Avec ce que lui coûte ce joli jouet de villa… » Tout cela énoncé sur un ton plus soucieux que malveillant : c'est vrai, le poète a beaucoup d'amis, a pensé Bianca, souriant aux gentilles impudences des invités. Et maintenant, tandis qu'ils dansent, elle se dit qu'elle aimerait bien pouvoir lui demander, comme entre amis, s'il se sent vraiment serein, s'il est sûr d'avoir fait le bon choix, et aussi de quoi il parle, ce roman qui est devenu une obsession ; lui dire, de surcroît, qu'Enrico, plus que ses autres enfants, a grandement besoin de lui : d'un guide et d'un compagnon, avant de devenir un jeune idiot capricieux à force d'être gâté par sa mère et sa grand-mère ; que les fillettes devraient être retirées de leur couveuse et devenir plus autonomes, car elles sont drôles, intelligentes et méritent son attention, et des horizons plus vastes que celui que découpent les fenêtres de la nursery. Mais ce n'est pas le moment. Si, désormais, il compte vraiment se dédier à sa campagne, alors les occasions ne manqueront pas.

D'autres occasions. Tout est possible, encore et encore. Se contenter de le sentir tout proche. Une secousse d'espérance. Fin de la danse, courbette, congé. Il retient ses doigts un instant encore et lui murmure : « Merci, merci beaucoup. » Avant de se retourner et de rejoindre ses amis les plus chers, qui le réclament bruyamment. Merci pour quoi ? Bianca ne le saura jamais.

Il l'a prise par la main, sans rien dire, impérieux, comme s'il faisait valoir un droit. Et elle n'a rien dit non plus. Il l'a emmenée en haut de l'escalier, en silence, attentif à ses mouvements pour ne pas heurter de colonnes, ou d'ornements, ou d'ornements posés sur des colonnes. Il a ouvert la bonne porte : celle d'une pièce où, à cette heure, il ne peut y avoir personne. Il l'a poussée à l'intérieur, devant lui. Fenêtres de clarté lunaire dessinées sur le sol : quelqu'un a oublié de fermer les persiennes, cela arrive souvent, à cet étage. Luminosité phosphorescente de l'obscurité. Sentir les ombres, leur poids. La lumière d'un baiser, le premier, qui se dissout sur les lèvres, brûlant comme un flocon de neige sur le visage levé d'un enfant. Les roses d'étoffe emmêlées au poignet, prêtes à se défaire, pétale après pétale. Leur reddition. Mais mon nez, qu'est-ce que j'en fais ? Voilà, voilà, ici. C'est bien. La bouche, et ce qu'il y a dedans : elle en imagine les ténèbres secrètes, le surgissement de la langue entre les dents, en goûte la saveur de tabac et d'alcool, mais à peine. Un arôme qui n'a rien de déplaisant, non. Et moi, est-ce que j'ai bon goût ?

Petite, se souvient-elle soudain, je mordais les pétales des fleurs pour savoir si elles avaient la même saveur que leur parfum, mais elles avaient le goût de vert, rien d'autre. J'aimerais avoir un goût de fleur, en cet instant. Ce serait *logique*, non ? Et pourtant. Aurais-je dû reculer, me récrier ? Le devrais-je ? Je le peux encore. Se récrier : quel mot métallique, cuirassé. Elle pense à un spadassin, se voit brandir un fleuret pour se défendre. De quoi ? D'un baiser ? Allons. Ce n'est pas dangereux. Pas dangereux. Non. Quand on embrasse, on ne pense pas. On embrasse. Et c'est tout. C'est tout. C'est tout.

Ce n'est pas de l'amour, cela ; c'est quelque chose qui lui ressemble, une copie, un succédané. L'amour, le vrai, doit être autre chose, il est cette autre chose impossible, il est cet autre homme. L'homme d'une autre, le maître, l'inaccessible ; celui qu'elle ne peut avoir et qui, donc, est et reste parfait, intact, incorrompu. Mais puisqu'il en est ainsi, on peut prendre ce qui vient, ce qui est disponible, parce que c'est l'été, parce que c'est la jeunesse, parce que cela fait peur, parce que cela fait du bien, parce que c'est ainsi.

Et puis.

Le reste n'est pas ce qu'elle veut, ce qu'elle voulait, ce qu'elle pourrait jamais vouloir. Dire non, maintenant ; partir ; tout nier, retourner en arrière, aux jeux, aux regards, ou même seulement aux baisers d'il y a une minute. Le temps d'y penser, et il est déjà trop tard. Parfois, on perd le droit de dire non.

Mais non, ce n'est pas cela, l'amour, ce frottement d'étoffes, cette friction chaude et âpre, et ces doigts, des doigts partout, des mains qu'elle n'a pas apprises et qui s'aventurent où jamais une main étrangère ne s'est posée, une force, un effarement, vouloir et ne pas vouloir, ah, ici, et cela, où, quoi, pourquoi, et puis cette douleur, aiguë, déchirante, qui lui coupe le souffle et ne veut pas cesser, qui au contraire augmente, plus intense, plus insistante, une douleur sans pitié, une fouille de chair dans la chair, ah, non, pas comme ça, non, non, mais dire non est inutile et ne change rien, une douleur qui la laisse tendue, tendue et lointaine, cependant qu'un autre elle-même, tranquille et posé, la regarde d'un coin des ténèbres, en se tenant les mains, avec de grands yeux qui semblent lourds de compassion. Mais de la compassion pour quoi ? Et si c'était vraiment cela ? S'il *fallait* que ce fût cela ? Elle ne sait pas, ne sait plus, et écoute encore la douleur qui s'imprime en elle, la cloue au mur, la ploie, arrache de sa gorge un son dont elle ne veut pas, parce qu'il ne lui appartient pas : ce n'est pas une voix, ce n'est pas un rire et pas même un pleur, c'est un son horrible, un vagissement, et puis combien de temps cela va-t-il durer ? Cela ne finira donc jamais ? Et ensuite, quand enfin c'est fini, que les plis de sa robe retombent pour cacher sa chair violentée, à peine a-t-elle le temps de se demander : c'est tout ? Et l'amour ? Est-ce que c'est cela, l'amour ? Bien sûr que non. C'est ce que c'est.

Il lui a posé une main sur la joue, presque pieusement – quelle colère pour cette souffrance, si seulement la colère parvenait à se frayer un chemin à travers la confusion –, puis s'en est allé très vite, refermant la porte derrière lui sans faire de bruit. Elle est restée seule dans la pénombre, entre la maison de poupées et le rectangle opalescent de la fenêtre ; le dos contre le mur, elle s'est laissé glisser et tomber sur le parquet, comme une fleur éteinte. Et alors, seulement alors, elle a pleuré.

Tout le monde est parti. La maison repose, d'un sommeil satisfait, chargé de succès. Çà et là, dans les quartiers des domestiques, il reste ou il y a déjà du travail à faire. Sur le seuil de la cuisine, les musiciens boivent du vin chaud aux épices, et Bianca, du couloir obscur où elle s'est arrêtée, en sent l'odeur forte, hivernale. On est en juin, mais on ne le dirait pas, dit l'un d'eux. Ce n'était pas vraiment un temps à jouer en plein air, mon violon a des rhumatismes et mon épaule aussi. Oui, mais dans les maisons de riches, c'est toujours l'été, commente un autre ; il n'y a que nous, pauvres malheureux que nous sommes, qui connaissons les mauvaises saisons. Comment ça, pauvres malheureux ? le rembarre une voix féminine, basse et rauque, de l'intérieur de la cuisine. Avec vos crincrins et vos beaux habits élégants, et le droit de manger ce qui reste du buffet, ce n'est pas un travail que vous faites. Question de point de vue, dit d'une voix lasse le premier violon, sans approfondir. Vous n'auriez pas encore un peu de vin ? Et un de ces gâteaux tièdes qui restaient ? À moins que vous les ayez tous finis ? On dirait toujours qu'il faut nourrir toute une armée, à ces fêtes. Comme s'ils ne mangeaient jamais. Merci, merci, vous êtes une brave femme, et aussi une excellente cuisinière. Dites, vous n'auriez pas envie d'un mari qui fait de la musique ? Un mari, j'en ai déjà un, et la musique, c'est moi qui la lui joue, quand il en a besoin. Rires, puis silence.

Bianca glisse dans l'obscurité, sans s'arrêter ; c'est elle qui en voudrait, d'une bonne rasade de vin chaud. Ou plutôt non, plus de vin, jamais. Elle ouvre la porte-fenêtre, s'avance au bord des marches. Le bois, en cette approche du jour qui n'a pas encore décidé ce qu'il serait, a une netteté d'estampe, incisée d'ombre, d'un noir féroce. Lui non plus ne promet ni ne garantit la paix. Y aura-t-il encore la paix en ce monde ?

Non. Car soudain Bianca se retourne, surprise de sentir une présence dans son dos. C'est Nanny, si agitée qu'elle n'a même pas enfilé sa robe de chambre sur sa chemise de nuit en flanelle hivernale, Nanny qui a toujours froid, mais en ce moment ne semble pas s'en apercevoir, car elle est descendue pieds nus. Étrange de remarquer à cet instant, dans un ralenti inutile, tous ces détails, y compris celui, inédit, des deux coquilles de chair qui émergent sans pitié de la masse des cheveux tressés : Nanny a les oreilles en feuilles de chou, Nanny a les oreilles en feuilles de chou. Les bonnets et les coiffes, malgré leur ridicule, ont leur utilité. Nanny la saisit par le bras, la secoue :

« Vous l'avez vue ? »

Le drame est là. Ne reste qu'à conjecturer laquelle, parmi les fillettes, est l'absente.

« Francesca a disparu, précise Nanny, la voix brisée. J'ai entendu un bruit, je me suis levée, je suis allée voir dans leurs chambres… Elle n'est nulle part. »

Oh, si. On l'a trouvée contre l'écluse au bout du fossé, qui l'a portée sur une demi-lieue, puis, ne pouvant la traîner plus loin, l'a déposée là, comme une poupée cassée ou un jouet abandonné, sa tête cognant doucement contre le barrage en bois, sa chemise de nuit collée contre sa peau. Les yeux ouverts, son petit visage paisible. L'aube n'était pas encore levée.

C'est Giulietta, ensuite, qui explique, comme si cela pouvait servir à quelque chose : « Le fossé, nous y étions allées ensemble, toutes seules, hier après-midi. Il y avait tant d'allées et venues dans la maison, personne ne faisait attention à nous. » Regards pointés sur Nanny ; mais elle n'est pas fautive : on l'avait embrigadée à la cuisine, et on ne peut pas être à deux endroits à la fois. « Elle voulait apprendre à nager comme moi, pour montrer à tout le monde qu'elle savait, qu'elle était grande. Elle y est presque arrivée, elle ne coulait plus. Presque plus. »

Et puis ? L'interrogatoire se fait plus pressant, comme si ajouter un détail à un autre détail pouvait tout expliquer, tout corriger, tout apaiser.

« Ensuite, nous étions fatiguées, Matilde ne voulait même plus marcher et j'ai dû la porter dans mes bras. En chemin, elle s'est endormie. » Le poids immense d'un jeune enfant qui s'abandonne au sommeil. « Nous nous sommes changées, puis Nanny est arrivée. Elle nous a servi à dîner plus tôt que d'habitude, nous avions déjà dit bonsoir aux invités. » Trois petites robes mauves identiques, serrées à la taille par une large ceinture en satin violet, les cheveux dénoués, insolites, soyeux, retenus en arrière par des rubans, violets aussi. Celui de Francesca ne cessait de glisser, il lui tombait sur le visage comme le bandeau sur l'œil d'un pirate. Des cheveux très fins, lavés par un bain récent. « Maman nous a laissées prendre un gâteau chacune. J'ai choisi une tartelette aux framboises, Matilde un beignet à la crème rose et elle, un petit four aux pistaches, et elle s'est barbouillé le visage avec la crème, mais personne ne l'a grondée. » Se perdre dans les détails. L'indulgence des adultes quand ils ont autre chose en tête. Franceschina, que tu es donc maladroite quand tu manges, regarde-toi, tu ressembles à un clown, tu es drôle, n'est-ce pas qu'elle est drôle ? Petite étoile. Maintenant, tout le monde en haut, au dodo les enfants. « Ensuite, Nanny est venue nous chercher » – rentrée dans le rang, retombée dans l'ombre avec sa vilaine robe du soir en soie noire, nullement adaptée à une fête, de toute façon – « et elle nous a mises au lit. J'ai dormi tout de suite, j'étais si fatiguée. Matilde aussi. » Une pause, un petit regard qui interroge les visages tendus, dans l'attente désespérée d'une approbation. « C'est sûrement l'homme noir qui est venu. » Si seulement il y en avait un, d'homme noir, quelque part là dehors, une des statues descendue de nuit de son piédestal pour venger un tort oublié, un monstre sans visage à qui imputer tout cela. Le reste, on l'imagine même sans imagination : une enfant agitée, qui n'arrive pas à s'endormir et écoute les mille sons de la fête, la musique, les bavardages, les rires. Elle se lève, s'approche de la fenêtre basse protégée par des barreaux – que de prudence, que de précautions inutiles –, les serre entre ses petits poings, à genoux. Et regarde vers le bas. Vu de haut, le grand pré est une tache d'obscurité

385

ourlée de taches de lumière ; voilà maman, comme elle est belle ; et miss Bianca en vert, un jeu de mots comme elle les aime. Papa est au milieu d'un groupe de messieurs, tous grands et sombres comme lui, ils rient, ils boivent, il parle, ils rient de nouveau, car parfois, quand il veut, il sait très bien faire rire, mon papa. Si j'apprends à nager, il sera content de moi. Et miss Bianca aussi sera contente. Tout le monde sera content, parce que c'est quelque chose que font les grands, ou les garçons. Je vais aller m'exercer, je resterai éveillée toute la nuit pour m'entraîner, personne ne me verra. Je vais apprendre, et demain je leur montrerai. Je leur dirai : j'ai une surprise, venez, venez, et ils marcheront tous derrière moi comme les enfants derrière le joueur de flûte de l'histoire ; et une fois au fossé, je me jetterai à l'eau et je ne coulerai pas, et ils diront : bravo, bravo, elle a appris toute seule. Je peux y arriver. Les autres dorment, mais je n'ai pas peur. Et puis, la lune brille cette nuit. J'y vais.

Ensuite, il pleut deux jours d'affilée, comme il arrive rarement en été, une pluie fine, obstinée ; mais il est juste que le ciel pleure aussi : un beau soleil serait hors de propos, il faudrait l'éteindre au plus vite, l'obliger à se coucher, d'une façon ou d'une autre. Le deuxième jour, Bianca se retrouve dans la nursery sans savoir comment elle y est arrivée. Il n'y a personne : donna Clara et donna Julie ne veulent plus entendre parler de se séparer des enfants et les gardent toujours auprès d'elles, même si Bianca se demande quel bien peut faire à ces enfants le spectacle de deux femmes brisées, car si les adultes pleurent aussi, alors il n'y a plus de règles et c'est le monde à l'envers. Plus d'innocence dans cette pièce où est advenu ce qui est advenu ; on ne peut être en sûreté nulle part ; rien n'est sacré, rien n'est destiné à rester intact, même pas l'enfance. Bianca redresse une chaise renversée, ferme la porte de la maison de poupées, en baisse la façade sur les visages ahuris de ses habitants, s'approche de la fenêtre et tressaille : sur la vitre, elle distingue une empreinte bien nette, précise, celle d'une petite main. La paume est distincte, et le bout des cinq petits doigts écartés. Inutile de la mesurer pour savoir que c'est la main de Franceschina : c'est elle qui s'est appuyée à la vitre le soir de l'orage, pour regarder le monde bouleversé, tandis que ses deux sœurs se bouchaient les oreilles pour ne pas entendre le tonnerre résonner dans leur tête et que Bianca s'efforçait en vain de les rassurer : « Ce sont seulement les anges qui déplacent les meubles, vous savez ? Eux aussi en ont quelquefois assez que le ciel soit toujours rangé de la même façon. » Francesca, la seule à l'écouter, avait demandé : « Mais comment sont-ils, les meubles du ciel ? En nuage ? Parce que s'ils sont en nuage, pourquoi font-ils tant de bruit ? » Et elle avait poussé la petite chaise, pour imiter les anges, jusqu'à ce qu'un des pieds heurtât un défaut du dallage et que celle-ci se renversât. Adieu, Franceschina. Tu es morte toute jeune, tu ne savais rien. Si, au ciel, tu as envie de déplacer une commode ou un tabouret, nous écouterons ce tonnerre lointain, un de ces tonnerres qui ne font pas peur, et nous saurons que c'est toi. Un instant, Bianca songe à appeler la mère et la grand-mère pour leur montrer ce dernier signe, puis elle y renonce : il y en a déjà tant, des traces à effacer un peu partout dans la maison. La poupée Teresa, avec sa tête ébouriffée, les petits vêtements dans l'armoire, les chaussures à bride sous le lit, tous les indices à recueillir et à faire disparaître, parce qu'ils ne mènent nulle part, ne conduisent pas à la solution du mystère : ils se bornent à dire, haut et fort, une absence que rien, jamais, ne réparera.

Puis Bianca rentre en elle-même, et, comme toujours, comme au réveil après une nuit difficile, elle éprouve un égarement, sent que quelque chose ne va pas, quelque chose d'autre ; alors, elle se souvient et elle a honte, se sent un monstre. Cette mort, affreuse et injuste au suprême degré, lui offre en ce moment une petite diversion, comme quand on a mal à la tête, à hauteur des yeux ou plutôt d'un œil, et qu'on appuie sur sa paupière pour avoir plus mal encore en espérant que cette douleur accrue fasse cesser la première. Si elle pense à Franceschina, à cette terrible perte, elle parvient à ne pas penser – toujours, obsessionnellement – à elle-même. Au reste, il n'y a pas de comparaison entre les deux maux : Franceschina n'est plus là, il n'y aura plus jamais d'autre Franceschina, alors que moi je suis vivante, bon Dieu. Vivante. Tout est encore possible. Même oublier ; ou pardonner, même si pour le moment le pardon semble inaccessible ; ou peut-être l'oubli *et* le pardon, ces vieux complices qui se soutiennent et s'encouragent l'un l'autre ; car il est possible que certaines blessures guérissent. Il y a une femme, à l'étage au-dessous, qui, de sa blessure, ne se remettra jamais.

Le sentiment de culpabilité, puissant comme une gifle, suffocant comme un coup de pied dans le ventre, brutal comme une main serrée autour du cœur, alterne ses violences dans un ordre cruel et régulier : quand il semble que la joue brûle moins fort, c'est le muscle qui saigne dans l'étreinte, et quand le poing se desserre c'est au tour de l'estomac d'être crispé par l'angoisse. Et si personne ne viendra jamais l'incriminer, lui lancer des accusations – comment serait-ce possible ? –, cela ne change rien. Depuis l'escapade au fossé, cette baignade instructive et allègre, il s'est passé plus d'un an ; et pourtant, il lui semble distinguer une lueur réprobatrice dans le regard de Pia ; ou peut-être n'est-ce que de la fatigue : deux fatigues qui se croisent et, mises ensemble, grandissent et s'approfondissent. Car il y a aussi cette brûlure continuelle des yeux, comme s'ils venaient tout juste de cesser de pleurer et étaient tout prêts à recommencer, prêts à verser toutes les larmes qui, loin de laver la douleur, tombent sur la blessure ouverte et l'embrasent comme un alcool enflammé, un feu dans la plaie vive.

« Au bout du compte, qu'est-ce que c'est, la mort d'un enfant ? Petits, ils sont tous pareils : tous les enfants sont une promesse dont personne ne peut savoir si elle sera tenue un jour. Et combien en a-t-elle déjà perdu, donna Julie ? Deux, trois ? Ça ne l'a pas empêchée d'en mettre d'autres au monde. C'est le métier des femmes, non ? Être mères, au fond, elles en sont toutes capables. Alors oublions cette histoire, croyez-moi, parce que la vie nous attend. »

Par bonheur, il n'y a pas grand monde pour écouter la sinistre oraison funèbre de Bernocchi, prononcée à mi-voix sur un banc au fond de l'église ; et parmi ces rares personnes, aucune qui ait envie de répliquer. Francesca était unique, comme nous le sommes tous ; et elle avait le droit de devenir elle-même, comme nous tous. Bianca se borne à tourner vers lui un regard vide, pareil au vide qu'elle sent en elle, puis observe de nouveau les dos au premier rang, les épaules courbées, resserrées dans leur douleur. Tout le monde est venu de la ville, en un triste cortège qui, à maints égards, pourrait paraître semblable à celui d'il y a quelques soirs ; mais le crêpe a remplacé la mousseline, et le noir, le blanc et le rose ; les yeux sont gonflés, les paupières brûlantes, et même les peaux semblent fripées, que ce soit par la maladie de la souffrance ou la lumière impitoyable du matin. Mais la douleur, tous la laisseront là, avec les fleurs (trop de fleurs, trop blanches), destinées à se faner sous le soleil revenu et ardent ; une fois en sûreté dans leurs maisons, ne restera qu'un malaise mêlé de soulagement, et l'envie de se consacrer avec une énergie nouvelle aux occupations de toujours, parce que la dame en noir est passée et n'a fait que les effleurer. Après la cérémonie, père, mère et grand-mère ne saluent personne et s'acheminent derrière le cercueil, porté sur les épaules de quatre paysans et si petit qu'un seul pourrait le prendre sous son bras. Don Dionisio s'avance vers la petite foule, secoue la tête et dit : « Je vous en prie. La famille préfère rester seule. » Beaucoup remontent aussitôt en voiture, un peu déçus du spectacle manqué ; d'autres s'attardent sur le parvis de l'église, tenant des propos de circonstance qui ne se prolongent guère, car, de Franceschina, ils se rappellent à peine le visage : comme l'a dit Bernocchi, ce n'était au fond qu'une enfant. « Si nous allions boire quelque chose à l'auberge, pour nous ragaillardir un peu ? », propose le signor Bignamini. Attilio, l'aubergiste, a du mal à en croire ses yeux : tant de clients à cette heure, alors qu'il vient à peine d'ouvrir. Mais, rapide, il descend les chaises des tables, verse le vin, tranche le pain. Bianca est restée en arrière avec Innes et Minna ; Pia murmure quelque chose à l'oreille du vieux prêtre, et il acquiesce de la tête ; ils s'embrassent et il la quitte pour se diriger vers le cimetière. « Il nous conseille de prier pour accepter, parce que le Seigneur fait quelquefois des choses qu'on ne comprend pas. Qu'il ne comprend pas lui-même », rapporte la jeune servante. Et tous quatre reprennent le chemin de la villa, en silence, car que reste-t-il à dire ? Plus tard, ce seront les porteurs, accueillis à la cuisine et récompensés par un verre de vin, qui raconteront à quelle triste scène ils ont assisté au cimetière : la tombe qui abrite déjà les dépouilles de Battista, d'Andreina et de Vittorio – les deux, trois enfants déjà perdus évoqués par Bernocchi : trois, pour être précis – rouverte pour faire place à cet autre petit cercueil, les sanglots de donna Clara, l'effroyable silence de donna Julie et de don Titta. Elles pleurent toutes, les braves domestiques ; car dans leurs têtes à elles, il est bien imprimé, le petit visage de Franceschina, et elles se rappellent ses marottes et ses caprices. « Elle aimait tant mon flan aux amandes ! soupire la cuisinière. Elle aurait pu s'en nourrir, pauvre petite. – Et vous vous rappelez quand elle n'a pas voulu que nous tordions le cou au poulet roux, qu'elle lui a mis un ruban et qu'elle le soignait comme un bébé ? – Et quand elle m'a demandé de faire une robe à sa poupée, exactement comme la sienne. » Toquades d'enfant, toujours différentes, toujours les mêmes. Bianca sort et s'assied sur la dernière marche de l'escalier, les coudes sur les genoux, contemplant le jardin, sa beauté indifférente, un petit flocon de nuage qui flotte, solitaire, au-dessus du grand platane.

« Qu'allons-nous faire ? demande-t-elle à Innes, qui l'a rejointe et s'est assis à côté d'elle.

— Oh, je ne sais pas. Nous irons de l'avant, je suppose. Don Titta a son roman, et c'est heureux, c'est une bonne façon de s'occuper l'esprit. Sa femme deviendra encore plus appréhensive, *poor thing*. Et donna Clara, eh bien ! elle reprendra sa place au timon. Pour elle, c'est facile : une grande maison, une foule de domestiques, les dettes à négocier, ses mitaines de comptable et son lorgnon de hibou en équilibre sur son nez. Ça aussi, c'est une bonne façon de ne pas penser. »

Bianca pourrait sourire. Elle essaie, bravement, mais il lui semble que ses lèvres se déchirent, et elle renonce.

« Et vous ? interroge-t-elle.

— Parlons de vous, plutôt. Comment allez-vous maintenant ? » Bianca sent le regard d'Innes scruter à fond son visage, un regard qui sait. Sans attendre sa réponse, il poursuit : « Parfois, la meilleure manière d'affronter la douleur est de ne rien faire et d'attendre qu'elle passe. S'agiter, s'échapper ne sert à rien, surtout pas à la chasser. Mieux vaut se donner du temps. Souvent, le temps guérit les blessures que la raison ne sait pas soigner. Signé Sénèque, pas Innes », conclut-il, et il regarde devant lui.

Et si c'était vrai ? Si l'on pouvait retourner à la vie d'avant, aux habitudes, au rythme naturel des choses, et laisser peu à peu les plaies se refermer ? Soudain, Bianca n'a plus qu'une envie : que rien ne change, que tout reste immobile, enfermé sous une plaque de verre comme ses feuilles et ses fleurs. Elle fixe des yeux Innes, qui la fixe en retour ; peut-être a-t-il compris, ou peut-être que non, peut-être pense-t-il encore à sa première question, car il dit :

« Je crois que de ma part, ce serait une mauvaise idée de partir maintenant. Ce qui ne veut pas dire que ce soit une mauvaise idée dans l'absolu. » Ah, nous y voilà. Bianca le savait. « Vous serez la première à connaître mes intentions, au cas où je me déciderais. Nous avons une grande chance : si nous le voulons, nous pouvons partir. Cette vie n'est pas notre vie. Tourner le dos à tout cela sera douloureux. Mais c'est possible. »

Puis il lui prend la main, la serre dans la sienne. Elle ne la retire pas. Elle aime bien cet homme trop grand, aux membres trop longs, aux pensées tumultueuses, au regard si souvent ailleurs. Non seulement elle l'aime bien, mais elle a confiance en lui plus qu'en tout autre homme au monde. Zeno, son adorable petit frère aux yeux brillants comme les boutons de son uniforme, est reparti le soir de la fête, évitant la tragédie ; et, avec lui, le beau Nittis aux yeux d'encre, qui promettent et éludent. Peut-être tous les soldats sont-ils ainsi : ils se saisissent de ce qu'ils trouvent, puis ils l'emportent et s'échappent, voleurs bien pardonnables, car ils savent que tôt ou tard ce peut être une balle de fusil qui les emportera. Innes aussi est un soldat, mais un soldat en manches de chemise ; pourtant, il ne s'enfuit pas : il va vers quelque chose qu'il désire, qui n'existe pas encore mais est possible. C'est cela, la différence. Alors que don Titta, qui voudrait tant marcher sous la même bannière, ne peut s'en aller nulle part. Bianca se remémore un fragment de conversation, partagé un après-midi au salon, alors que toutes les fenêtres étaient grandes ouvertes :

« Un écrivain, un poète possède les mots, et en cela et pour cela il possède aussi les choses que ces mots désignent, avait dit Tommaso, joignant le bout des doigts de ses deux mains ouvertes dans un geste familier de concentration.

— C'est vrai, avait répondu don Titta. Si posséder, c'est connaître, alors nous qui travaillons les mots possédons et connaissons le monde, ou au moins nous faisons de cette ambition notre tentative quotidienne. Mais donner un nom aux choses, mon ami, ne nous rend ni plus sages ni plus heureux. À la rigueur, un peu plus conscients.

— Vous ne croyez pas que nous sommes venus au monde pour être heureux ? avait insinué Tommaso, presque méprisant.

— De temps en temps, avait dit don Titta en observant ses enfants qui couraient sur le gravier, de temps en temps, j'aime m'abandonner à l'illusion que si.

— Mais si votre bonheur dépend des autres, avait rétorqué Tommaso, suivant son regard au-delà de la fenêtre, alors vous avez bien peu de chances de le garder.

— Dans ce cas, que suggères-tu ? Est-il heureux, le stylite en haut de sa colonne ? Est-il heureux, le moine dans son ermitage ? Moi, j'ai envie d'être heureux dans le monde.

— Alors que moi, je me contente du petit monde de mon bureau, avait dit Tommaso.

— Et c'est là, avait conclu don Titta, que nos conceptions divergent. Crois-moi, Tommaso, nous ne sommes rien sans amour. Et je parle de l'amour pur, celui qui ne demande rien, qui n'est jamais trompeur. Celui qui se confie et donne. Nous finissons par en dépendre, c'est vrai, de même qu'il dépend de nous. Il crée des liens, des attaches. Et tous les liens sont des complications. Mais j'ai envie d'être compliqué dans le monde. »

Là-dessus, il s'était levé, avait ouvert la porte-fenêtre et appelé à lui Giulietta, qui avait freiné dans sa course en soulevant deux giclées de gravier pour revenir sur ses pas, courant toujours, et voler entre les bras ouverts de son père.

Voilà : don Titta est le maître des mots, mais, par amour, il n'est plus le maître de lui-même. Il ne peut s'en aller nulle part. Peut-être le voudrait-il, mais son monde l'appelle, le retient, a besoin de lui. Un monde dans lequel passe maintenant, légère, une petite ombre de plus.

Bianca feuillette ses chemises cartonnées, prépare son fusain, noue son tablier autour de sa taille, s'assied à la table dans la serre que personne n'a encore réparée et qui reste miraculeusement fraîche, traversée de mille souffles d'air ; mais quel sens cela a-t-il, maintenant, de faire le portrait de la légèreté du chèvrefeuille ? Il y a d'autres choses, dehors : la tache de lichen, pareille à un épanchement, sur la joue de pierre d'un *putto* ; la symétrie malade des champignons qui grimpent, tels des essaims de gros insectes sur un tronc abattu ; la vibration d'une toile d'araignée, que les gouttes d'une averse révèlent et mettent en danger, d'une morbidesse sale, fragile, vénéneuse. Elle voudrait que rien n'eût changé, alors que tout s'est déjà transformé ; à moins que ce soit son regard qui voit désormais d'autres choses là où, auparavant, il n'y avait que la pure, douce grâce d'un jardin cultivé avec beaucoup d'amour. La beauté court toujours des risques.

C'est étrange comme le temps, quand il n'est plus gouverné, se dilate et s'épand avec indifférence, allongeant et vidant les heures. Si naguère il importait tant de le remplir de rites et de rythmes, que c'était si juste et si nécessaire, maintenant plus rien ne vaut ni ne compte. Ni travail, ni commission ne peut venir à la rescousse. On attend. Il est trop tôt pour tenter d'oublier : la douleur est si fraîche qu'on ne peut que la revivre, en s'étonnant de sa force toujours nouvelle. Ainsi passent les jours, les semaines, sans le moindre événement pour agiter la surface du vide. Ce qui compte est en dessous, à l'intérieur, et tourmente sans cesse et sans répit.

Puis quelque chose se produit.

« Madame… »

Du tapage dans l'entrée, mais personne ne semble y prêter attention ; tout le monde est assis de son côté, l'un ici, l'autre là, en cette soirée qui est une autre coquille vide ; mais donna Clara l'a voulu, et la représentation continue. Ne manque que donna Julie, plus que jamais dispensée des obligations et des formalités. Bianca est la seule à lever le regard vers la porte où est apparu Ruggiero. Non : Innes s'est dressé d'un bond, s'approche du majordome, écoute le message qu'il lui communique à voix basse.

« Nous avons de la visite », annonce-t-il enfin. Il regarde fixement don Titta, qui lève lentement la tête comme si elle pesait un poids insupportable, puis la baisse de nouveau, muet. « Il faut nous préparer. »

Tommaso se lève, s'approche de la fenêtre fermée, écarte un rideau. Donna Clara le scrute, hostile, comme si c'était sa faute.

« De la visite ? Nous avions expressément demandé…

— Je crains que ces messieurs ne se préoccupent guère de nos demandes », dit Tommaso, se retournant vers les autres.

Il est étrangement en éveil, presque excité, le dos bien droit, les mains dans les poches pour feindre la nonchalance. De nouveau, la porte s'ouvre et, cette fois, Ruggiero annonce :

« Le lieutenant-colonel Steiner, de l'armée impériale et royale. »

Il s'écarte pour laisser entrer un officier blond, jeune, très soigné, aux pénétrants yeux bleus. Le maître de maison se lève lentement, mais au lieu de s'avancer rejoint Tommaso près de la fenêtre, tournant le dos à la scène.

« Vous désirez ? »

Du fond de son fauteuil, donna Clara crache ces deux mots, regardant l'officier de bas en haut.

« Bonsoir », dit celui-ci. Il a un accent lourd, qui scande lentement : une pensée, un mot. Il lui faudra du temps pour construire une phrase entière. « Au nom de Sa Majesté… informations… perquisitionner… documents. »

Bianca a la sensation que ses mots lui arrivent déconnectés, un par un, sans lien entre eux ; elle ne saurait dire si c'est elle qui est distraite ou l'italien du colonel qui, vraiment, est des plus laborieux. Son regard passe d'Innes à Tommaso, de Tommaso à Innes : ils semblent tranquilles, en contrôle d'eux-mêmes. Don Titta continue à tourner le dos à la scène, comme si elle ne le concernait pas. C'est un long moment de suspens, où il ne se passe rien. Puis, derrière l'officier, apparaissent deux autres soldats, qui se plantent à droite et à gauche du chef, attendant ses ordres. Aux cliquetis provenant de l'entrée, on comprend qu'il y en a d'autres encore. Ils se répandront dans la maison, ouvriront des tiroirs, renverseront des bureaux, jetteront bas des livres. C'est arrivé chez les Maffei, chez les Confalonieri, chez les Gallerani, et même chez Bernocchi, dans son domaine à la campagne, comme en un désastreux jeu de dominos : perquisitions, découvertes, condamnations éclairs. Du déjà vu, du déjà survenu et largement attendu ; inévitable. Bianca se sent glacée ; mais c'est tout ce qu'elle éprouve : un froid lent qui l'enveloppe tout entière, en partant des jambes, et la cloue au fond du divan.

Tout va si vite qu'elle n'a même pas le temps d'avoir peur. Car dans le moment de suspens avant que les militaires ne se mettent à la besogne, voilà qu'entre eux se glisse une petite silhouette toute blanche, animée par la pure force de la volonté : donna Julie. Ignorant les inconnus, elle les dépasse, minuscule entre ces grands gaillards galonnés.

« Titta, dit-elle, les enfants vous réclament. » Lui semble n'avoir pas entendu. « Titta », répète-t-elle, un rien plus fort.

Il se retourne enfin, s'avance vers sa femme, lui passe un bras autour des épaules et l'emmène hors de la pièce. L'officier regarde le couple, interdit : pour qui se prennent-ils, ces gens, pour oser l'ignorer ? Mais ils vont voir ce qu'ils vont voir.

« Je n'ai peut-être pas été assez clair », dit-il, et cette fois, toute trace de courtoisie a disparu de sa voix.

Erreur. Car à présent c'est donna Clara qui parle :

« Notre famille, dit-elle, se levant avec peine en s'appuyant des deux mains aux bras de son fauteuil, vient d'être frappée par un deuil. Regardez-nous. » Et, de la main, elle fait un grand geste qui embrasse tout le salon : vêtements noirs, solitudes qui se tiennent à distance. L'officier est saisi par le doute : s'il s'agit d'une fiction, elle est diablement bien orchestrée. Mais si ça ne l'était pas ? « Comment pouvez-vous avoir l'audace de vous introduire… dans

un moment pareil… Ah, mais j'en référerai au gouverneur… la noblesse milanaise compte encore pour
quelque chose, dans cet affreux monde à l'envers qui
ne respecte même pas la mort. Laissez-nous en paix.
Allez-vous-en. Maintenant. Tout de suite. Partez. »

Le lieutenant-colonel Steiner ne sait que dire. Ses
informateurs disposent de sources sûres : le « tuyau »
est arrivé il y a plusieurs semaines, et entre-temps on a
effectué toutes les vérifications nécessaires pour éviter
un grave incident diplomatique – car ce n'est pas d'un
nobliau quelconque, mais du Poète qu'on parle – au
cas où les accusations se révéleraient infondées. Mais
elles ne le sont pas, et Steiner a décidé d'agir. Si
donna Clara avait pleuré en se tordant les mains,
peut-être n'aurait-il été pris d'aucune pitié. Mais à
présent, les visages de pierre, la pesante dignité de la
douleur qui stagne sur la maison, les regards de tous,
serviteurs compris, qui, au lieu de se baisser avec
crainte, le fixent et le transpercent, tout cela fendille
son assurance et son zèle.

« Je ne savais pas, dit-il enfin. Je vous présente mes
excuses. »

Plus tard, harcelé par le doute d'avoir commis
une erreur et de toute façon gaspillé une soirée, il
se demandera si ce qu'il a vu n'était pas une mise en
scène : tous ces Italiens, avec leur penchant pour la
théâtralité, il est difficile de jamais leur faire vraiment
confiance. Il lui suffira de feuilleter les gazettes pour
comprendre que tout était vrai, que tout est vrai, et
se sentir un bref instant le malheureux esclave du
devoir. Mais la justice doit suivre son cours. Combien
de temps leur accordera-t-il ? Pas beaucoup. Ensuite,

son poing de fer s'abattra pour déjouer les plans de ces traîtres mécontents, qui ont tout, mais, ce tout, prétendent le mettre en jeu ; et tant pis pour eux, car ils ne savent pas encore ce qu'ils perdront : s'ils restaient dans leurs salons à bercer le souvenir de leurs morts, il y aurait moins d'ennuis pour tout le monde.

Au demeurant, le message est parvenu haut et clair à ses destinataires : l'inévitable est à la porte ; les choses devront changer, et non de la façon définitive et éclatante à laquelle on travaillait dans l'ombre ; on ne renversera aucun gouvernement, on ne fera aucune proclamation ; non, il reste encore du temps pour établir des compromis, où c'est l'art de la fuite qui résout les situations, au moins pour quelque temps, au moins pour ceux qui peuvent s'éloigner. Combien de temps ? Le moins possible ; une semaine, pas davantage.

Il peut s'en passer, des choses, en une semaine.

« Il est parti comme un voleur, en pleine nuit. Oui, oui. Le petit monsieur a pris peur, tu ne crois pas ?

— Si, et il a dû aller se faire chouchouter par madame sa mère.

— Mais puisqu'ils ne se parlent plus ! C'est le majordome qui me l'a dit, quand il est venu nous apporter ses chemises, parce qu'il les avait usées, pauvre garçon. Drôles de maisons, les maisons des riches, c'est moi qui te le dis. Mais le majordome les aime bien, les petits garçons à leur maman.

— Et maintenant ? Ils ont fait la paix et la brouille est finie ?

— C'est dans les moments difficiles que les familles se resserrent.

— Allons, tais-toi donc, madame je-sais-tout ! Ce qui est sûr, c'est qu'il a eu une trouille bleue. C'est nous qui avons des rebelles qui prennent le thé au salon, mais chez le petit monsieur Reda, le drapeau autrichien, on se baisse pour l'embrasser. Ce n'est pas là que les soldats se pointeront un soir pour renverser les meubles.

— Oui, et ensuite, qui les remet en place, hein ? »

Voix qui se croisent, rebondissent, insinuent, supposent, jugent. Le fermier qui dit sa façon de penser, la cuisinière qui en sait toujours plus long que tout le monde, et les autres, les comparses, les figurants, qui ne s'animent que quand personne ne les regarde, confusion indistincte de mimes dans une scène de masse. Bianca s'efforce de faire taire le mal de tête qu'ils lui causent en restant au lit plus tard ; mais, pour ne pas entendre, il faudrait fermer la fenêtre et l'air frais du matin lui fait du bien, ou du moins c'est ce qu'il lui semble.

Ainsi, il est donc parti. Parti de nuit, comme un voleur, et au moins sur ce point la sentence des domestiques est douloureusement précise : dans cette maison, ne s'est-il pas emparé de ce qu'il convoitait ? Voleur, voleur. Bianca enfonce sa tête dans l'oreiller et pleure des larmes amères que l'étoffe s'empresse d'absorber. Ses pensées s'entrechoquent dans sa tête comme des nuages poussés par des vents contraires, qui flottent très haut dans le ciel : j'aurais dû le savoir, j'aurais pu faire machine arrière, je me suis fiée à lui, alors que c'est un ver, un monstre, je le hais, il me plaisait, je le voulais, non, je n'en voulais pas, pas ainsi, ou peut-être que si, c'est arrivé et c'est ma faute, non, sa faute à lui, la mienne, la sienne, la mienne, la mienne, la sienne. La mienne. Pourtant, de ce chaos se détache une certitude : personne ne doit savoir. Donc, personne ne saura.

Il n'est aucun jour de ma vie où cette douleur n'ait atteint sa cime.

Ce ne sont que trois petites pages écrites d'un jet par don Titta, par un de ces jours tous semblables où il n'a ni mangé ni dormi. Et c'est Innes (comme, plus tard, il l'a raconté à Bianca) qui lui a pris des mains les feuillets tachés d'encre, les a lus le premier et les a lentement agités en l'air.

« Titta, il faut publier cela. »

Lui n'aurait pas voulu, mais il était trop épuisé pour s'opposer, et de toute façon peu lui importait.

« Je le sais, vous avez écrit pour vous-même, pour vous purger l'âme, mais c'est de cela que les gens ont besoin. De paroles propres, claires, qui vous montrent au monde pour ce que vous êtes.

— Je ne suis rien, a-t-il répondu en appuyant son front à la vitre. Je ne suis rien, et rien ne m'intéresse.

— Vous êtes un père en deuil qui n'a pas peur de montrer combien il souffre.

— Mais on va penser que je cherche à en profiter.

— Si vous vous en inquiétez, alors ce n'est pas vrai que rien ne vous intéresse. Et de toute façon, on pensera ce qu'on pense de votre poésie : qu'elle fait du bien au cœur, parce qu'elle arrive à dire ce que personne n'est capable de dire. C'est pour cela que vous êtes au monde, vous les poètes, vous les écrivains. Pour trouver les mots justes, ceux que tout le monde cherche et qui échappent à tout le monde. Je vais voir Marchionni, je suis sûr qu'il sera de notre côté. »

Et de fait, Marchionni, imprimeur, père aimant de trois jeunes enfants et commerçant habile, a parfaitement compris ; en sorte que la ville – les librairies, les kiosques – a bientôt été envahie par ce mince fascicule bleu pâle, qui coûte deux sous (non, il n'apportera pas la richesse ; mais plus de célébrité, certainement) et qu'on ne peut même pas qualifier de plaquette. *La Mort de ma petite fille* est un titre qui rebute et attire en même temps. Queues devant les kiosques, discussions dans les cafés, réimpressions rapides : assez pour éveiller les soupçons de l'autorité impériale et la convaincre qu'il y a là un message codé, un pamphlet subversif astucieusement rédigé par un des plus dangereux et des plus sournois conspirateurs contre le régime, connu pour son adhésion à la cause ignominieuse de l'indépendance et qui, jusqu'ici, est parvenu à échapper aux tenailles des enquêtes. La rumeur dit qu'on a mis au travail les décrypteurs de la police, pour qu'ils lisent entre les lignes ce qui ne s'y trouvait pas ; et que ce qui s'y trouvait, le journal modeste d'une peine immense, les a laissés – même eux – les yeux humides et la gorge nouée. Peut-être Innes avait-il raison : tout passe dans cette famille. Il n'y a que l'art qui compte. Et si le métier de l'écrivain consiste à extraire l'art de la vie, eh bien ! il fait ce qu'il peut avec ce qu'il a. Peut-être n'y aura-t-il aucun roman, et peut-être l'azur littéraire promis par le grand poète d'occasion prêt à devenir grand romancier s'est-il embué pour toujours ; mais il restera ces pages, mémorables parce que courageuses, vivantes, vibrantes d'une douleur dans laquelle chacun peut se refléter, ceux qui l'ont éprouvée comme ceux qui la redoutent. Sans compter que la douleur d'autrui est toujours si délectable. L'innommable bête aux aguets, toujours tenue à distance, toujours trop proche, qui ne laisse personne en paix et ne peut laisser personne indifférent, même dans les moments de fête où l'on se réconforte en dansant le menuet. Il y a aussi, comme le soutenait avec tant de passion donna Julie et comme le fait finement remarquer le chroniqueur anonyme de la *Rivista delle lettere*, une nouvelle façon d'être père et mère : une façon qui abandonne l'indifférence mécanique de la reproduction de l'espèce en faveur du choix. *Et tout ce qu'on choisit*, commente l'anonyme dans une envolée finale, *devient une responsabilité morale plus encore que sociale.*

Et ce qu'on ne choisit pas ? Ce qui vous est imposé, ce qui vous tombe dessus et qu'on se retrouve à couver bien malgré soi, comme une répugnante maladie contractée par erreur ou par hasard, par manque de défenses, par suprême faiblesse ? L'inconnu monté à bord, par exemple, qu'a-t-il à dire à ce sujet ? Rien. Il se tait et il croît, déversant en Bianca la nausée de sa présence importune. La seule idée de la *responsabilité* la ferait rire, si elle en avait l'envie et la force ; et elle prendrait volontiers au collet ce gratte-papier qui croit en savoir si long, lui qui jamais ne portera d'enfants dans son ventre, voulus ou non. Il pourra en engendrer et congédier sa concubine de passage avec un sachet d'écus, ignorant leur existence ; en assumer la charge en leur payant une instruction dans quelque lugubre collège de province ; les légitimer ou les méconnaître ; et même les aimer, si cela lui agrée, si l'envie l'en prend, si la mode le suggère. Il fera comme ont toujours fait les nobles et les riches : ce qui lui plaît. Mais il y a aussi ceux qui ne peuvent choisir, et doivent faire comme ils peuvent.

Et comme rien ne peut redevenir comme avant, c'est la nouveauté qui s'impose, celle qu'on n'aime ni ne connaît, lançant des signaux d'avertissement. La bouche envahie d'acide ; un épuisement mortel qui la saisit par surprise, lui ôte l'envie de la moindre action et lui inflige des sommeils improbables, ahuris, à n'importe quelle heure du jour ; le poids des seins qui grossissent, se pressent sous le bustier léger et font mal rien qu'en frôlant la mince étoffe de la chemise. Des signaux, des signes : les signes de ce qu'elle craignait. Bianca est assez avertie pour les reconnaître, et elle devra tout faire toute seule. Mais faire quoi ?

Je ne savais rien : les paroles de la folle, du fantôme, de la petite femme humiliée par la vie lui reviennent maintenant à l'esprit, et, pour la première fois, au lieu de la mettre en colère, elles lui font pitié, pitié pour cette femme qui devient pitié pour elle-même. C'est si facile de croire tout savoir, de se sentir debout sur la pointe des pieds et au sommet du monde ; puis, voilà que la bulle éclate : ce n'était pas le monde, c'était une illusion savonneuse pleine de couleurs aussi belles que fausses, et on tombe. Une femme déchue : soudain, l'expression prend un tout autre sens, littéral, représentable. C'est si facile de rester à même la terre, ensuite, de se noircir de boue pour tenter de n'être vue de personne, si personne ne vous tend la main pour vous aider à vous relever. L'image qu'elle a gardée d'elle-même, descendant l'escalier pour être accueillie en bas par Zeno et Paolo, est une figure trop vivante, presque fausse dans sa gaieté : alors, il y a quelques semaines, il y a un siècle, elle n'avait pas besoin de leur main, elle ne chancelait pas, elle savait marcher toute seule, ou du moins le croyait. Personne ne doit savoir ; mais si, voilà, tout le monde saura.

Si l'on pouvait faire un échange : la vie de ce nouvel enfant que personne n'a appelé au monde contre celle de Franceschina, qui y a été invitée par l'honnête amour conjugal et y occupait sa place, avait su s'y faire aimer. Mais de tels trocs ne sont ni permis ni concevables ; il n'y a pas de logique dans les desseins du destin, ce sont des griffonnages dans la marge du papier, ou plutôt des taches d'encre échappées à la plume par maladresse, impéritie, erreur, ou simplement par hasard ; mais le blanc qu'il y avait en dessous disparaît de toute façon, englouti par un lac noir.

Et comme si cela ne suffisait pas, ce qu'elle vit dans sa chair, sous sa peau et dans son cœur qui pèse comme une pierre est une histoire qui n'a rien de nouveau, et cela est une certitude qui s'ajoute à la douleur et la rend encore plus violente. De tous les lieux qui l'entourent, c'est l'église, maintenant, qui lui semble le refuge le plus opportun : il n'y a jamais personne. Et là, Bianca comprend que le silence est le lieu où l'on peut parler avec les absents, ou mieux, les laisser parler muettement dans ce vide qu'est l'espace qu'ils occupent à l'intérieur de nous. Tous défilent, tous, il n'en manque pas un : sa mère, le regard lourd de reproche ; son père, la main pressée sur le cœur comme pour faire taire son chagrin ; Franceschina, un battement de petits pieds qui est déjà l'écho de sa course dans le monde. C'est là, dans l'église, que la trouve don Dionisio, annoncé par son halètement coutumier de bête blessée. Même lui ne sait pas, lui qui pourrait garder le secret mieux qu'aucun autre ; et puis, que serait-ce pour lui qu'un enfant perdu de plus dans un monde qui les perd presque tous ? Quand le vieil homme lui pose une main sur l'épaule, Bianca tressaille ; il s'agenouille près d'elle et commence à prier, et elle l'imite, sans croire un instant que, quelque part, quelqu'un voudra l'écouter.

Le tuer ? La tuer ? Et si c'était le fantôme de Franceschina qui s'incarne, un de ces spectres qui reviennent pour se venger, ou guérir de la mort, ou du moins s'octroyer une seconde possibilité après s'être brûlés la première fois au feu follet d'une vie trop brève ? Et si c'était sa punition et sa rédemption d'accueillir cet être de seconde main, de l'élever et de le laisser dévaster son existence pour récupérer la sienne et, en quelque sorte, équilibrer les comptes ? Les sombres rêveries de Bianca admettent n'importe qu'elle hypothèse, mais, à la fin, rejettent la plus cruelle, qui serait aussi la plus simple. Le tuer et mourir, comme cela se fait parfois ; se supprimer à deux, en une seule fois, sans trop faire d'histoires. Des décoctions de persil, des fers rouillés, un lac de sang, et voilà tout. Qui s'en soucierait beaucoup ? Elle n'a plus de père qui, comme don Titta, puisse pleurer l'absurdité de sa propre survie ; ses frères ont leur futur à vivre, et pour ce qui les concerne elle appartient à leur enfance, petite figure gracieuse désormais figée dans cette campagne lointaine ; et personne ne regrette longtemps une domestique, fût-elle de luxe. Bianca se sent seule au monde, et donc elle l'est. Elle s'imagine en train de prendre le large à bord d'une barque où il n'y a qu'elle et une malle pleine de couleurs, et s'éloigne dans un remous discret sur une mer d'étain, vers un ciel d'acier. Elle se voit du dehors, se fait pitié et se pleure. Elle a froid ; plus rien ne la réchauffe, maintenant qu'en elle grandissent la honte et la vie.

Ils sont en voiture, Innes et elle. Seuls. Un rapide saut en ville, pour rapporter des objets oubliés et indispensables, maintenant que plus rien ne l'est : une façon de rendre service à don Titta et à donna Julie, et aussi de s'extraire de toute cette douleur qui stagne dans les pièces, même s'il suffisait d'ouvrir les portes-fenêtres pour que, dehors, elle s'évapore, et que les voix des enfants qui crient et piétinent le gravier résonnent, insupportables dans leur normalité. La voiture vient de dépasser la limite du parc, où sept nymphes insensées dansent en demi-cercle leur danse de pierre en pleine campagne : une bizarrerie qui a toujours fait sourire les invités, et Bianca aussi, mais plus maintenant. Les champs, bien ordonnés dans leurs verts modulés, disent la sobre beauté du bon travail et de la bonne terre, et personne ne peut les entendre.

« Je m'en vais.

— Mais alors… »

Alors, ce que vous m'avez dit n'était pas vrai ; alors, le moment de suivre ma voix intérieure est déjà venu ; mais comment ferai-je sans vous ? Autant de choses que Bianca ne dit pas, qui se pressent sur ses lèvres mais n'en sortent pas, réprimées par un reste de dignité.

« Je retourne à Londres. J'ai des amis, là-bas. Figurez-vous qu'ils rassemblent autour d'eux toute une petite famille d'exilés : ils ont cette stupéfiante inclination à aimer les ratés. Et pour moi, ici, les choses commencent à sentir le roussi. »

Innes sourit, d'un sourire faible ; même en ce moment, il parvient à garder ce détachement qui est le sien : c'est comme s'il se regardait de l'extérieur et se trouvait irrémédiablement, mélancoliquement comique.

« Et si je venais avec vous ? »

Des mots prononcés en hâte, sans réfléchir, échappés à la tête et aux lèvres ; le temps de les dire, et ce sont déjà les mots justes, les seuls possibles. Innes la regarde, fronçant à peine les sourcils. Puis un autre sourire, un éclair de malice épuisée :

« Nanny pensera que toutes ses plus sombres conjectures étaient fondées.

— C'est vrai », dit Bianca, sachant qu'il savait. Et, après un silence, avec un grand sourire qui porte en lui les paroles nécessaires : « J'attends un enfant. »

Dans la pénombre de la voiture, elle ne parvient pas à lire l'expression d'Innes, mais elle peut l'imaginer : les lèvres qui se serrent, les sourcils qui, soudain, se rapprochent. Les questions, les hypothèses. Elle se prépare à répondre, anéantie par l'humiliation, mais c'est le moment de l'honnêteté. Elle attend. Il se tait, et le bruit des sabots semble s'amplifier démesurément : il devient pareil au tonnerre, puis, comme le tonnerre, s'éloigne, et c'est comme si Bianca était de nouveau sous l'eau, où elle peut s'enfouir hors du monde et n'écouter que les échos lointains d'un océan où elle pourra se perdre, ou oublier. Il va falloir parler, expliquer, s'expliquer. Répondre à des questions. S'humilier. Mieux vaut rester immergée, en apnée.

Puis sa voix, qui la ramène en un instant à la surface :

« Alors, nous nous marierons. »

Bianca bat des mains dans l'eau ; elle ne sait plus bien où elle se trouve, voudrait replonger dans les profondeurs, tente de le faire, mais ne peut pas : comme si la sagesse de son corps lui disait de surnager et de ne plus se cacher, parce que de toute façon cela ne sert à rien, et d'ailleurs ce n'est pas si furieusement nécessaire. C'est la vie qui s'accroche à la vie.

« Ne craignez rien : je vous demanderai seulement d'être mon amie, comme je serai le vôtre. Ce sera notre pacte. Et Londres vous plaira, poursuit-il du ton dégagé d'une conversation entre compagnons de voyage. Je sais que vous connaissez un peu la ville, mais celle à laquelle je pense est un autre Londres. Il faudra nous y enraciner, nous habituer au brouillard, oublier le soleil de cette terre bénie. Il faudra travailler, aussi. Sérieusement. Je crains fort qu'ici, nous n'ayons pris de mauvaises habitudes. Ce ne sera pas facile, au début. Mais nous y arriverons. Nous savons faire des choses, et nous sommes deux. Nous y arriverons même à trois. » Il lui prend une main, la retourne, dépose un bref baiser sec sur la paume, puis la ferme et la repose sur ses genoux. « Et avec le temps, peut-être découvrirons-nous que nous pouvons aspirer à quelque chose de plus. »

Bianca n'ose le regarder ; elle se laisse ballotter au rythme de la voiture ; ce petit baiser lui brûle la peau et elle voudrait la frotter, mais ne le peut, de peur d'être mal comprise, et parce qu'elle ne sait si c'est une brûlure de tourment ou si, au contraire, elle ne contient pas un germe de simple, diffuse et confuse joie. La pauvre joie du soulagement, ou autre chose ? Assez de questions. Quelle que soit la réponse, à l'heure qu'il est elle n'a aucune importance.

C'est l'heure des valises, et Bianca ressent l'agacement de celle qui n'est plus vraiment là et n'est pas encore ailleurs. Elle ne sait que faire de ce temps intermédiaire où les gants sont à enfiler et où le désordre – qui anticipe la bousculade continue et obstinée du voyage – prend le dessus sur tout le reste. Ce n'est pas comme si elle partait pour une villégiature : elle devrait se sentir contrite, oppressée. Et pourtant, entre le sentiment de culpabilité, la peur et la mélancolie se fait sentir dans son ventre un battement d'ailes d'oisillon qui s'enfuit. Ce n'est pas son cœur, non : lui est insensible, pétrifié, ou peut-être seulement absent, désagrégé, parti en poussière dans ses veines jusqu'à se dissoudre dans le flux de son sang. Soudain, elle repense au platane de Padoue qu'elle a vu avec son père : très claire lui apparaît l'image du grand arbre foudroyé avec sa fente noire au centre, et pourtant chargé de feuilles, ombreux, frais, vivant. C'est ainsi qu'elle est vivante, et sans cœur. Et au vrai, ce n'est pas son cœur, mais sa tête, désembuée de son appréhension, qui la guide en ces heures ultimes, pleines d'objets à rassembler : les choses indispensables qui font de nous ce que nous sommes, ou du moins nous plaît-il de le croire, celles que nous ne pourrons jamais laisser derrière nous. Une boîte de couleurs, des pinceaux, une liasse d'esquisses, les reliques de la mémoire : les boucles d'oreilles de sa mère, des lettres, des miniatures, les pages d'un journal. Et l'argent, bien gagné et bien rangé dans les sachets de damas, pour faire glisser les roues de la voiture sur des routes parsemées d'or. Les cadeaux, non : l'œuf de pierre blanche, le châle, la grenade, les semences dans leur boîte en argent resteront là, alignés sur la table vide, collection illusoire que se partageront des mains indifférentes.

« Je viens avec vous », dit Pia, tranquille.

C'est seulement alors que Bianca remarque aux pieds de la jeune servante un balluchon, fait d'un morceau de couverture – rougeâtre, rêche même au regard – qui doit contenir, bien serrés, les rares effets qu'elle possède.

« Mais, Pia, ici tu as une maison, une famille, dit Bianca. Et il… »

Elle se tait, en se mordant la lèvre.

« Il est malade, il va bientôt mourir, il me l'a dit, répond Pia sans comprendre, ou plutôt si, comprenant la seule chose juste. Et quand il ne sera plus là, moi, je n'aurai plus personne. Quant aux autres, vous savez, ils n'ont pas besoin de moi. Et quand le bébé sera là… »

Le bébé. Pia sait. Bianca, sans le vouloir, baisse les yeux sur son ventre, sur lequel rien ne se voit, car la ceinture de sa robe l'enferme et le comprime. Mais alors, comment sait-elle ? Et si tout le monde savait ? Mieux vaut ne pas se poser la question. Ou faut-il croire que la petite Pia, qui la regarde et attend, patiente, sûre d'elle, possède le regard divinateur d'une Cassandre ? Le bébé. Soudain, Bianca ne supporte plus ces yeux qui fixent les siens, se cache la tête entre les mains et se déteste, parce qu'elle ne peut penser à rien d'autre. *Jusqu'à quel point le haïrai-je ?*

Comme si elle lisait dans ses pensées, Pia fait un pas en avant et lui pose une main sur le bras.

« Il aura besoin d'être aimé. Ce n'est pas sa faute. Ce n'est jamais la faute des enfants. »

Et tu le sais mieux que personne, Pia, pense Bianca, envahie d'un élan de tendresse qui, l'espace d'un instant, lui permet de s'oublier. Mieux que personne. À son tour, elle lui pose une main sur le bras. Et tout est décidé.

Cliquetis des dernières serrures. Un regard à la pièce où s'est déposé un silence vide. Gémissement de pas sur le gravier. La fenêtre est entrouverte sur un jour encore très pâle. Des voix discrètes, mais bien distinctes.

« Acceptez. C'est le moins que je puisse faire.

— C'est vous qui le dites.

— Allons, ne me jugez pas, je le fais assez bien moi-même. Je ne peux pas changer ma vie, je n'en ai jamais été capable. Permettez-moi au moins de changer celle d'autrui.

— Je sens en vous une toute-puissance presque divine.

— Vous me trouvez présomptueux ? Je le regrette. Pour une fois, je vous assure, ce n'est pas la présomption qui me guide. Mais c'est assez, cessez de faire le difficile, vous ne pouvez pas vous le permettre : vous savez très bien que vous en aurez tous besoin. Ne craignez rien, ce n'est pas moi qui frappe ma propre monnaie, vous n'aurez pas à contempler mon auguste profil chaque fois que vous dépenserez un sou. Et quand vous serez installés, indiquez-moi par lettre une adresse pour mes envois.

— Mais supposons un instant que je la pousse à un métier honteux, tout en employant votre argent pour servir ma cause ? Ou pour le jeu, l'opium ou toute autre forme de dissipation qu'impose la mode ?

— Allons donc. Je vous connais, j'ai confiance en vous. Et de toute façon, mon argent lui est aussi destiné, à votre cause. Je ne peux prétendre que ce soit la mienne, je lui ferais bien peu d'honneur, moi qui la désavoue chaque jour de ma vie par tout ce que je suis et par tout ce que je fais. Mais de cette façon, de loin, dans le silence, c'est la seule contribution que je puisse apporter.

— En somme, je dois partir avec ce poids sur l'âme : la conscience que j'ai une dette envers vous. Ce n'est pas un bagage léger, vous savez ? »

La voix est sarcastique, le ton grave.

« Tout mon argent ne suffira pas à solder celle qu'aujourd'hui je contracte envers vous.

— Alors, administrez bien votre fortune, parce que nous en aurons besoin longtemps. *Goodbye*. » Une pause. « Et merci. »

Des pas qui montent les marches. Un silence. Puis d'autres pas, plus lents et plus courts, qui crissent plus longtemps sur le gravier et s'éloignent, incertains, presque ceux d'un vieillard.

Le supplice des adieux. Les paroles non dites, les chagrins en concurrence, dicibles et indicibles, le dépit, le soupçon, les bénédictions. Don Titta qui sanglote et serre Innes contre lui comme s'il voulait l'étouffer ; le regard vitreux de donna Clara, qu'on n'a jamais vue si lointaine et qui ferait presque peur ; le murmure de Nanny : « Finalement, vous avez réussi à me le prendre », mais ses yeux sont pleins de larmes et elles ne sont pas pour lui. Minna un pas en arrière, le front têtu ; sa main qui se referme sur une poignée de pièces de monnaie dans un mouchoir en soie et les cache dans son tablier ; l'absence encombrante des autres. Qu'auront-ils compris, que décideront-ils de croire ? Bianca ne s'en soucie plus.

Mais sitôt après les adieux, sitôt avant de partir, elle ne peut se retenir de questionner Innes, vaincue par un regain de son ancienne curiosité qui lui fait oublier sa fatigue :

« Qu'est-ce qu'il vous voulait, Bernocchi, tout à l'heure ?

— Me recommander une âme. Pas la sienne, vous pensez bien. Et de toute façon je ne suis pas prêtre, je lui ai dit de s'adresser ailleurs.

— Et l'argent ? Parce qu'il vous a offert de l'argent, non ?

— Bianca, vous êtes incorrigible. C'est, disons, sa modeste contribution à la fondation d'un monde meilleur. Un commencement : le reste arrivera un peu à la fois, quand nous serons installés. Non, il ne s'est pas converti, son monde lui plaît comme il est. Ce n'est qu'un acte de contrition, tardif mais opportun. Je doute qu'il puisse jamais s'approcher consciemment de la bonté, elle lui semblerait trop banale. Mais il se repent un peu. » Et, voyant qu'elle continue à le fixer des yeux sans comprendre, il ajoute : « Soit, finissons-en avec les secrets. C'est pour Pia. »

Dans l'esprit de Bianca s'allume le soupçon : est-ce possible ? La petite Pia aussi ? Elle aussi ? C'est pour cela qu'elle a compris, pour le bébé, parce que... elle aussi ? Oh, si seulement elle s'était montrée plus vigilante, plus sage, plus attentive. Son expression doit l'avoir trahie, car Innes l'observe avec perplexité, puis secoue la tête :

« Bianca, Bianca, qu'allez-vous imaginer ? Qu'avez-vous compris ? C'est sa fille. »

Sa fille. Comme un nid vide entre les branches dépouillées d'un arbre d'hiver, la vérité est là. Elle y est depuis toujours, y était déjà longtemps avant toi, bien cachée, mais tu ne la voyais pas, et, tant que tu ne la voyais pas, elle n'y était pas. C'est quand enfin elle se montre dans sa simplicité nue que tu la reconnais, que tu acquiesces, que tu l'accueilles, reconnaissant qu'elle n'était pas moins vraie parce que tu ne la savais pas ; et tu t'inclines et la laisses en suspens, austère, pure. Et tout se remet en place.

« Vraiment, vous n'aviez pas compris ? »

C'était si simple, au fond. Il suffisait de regarder les choses sous le bon angle, sans se laisser aveugler par les reflets du malentendu. Au vrai, pouvait-ce être don Titta, le père ignorant, ou, pire, conscient et complice ? Allons, bien sûr que non. Don Titta, qui vénère ses enfants plus encore dans la mort que dans la vie. Innes la regarde avec indulgence et un peu de surprise, et elle espère que, pour une fois au moins, il n'a pas lu dans ses pensées ; puis elle se découvre vidée de tout intérêt pour cette affaire. Mais, de nouveau, elle a honte, se dit qu'il ne la supportera pas longtemps, stupide comme elle a été, sotte comme elle est maintenant, sans défense comme elle sera avec la charge de cet enfant de personne. Innes se borne à dire : « Oh, pour ce que cela importe… » Puis, se tournant en arrière : « Tu es d'accord, n'est-ce pas, Pia ? » La jeune servante vient d'arriver de la cuisine avec deux paniers qui semblent fort lourds : de toute évidence, les provisions pour la première partie du voyage, des fruits, des galettes, des boissons reconstituantes ; et, sans savoir de quoi l'on parle, elle sourit sans desserrer les lèvres et hausse ses minces épaules. Innes la délivre de son fardeau et elle ébauche une courbette. Bien sûr qu'elle est d'accord : qu'importe ce qui a été, si la conséquence est qu'elle est là maintenant ? Elle aurait pu ne pas naître, balayée sans tous ces égards quand elle était encore moins que rien. Ou rester empêtrée pour toujours dans son destin de servante, et en ce moment elle serait avec les autres, ses pairs, debout et bien en rang pour un adieu triste et indifférent, dans la hâte de retourner à ses pauvres occupations. Alors qu'elle est de l'autre côté de la barrière : c'est son poids qui fait grincer les ressorts de la voiture quand elle y monte la première et s'installe dans un coin, rajustant les plis de sa jupe ; c'est sa main qui se tend par la fenêtre avant même qu'elle y passe la tête et adresse un au revoir à ceux qui voudront bien s'en souvenir, comme si elle avait donné mille et mille fois ces preuves de liberté. Elle est au monde, et le monde est prêt à se dérouler devant elle de l'autre côté de cette fenêtre. Et ce n'est que le premier acte d'une pièce qui doit ménager encore beaucoup de surprises. À Londres, à Londres, elle qui n'est jamais allée nulle part. C'est donc vrai : tout est possible.

Oh, oui, tout est possible. Y compris mourir de froid dans une tempête de glace au milieu des Alpes, dans la voiture qui s'incline périlleusement comme une barque secouée par les vagues, mais en réalité renversée par l'aquilon, alors que les roues taillent à grand-peine les trois ou quatre empans de neige et que les ongles du gel griffent même au fond de l'habitacle. La neige d'été, d'autant plus méchante qu'on ne s'y attendait pas.

Ou être surpris par une bande de brigands français, en manteau et chapeau conique comme de sombres personnages de crèche, tombés des montagnes avec leurs escopettes pour imposer une justice sommaire, inspirée par une faim terrible. Ou être poursuivis et enfin arrêtés par la police autrichienne, qui ne s'embarrasse pas de cérémonies et expédie ses prisonniers au Spielberg, en plein pays des loups-garous et des vampires, dans la forteresse qui transforme la belle jeunesse en un bataillon de spectres, et de spectres de spectres.

Tout est possible. Mais ne se produit pas. Pas cette fois, pas pour ces trois vies qui sont déjà dans la tempête, ont déjà affronté et défait beaucoup de brigands et se sont laissé fouiller par le soupçon, la malveillance, la médisance. Le voyage est tranquille, autant que peut l'être le franchissement de plusieurs frontières, avec les inévitables et exténuants passages de péages et de douanes, sans parler des puces en fête dans les auberges mal chauffées, de la nourriture grasse dans les écuelles grasses, des chants des ivrognes qui sont les mêmes dans tous les dialectes, de la pluie fine de cette fin d'été qui frappe sa chanson molle sur le toit de la diligence, des compagnons occasionnels qui ont toujours les yeux trop scrutateurs et le nez trop long. Dehors courent des cartes postales que nul n'a envie d'écrire, la plaine humide des rizières, des montagnes adamantines contre la pureté du ciel, la France avec ses granges humides et ses châteaux de conte enceints de forêts de massepain.

Et Bianca ? Elle a passé la plus grande partie du voyage à dormir, invoquant pour excuse ses nausées, plongée dans une sourde lassitude ; et son corps l'avertit de prendre maintenant le sommeil qu'ensuite un petit inconnu lui volera, car dans les scènes finales de cette histoire – de cette partie de son histoire – nous ne pouvons observer le monde comme à l'accoutumée, par-dessus son épaule, en pensant le voir par ses yeux, car ils sont maintenant clos dans une imitation passable du repos qui la dispense de tout effort d'attention. Et mieux vaut qu'elle ne regarde pas dehors ; car peut-être, de temps à autre, trompée par les impostures de la mémoire, elle reconnaîtrait – ou croirait reconnaître – les paysages découverts avec son compagnon de jadis à ses côtés, indiciblement regretté, et elle en aurait un chagrin infini. En revanche, elle a maintenant un autre compagnon accroché dans son ventre : un parasite anonyme qui, dans sa nullité, a chaviré son existence. Elle ne sait où elle va, ou le sait mais ne peut se le représenter, ou ne veut le savoir, car elle aura pour cela tout le temps du monde et davantage encore. Doit-on s'étonner qu'elle évite de contempler le paysage ? Ce n'est pas un voyage d'agrément que le sien, mais un exil dicté par la nécessité. Laissons-la donc dormir ou faire semblant, et déplaçons-nous un peu, pour produire un léger écart de perspective qui, au point où nous en sommes, changera tout. Du reste, c'est le moment ; car enfin, à travers les fenêtres ruisselantes de pluie de la énième diligence, apparaît comme un rêve sale le profil de mille toits et d'un million de cheminées. « C'est Londres ? hasarde Pia, déconcertée. – C'est

Londres », répond Innes sans même la regarder. À lui, le voyage a paru presque trop court : plus jamais il ne reviendra en arrière, il ne le peut pas, et avoir sauvé sa peau est une bien piètre consolation, même si c'est la seule possible. Il n'a même pas vu Rome, alors qu'il aurait peut-être voulu y mourir ; non, pas en égaré, pas en délirant comme Keats, et d'ailleurs il en a assez des poètes : plutôt à la tête d'une escouade d'intrépides sans uniforme comme lui, brandissant un drapeau qu'on n'a même pas encore imaginé. Mais il était trop tôt. Il devra se contenter d'être vivant ailleurs.

« Et maintenant, où allons-nous ? demande Pia.

— Chez nous », répond Innes.

Et enfin, enfin, il approche son visage de la fenêtre et regarde au-dehors, mais non du côté de la ville : en arrière, vers une porte fermée à clef, vers les choses qu'il a quittées, vers ce qu'on ne peut avoir ou être, plus maintenant, plus jamais. Puis pose son regard sur Bianca, pâle et asséchée comme une fleur laissée trop longtemps sans eau, mais vivante elle aussi, vivante pour deux ; et sur Pia, qui n'essaie même pas de paraître fatiguée, les yeux brillants d'avenir. Une jeune femme, une adolescente, un enfant non encore né. Pour la première fois, Innes se sent vieux. Mais ils ont tous besoin de lui. Et lui, en homme nouveau, pour eux, toujours, il sera là.

NOTE DE L'AUTEUR

D'abord, les rapines. *Pourquoi les a-t-on inventés, les baisers, si on n'en donne pas ?* est un vers de Vivian Lamarque. Autres citations, plus ou moins évidentes : Homère, Ronsard, Shelley, Prévert, Grossi, Foscolo, Mallarmé, Auden, Tagore, Neruda, Barrie. Les vers de don Titta, en revanche, ne sont que de lui.

Puis les inexactitudes conscientes. Les danseuses de la Scala qui frappent tant l'imagination de Bernocchi sont toutes inventées. Quelques-unes des plantes et des fleurs citées ne sont pas connues à l'époque où se situe l'histoire, ou du moins pas sous la forme décrite, qui dérive de greffages et de cultures postérieurs. Le commerce des fleurs de la Riviera ligure n'a commencé qu'au milieu du XIXᵉ siècle. Enfin, il n'est guère probable (même si ce n'est pas entièrement impossible) qu'une jeune femme de la haute société milanaise du début de ce même siècle ait abandonné un enfant illégitime en l'amenant en personne à l'institution d'assistance publique destinée à le recueillir : il lui eût été plus facile de le confier à un intermédiaire, comme la sage-femme, une domestique de confiance ou un prêtre ; et plus facile encore de le faire élever par des personnes de sa famille ou de sa connaissance, en suivant son destin de loin. Mais Pia devait être une fillette aux origines élevées confiée à la charité publique : d'où la nécessité de quelques entorses aux mécanismes normaux de l'abandon et de l'« exposition », moteur douloureux d'une machine bien huilée à la charge de l'Hôpital majeur, qui a soulagé les difficultés de tant de familles du Milan d'autrefois. Plus conforme aux mœurs de l'époque est l'histoire de Minna, placée d'abord en nourrice, puis en « élevage » (c'est le terme qu'on employait) dans une famille de la campagne jusqu'à ce que la sienne fût en mesure de la reprendre chez elle.

À vrai dire, tout est né d'une visite effectuée il y a plus de dix ans aux archives historiques de l'institution milanaise en question, dans les sous-sols du Palais provincial sur le *viale* Piceno. Là, sur des étagères coulissantes, dans l'odeur ferrugineuse d'humidité et de poussière, reposent les traces d'un grand nombre de vies résumées dans un langage sèchement bureaucratique. Il y a tout : les certificats d'indigence rédigés par les prêtres des paroisses pour attester le besoin de recourir à l'institution, les requêtes et les promesses des parents : « nous souhaitons qu'elle s'appelle Luigia », « c'est vraiment la pauvreté qui nous oblige à la laisser, nous implorons votre bonté et nous viendrons la reprendre » ; et surtout les signes d'identification et de reconnaissance : médailles et médaillons, images coupées en deux, coussinets brodés, crucifix. Tout ce qui permettait aux parents, même couverts par l'anonymat, de récupérer leurs enfants au bout de quelques mois ou de quelques années. Parfois, quand ils se présentaient, il était trop tard : les enfants étaient morts en nourrice, du tabes, de la syphilis ou d'infections causées par l'allaitement artificiel, ou plus tard, à cause d'une épidémie ou de telle ou telle calamité, loin de la ville, au domicile de leurs « éleveurs ». Les registres, de papier très ancien, sont déformés par ces objets qui se pressent entre les pages, comme si chacun voulait raconter ce qu'il sait. On aimerait tous les écouter.

C'est un lieu où l'on n'a pas envie de rester seul. Mais c'est là qu'a commencé l'histoire de Pia et de Minna.

BIBLIOGRAPHIE SÉLECTIVE
DU MÊME AUTEUR :

Littérature de jeunesse

Mon petit frère de l'ombre, Grasset Jeunesse, 2001

Si c'est une petite fille, Joie de lire, 2004

Guenièvre et Lancelot : la légende du roi Arthur, Grasset Jeunesse, 2005

La mariée était trop belle, Éditions Sarbacane, 2003

Amour, toujours, Joie de lire, 2007

Le Dernier Été, Joie de lire, 2007

101 bonnes raisons de se réjouir d'être un enfant, Joie de lire, 2009

Ulysse, le héros lointain : Pénélope et Télémaque, Grasset Jeunesse, 2010

101 bonnes raisons de se réjouir d'être une fille, Joie de lire, 2011

Enfants de la forêt, Joie de lire, 2012

Emma et le jardin secret, Éditions Les Petites moustaches, 2013

Seul avec mon chien, Joie de lire, 2015

Le Livre de Poche s'engage pour
l'environnement en réduisant
l'empreinte carbone de ses livres.
Celle de cet exemplaire est de :
400 g éq. CO$_2$
Rendez-vous sur
www.livredepoche-durable.fr

**PAPIER À BASE DE
FIBRES CERTIFIÉES**

Composition réalisée par NORD COMPO

Achevé d'imprimer en avril 2015 en France par
CPI BRODARD ET TAUPIN
La Flèche (Sarthe)
N° d'impression : 3011115
Dépôt légal 1re publication : mai 2015
LIBRAIRIE GÉNÉRALE FRANÇAISE
31, rue de Fleurus – 75278 Paris Cedex 06